全国高校建筑学专业应用型课程规划推荐教材

调查研究科学方法

Scientific Methods of Investigation

戎 安 编著

Rong An ed.

钟 予 杨 红 徐 楠 参编

Zhong Yu Yang Hong Xu Nan ed.

中国建筑工业出版社

图书在版编目（CIP）数据

调查研究科学方法/戎安编著. —北京：中国建筑工业出版社，2007（2025.2重印）
全国高校建筑学专业应用型课程规划推荐教材
ISBN 978-7-112-09662-6

Ⅰ. 调…　Ⅱ. 戎…　Ⅲ. 调查研究–科学方法论–高等学校–教材　Ⅳ. C31

中国版本图书馆 CIP 数据核字（2007）第 177120 号

责任编辑：王　跃　陈　桦　吕小勇
版式设计：付金红
责任校对：梁珊珊　王　爽

全国高校建筑学专业应用型课程规划推荐教材
调查研究科学方法
Scientific Methods of Investigation
戎　安　编著
Rong An　ed.
钟　予　杨　红　徐　楠　参编
Zhong Yu　Yang Hong　Xu Nan　ed.
＊
中国建筑工业出版社出版、发行（北京西郊百万庄）
各地新华书店、建筑书店经销
北京广厦京港图文有限公司设计制作
北京市密东印刷有限公司印刷
＊
开本：787×1092 毫米　1/16　印张：14　字数：339 千字
2008 年 2 月第一版　2025 年 2 月第二次印刷
印数：1—3000 册　定价：24.00 元
ISBN 978-7-112-09662-6
　　　（16326）

本系列教材编委会

— Publishing Directions —

— 出版说明 —

　　进入21世纪，随着城市化进程的加快，建筑领域的科技进步，市场竞争日趋激烈，设计实践积极探索，建筑教育和研究显得相对滞后。师徒传承已随着学校一再扩招成为历史，建筑设计教学也不仅仅是功能平面的程式化设计，外观形象的讨论和传授。如何拓宽学生的知识领域，培养学生的创造精神，提高学生的实践能力？建筑院校也需要从人才市场的实际需要出发，以素质为基础，以能力为本位，以实践为导向，培养建设行业迫切需要的专门人才。

　　2006年初，中国建筑工业出版社组织北京建筑工程学院、南京工业大学、合肥工业大学、广州大学、长安大学、浙江工业大学、三江学院等院校的教师召开了全国高校建筑学专业应用型课程规划推荐教材编写讨论会。建设部人事教育司何任飞副处长到会并发表重要讲话。会议中各位代表充分交流了各校关于建筑学专业应用型人才培养的教学经验，大家一致认为应用型人才培养是社会发展的现实需要，以应用型人才培养为主的院校应在建筑学专业教学大纲的指导下体现自己的特色和方向。会议在深入探讨和交流的基础上，确定了全国高校建筑学专业应用型课程规划推荐教材第一批建设书目。

　　本套教材的出版是为了满足建设人才培养的需要，满足社会和教学的需要，选择当前建筑学专业教学中有特色的、有成熟教学基础的课程，与现有的建筑学教材形成互补。陆续出版的教材有《建筑表现》、《建筑模型》、《建筑应用英文》、《建筑设计基础教程》、《建筑制图》、《建筑施工图设计》、《建筑设计规范应用》、《调查研究科学方法》、《建筑师职业教育》，作者是来自各个学校具有丰富教学经验的专家和骨干教师，教材编写实用、严谨、科学，追求高质量。希望各个学校在教学实践中给我们提出宝贵意见，不断完善，使本系列教材更加符合教学改革和发展的实际，更加适应社会对高等专门人才的需要。

Foreword

前　言

城市与建筑的规划设计研究以环境、空间、场所和人的行为与活动为研究对象，同时关注自然、社会、经济、历史的现状及演变过程。研究涵盖自然科学和人文科学等领域，涉及哲学、城市社会学、城市地理学、城市经济学、艺术学、工程技术学、城市管理学、法律学等一系列相关学科，空间环境是其研究的重点。规划设计是包含对环境现状与发展的科学预测与测算、科学策划与规划、模拟设计与艺术演绎、建设与管理等的综合的、复杂的系统过程。求实创新思想是规划设计的基础与根本，科学理性是规划设计的主旨与灵魂。

由于社会环境中众多利益矛盾错综复杂地交织在一起，对其的研究往往呈现出复杂性、多样性、模糊性和不确定性的特点。单凭设计师的感性思维无法全面、有效地解决城市与建筑规划设计项目中的所有问题。设计师只有深入了解规划建设环境的自然、社会与历史背景，通过全面、细致、大量的调查，充分获取第一手资料；科学、深入、理性地分析现实问题；由现象及本质深入浅出地研究问题；不断挖掘研究对象中的本质内涵，发现与挖掘建设环境的特质，才有可能出色地、创造性地完成规划设计。早在1915年苏格兰生物学家、社会学家、城市规划思想家格迪斯（Patrick Geddes，1854~1932）就指出：应当把自然地区作为规划的基本框架，地区的调查与分析是规划的基础；仅有对物质环境现状的调查研究还不够，人们还必须了解城市的精神面貌，它的历史和社会生活的延续性，应先调查，后规划。

所谓调查研究就是指人们发现问题、寻求解释或解答问题的科学研究过程。它有助于人们在世界存在的繁杂现象中，找出事物的发展规律，进而按照事物的客观规律组织人类社会秩序、指导人类活动，使人类理想变成现实。

事实上，规划设计前期的调查研究是规划设计学的基础工作，科学的调查方法具有极其重要的指导意义，是城市与建筑规划设计成败的关键。没有科学方法指导下的大量、扎实、全面的调查分析及推理的基础研究工作，没有获得对基地环境的全方位、深入的认知，就无法掌握规划设计中定性、定量分析所需的基础性资料，更无法因地制宜、因势利导地编制和设计出合乎实际、具有理性与科学性的规划设计方案，以至于其成果成为"无源之水、无本之木"，失去意义而毫无价值。俗话说规划设计讲究七分调研、三分设计，其意义就在于此。

以科学的规划设计方法为指导，一步一个脚印、老老实实地去调查、去分析、去研究，才能由表及里地认识环境特质，去粗取精、去伪存真，提出问题，对症下药。优秀的城市与建筑的规划设计本身就是逻辑思辨的过程。

在此意义上，本书是按照全国高校建筑学专业应用型课程的教学要求专门编写的，全书针对高校建筑学教学中城市与建筑规划设计的需要，系统地介绍了科学调查研究的概念、方法与操作程序。

本书由戎安编著，钟予作为主要参编人员参加了整个编写过程，杨红和徐楠参加了部分资料的收集、整理和案例编辑工作。本书是笔者在多年的教学与科研实践的积累过程中逐步形成的，在此也向所有参加过教学与研究工作的老师、研究生和本科生表示感谢。本书的案例有许多是选自"全国高等学校城市规划专业指导委员会"组织评审的"城市规划社会综合调查报告"的优秀作业之中，由于是匿名评审，已无法一一查找作品的原创作者，在这里一并致谢。最后，我要感谢我的家人，为写作我占用了大量本属于她们的节假日和休闲时间，是她们无私的支持和鼓励才保证我完成了本书的写作。

— 目录 — Contents —

Chapter1 Introduction

第1章 调查研究科学方法的发展历程

第1章　调查研究科学方法的发展历程

1.1　调查研究发展简史

调查研究作为认识社会的一种基本手段，它的形成与发展经历了漫长的历史过程。而社会调查①科学方法论的形成，则是在近现代才出现的。

1.1.1　西方调查研究发展简介

工业革命以后，随着经济技术的急速发展，西方先进工业国家的社会结构发生了剧烈动荡，并且引发出一系列社会问题，城市生活中的矛盾层出不穷、错综复杂。为了科学地分析与解决变革中的经济和社会问题，有针对性地开展调查与数据统计等研究工作逐渐成为社会学者所关注的焦点。至19世纪中期，社会学发展成为一门独立的学科，为社会科学研究的理论与方法提供了学科平台，社会调查研究活动在越来越广阔的社会与经济领域中展开，并被社会广泛接受，成为推动社会与自然科学发展的重要手段。

1.1.1.1　17~20世纪初西方调查研究发展简介

17世纪下半叶，如何客观准确地了解社会发展状况成为越来越迫切的社会需要，这在几个最早进入工业化时代的欧洲国家尤为突出。

(1) 英国

在最早成为工业化国家的英国，这个时期的调查研究工作，注重反映客观社会现实，旨在引起社会关注，带有明显社会改良的政治倾向。

威廉·配第(William Petty，1623~1687)1690年完成的《政治算术(Political Arithmetic)》指出：对任何社会现象都应当用数字、重量和尺度来说明并加以比较。②他本人也因此被马克思誉为政治经济学之父。更具历史意义的是约翰·辛克莱爵士1791~1799年完成的《苏格兰统计报告》，共21卷，他发动宗教界人士进行调查，历时七年，调查范围涉及苏格兰881个教区，普查内容广泛，其中有40余项涉及历史、地理、矿藏，60余项涉及居民性别、年龄、职业、宗教信

---

① 调查研究方法发展的重要表现就是，从"社会调查"发展到"社会学调查"。社会调查是为了了解社会现状；而社会学调查是为了研究一个社会变动的过程。社会调查的中心是事实；而社会学调查的中心是理论。社会调查侧重社会具体问题的了解和解决；而社会学调查是要发展人类共同生活的原理与原则。

② (英)配第(W.Petty)著. 政治算术 [M]. 陈冬野译. 北京：商务印书馆，1978.

仰、出生率与死亡率、自杀与谋杀、失业、酗酒等，这一庞大的调查研究对后世的人口普查产生了巨大的影响。[①]

详实的调查往往能够客观地反映社会现实并引起社会关注，促进社会改良。最显著的成果是查尔斯·布思（Charles Booth，1840～1916）在1902～1903年出版的17卷本《伦敦人民的生活和劳动（Life and Labour of People of London）》。书中在对各阶层人民的生活状况进行认真调查研究后，按贫困状态、人口状况、出生率、死亡率、早婚率等方面制定了一系列综合指标并加以对照分析，英国政府还据此于1908年颁布了老年抚恤金法，为"流汗职业"建立失业保险，并规定了重体力劳动的最低工资限度，查尔斯·布思本人因此被公认为杰出的社会研究先驱者。[②]

（2）法国

法国早期的社会调查带有比较强的经验性倾向。1801年，法国内政部进行了法国全国的第一次人口普查，试图弄清楚1789年大革命以来，城市在人口数量、人口分布、居民生活条件以及工农业等方面的变化。[③]

法国良好的数理统计传统，使得它在经验社会研究中很快显现出统计学的影响。例如擅长数理研究的社会改革家和经济学家弗雷德里·勒·普累（Frederic Le Play，1806～1882）强调对社会现实要加以量化研究。从1835年起，他采用家庭账簿的方式，经历20年先后调查了英、法、德、匈、俄、土等国数千个城市工人家庭的收支和生活情况，进而证明家庭情况能够反映社会的安定与动乱等特点。[④]这些调查为行政统计调查的制度化奠定了基础。由于勒·普累曾选取具有代表意义的个别家庭进行调查，并对城市工人家庭的生活方式进行了系统考察，因而他也被认为是个案研究法和参与观察法的创始人。

（3）德国

在德国，社会调查比英、法两国开始得要晚一些，且明显受到英、法两国的影响。例如德国统计学家恩格尔（Ernst Engel，1821～1896）在1853年国际统计会议上了解到前面提及的弗雷德里·勒·普累的调查结果后，从中发现了工资与生活消费的比例关系，创立了著名的"恩格尔定律"，即收入水平越低，用于伙食开支的比重就越高，家庭就越穷。[⑤]

马克思为剖析资本主义社会也做了大量的调查研究。在《资本论》的写作过程中，他在收集各国的统计档案、资料的同时，还通过对英国工厂和产业工人的观察与访谈，获得了大量第一手材料，为《资本论》的写作奠定了科学基础。而恩格斯

---

① 王康. 社会学史 [M]. 北京：人民出版社，1992：45.
② 出处同上. 第46—47页。
③ 周晓虹. 西方社会学历史与体系[M]. 上海：上海人民出版社，2002：151.
④ 王康. 社会学史 [M]. 北京：人民出版社，1992：34—35.
⑤ 周晓虹. 西方社会学历史与体系[M]. 上海：上海人民出版社，2002：158.

则在长期深入工人住宅区实地调查后，完成了《英国工人阶级状况》等著作。

(4) 美国

19世纪末20世纪初，美国社会学调查中最有代表性的为匹兹堡调查和春田调查 (Spring Field Survey) 研究。

匹兹堡调查由保尔·凯洛葛于1907年主持，当时正值匹兹堡的钢铁工业飞速发展，伴随着工业化进程出现了一系列社会问题。通过个案调查法、区域划分法、图示描写法、实地观察法、访问法、调查表法等，研究者从多种角度对该城在工业化过程中出现的各种问题进行了详细的社会调查。

春田调查由哈里逊于1914年主持，以研究小城市的社会状况为调查目标。它主要使用宣传公众法，即通过媒体和各种集会鼓励、组织市民参与调查，并对调查结果展开讨论。调查期间有900多人参与调查活动，并对改善当地的市政管理、社区生活等提出了许多具体建议。

1.1.1.2 20世纪初至今西方调查研究发展简介

20世纪之初，在欧洲，杜尔克姆 (Emile Durkheim, 1858~1917)[1]创立了社会调查研究"研究假设—经验检验—理论结论"的实证程序。在美国，芝加哥学派 (Chicago School of Sociology) 的社会学家们就美国的社会问题，诸如移民问题和城市问题等作出了具有开创性意义的研究。[2]

20世纪20年代，托马斯 (William Isaac Thomas, 1863~1947) 与美籍波兰学者兹纳涅茨基 (Florian Znaniecki) 根据波兰移民史料（日记、传记、信件等），于1917年写成了《欧洲和美国的波兰农民》，被誉为个案研究的范例。[3]人类学家林德夫妇 (Lynd Robert and Lynd Helen) 在1929年完成的《中镇 (Middle town)》里，将人类学的社区研究方法运用于现代城镇的研究。

20世纪社会调查活动日益呈现出专业化的发展趋势，主要表现在两个方面：首先，各个社会调查主体单位的调查机构和人员日益专业化，如各科研机构的情报所(室)、新闻信息中心等；其次，独立的营利性调查研究机构日益增多，如美国民意调查所已成为在20多个国家设有分支机构的跨国公司。1935年创办的盖洛普民意测验所标志着专职调查机构的出现，它于1936年以1‰左右误差的民意调查为样本，准确地预测了罗斯福当选美国总统。自此，抽样调查逐渐成为重要的社会调查方法，而民意调查的预测方法则源于费希尔1928年创立的抽样理论。

1948年，美国社会学家斯托福(Stauffer, 1900~1960)等人在完成《美国士兵》

---

① 杜尔克姆出生于法国一个中产阶级犹太人家庭，1882年毕业于巴黎高等师范学校，1896年晋升为法国第一位社会学教授，同年创办了《社会学年鉴》。他的主要著作有：《社会分工论》、《社会学研究方法论》、《自杀论》、《宗教生活的基本形式》。
② (美)帕克(Park, R.E.)等著．城市社会学：芝加哥学派城市研究文集[M]．宋俊岭等译．北京：华夏出版社，1987.
③ 王康主编．社会学史 [M]．北京：人民出版社，1992：121.

调查中，创立了统计调查模式。抽样法与统计法的应用显示出社会研究方法定量化的倾向，社会调查与理论研究的结合也日益密切。

二战后，受到现象学等现代哲学的影响，社会调查研究中开始运用现象学方法，即试图通过主观理解和实地调查来揭示人们是如何在生活中建立一种意识上的共同世界，并在这种假定共识下行动的。

随着对民俗学研究领域的扩展和深入，出现了与之研究相适应的民俗方法学，这种方法主张通过对日常民俗交往规则中的方式、语言、动作等进行观察分析，来理解真实的社会行为。

1.1.2　中国调查研究发展简介

中国古代社会调查活动源远流长，但在近现代时期，社会调研活动却落后于西方。20世纪初，随着西方近现代社会调研理论与方法的逐渐传入，对我国的社会调查活动产生了深远的影响。

1.1.2.1　古代的调查研究

古代中国很早就有对社会进行调查的文史纪录，如早在几千年前，封建社会就有人口普查制度。例如，大禹治水时代进行过大规模的人口、土地调查。春秋时期，齐国政治家管仲在主政期间十分重视社会调查，《管子·问》制定了社会调查提纲，其中提到60多个需要进行调查的问题。[1]战国时期社会改革家商鞅指出，对社会情况的了解是关系国运兴衰的大事，他认为"强国知十三数：境内仓、口之数，壮男、壮女之数，老、弱之数，官、士之数，以言说取食者之数，利民之数，马、牛、刍藁之数。欲强国，不知国十三数，地虽利、民虽众，国愈弱至削。"[2]

1.1.2.2　近代的调查研究

（1）社会调查研究的起步阶段

中国近代的社会调查研究活动起始于20世纪初，一些教会学校在外籍教师指导下进行了一些小规模的社会调查研究。

1918～1919年间，美籍教士甘博等调查北京社会状况，于1921年在美国出版《北京，一种社会调查 (Peking, A Survey)》一书，成为中国高校城市社会调查研究的起点。

上海圣约翰大学葛学博教授 (Daniel Kulp II) 于1925年在美国出版《华南农村生活 (Country life in South China)》一书。葛学博教授通过对广东潮州凤凰村的调查，为中国高等学校对乡村生活的社会调查首开先河。[3]

① 中国人民大学，北京经济学院《管子》经济思想研究组编. 《管子》经济篇文注译 [M]. 南昌：江西人民出版社，1980：96—107.
② 商鞅等. 商君书 [M]. 章诗同注. 上海：上海人民出版社，1974：20.
③ 韩明谟. 中国社会学调查研究方法和方法论发展的三个里程碑[J]. 北京大学学报：哲学社会科学版，1997，(4)：6.

由于当时中国社会尚处在动荡中，社会学界主要关注对社会进化过程和社会变迁走向的研究，前期较为集中的研究领域是家庭问题；20世纪30年代以后，社会关注点逐渐转移到人口问题、农村问题、劳工问题，以及这些问题对当时中国社会变迁等方面的影响[①]。当时，最具有代表意义的是中华平民教育促进会的定县实验区，每年用30～40万元的经费，组织一、二百人参加实验，最后由李景汉主编出版了《定县社会概况调查》，它是国内首次以县为单位，系统的实地调查研究成果。全书83万字，包括地理、历史、县政府、其他地方团体、人口、教育、健康、卫生、农民生活费、乡村娱乐、风俗与习惯、信仰、财税、县财政、农业、工商业、农村借贷、灾荒、兵灾等[②]，它是我国这个时期社会调查研究活动代表作。在上述调查研究的社会实践之后，中国的社会调查研究活动逐渐展开，相关出版物也渐盛。

（2）社会调查研究的发展阶段

我国近现代社会学代表人物是费孝通，他在1936年完成了《江村经济》调研报告。针对区域状况、亲属关系、婚姻与家庭、财产与继承、户与村、生活与职业分化、土地占有与资金、农村贸易等方面的社会学要素，费孝通对中国农村的社会结构进行了静态和动态两方面的调查，并对各方面分别进行了论述，最后集中探讨了土地问题，进而勾勒出各个相关要素互相关联的整体系统。他认识到当时的突出问题是：农村手工业衰败、土地权外流、农民生活贫困化；并认为，以外地地主（离地地主）为主的土地制度形成的原因是传统手工业的崩溃和现代工商业势力的侵入。[③]在我国，费孝通首次尝试运用了社会学调查研究方法，引领了调查研究从实证主义走向理解社会学[④]的社会学研究道路。

在我国近代史中，中国共产党所领导的苏维埃革命根据地也进行过大量的社会调查，在探求中国革命的理论和策略问题中起到了重要作用。例如毛泽东同志针对当时农民与农村的土地问题，阶级与阶级划分问题等进行过一系列的社会调查，通过社会调查与研究，把马克思主义的普遍真理同中国革命实际相结合。他

---

① 王康. 社会学史 [M]. 北京：人民出版社，1992：283.

② 韩明谟. 中国社会学调查研究方法和方法论发展的三个里程碑[J]. 北京大学学报：哲学社会科学版，1997，(4)：7.

③ 袁方. 社会学百年 [M]. 北京：北京出版社，1999：169—171.

④ 理解社会学又称"领悟社会学"，产生于20世纪初，创始人是德国社会学家M·韦伯。韦伯把社会学规定为理解社会行动者赋予行动主观意义的科学。他在所著的《经济与社会》一书中指出，社会学要认识的是社会行动，要从根本上说明社会行动的过程和影响。他所谓的理解社会行动，就是强调社会学家要掌握行动者赋予其自身的行为和决定的主观意义，然后把行为分类，以此作为理解行为结构的入门。正因为理解，才能对于社会行为的进程及其结果获得符合因果关系的正确解释。根据韦伯的理论，社会行为都是可以理解的，社会学正是作为一种理解的科学，同自然科学有所区别。理解的社会学对后来欧美社会学的发展曾产生过比较大的影响。

在 1927～1933 年间完成了《湖南农民运动考察报告》[①]、《寻乌调查》[②]、《兴国调查》[③]、《才溪乡调查》[④]等调研报告。毛泽东同志这种具有中国革命特色的社会调研方法可概括为：文献法、解剖麻雀法（即典型案例法）、调查统计法、强调数字方法、"走马观花"法（即大略的实地观察法）、集体访谈法等。[⑤]

1.1.2.3 当代的调查研究

自 1979 年以来，随着社会经济的急速发展，我国社会调研受到前所未有的重视，调研范围不断扩大，调查方法和手段不断改进，诞生了多种形式的调研机构。

20 世纪 80 年代初，社会调研的重点是农村，之后由农村逐步扩展到城乡结合部；20 世纪 90 年代又扩大为对区域经济的研究。目前，我国社会正处于重要的转型时期，人口、小城镇、城市化与社会现代化、社会转型等方面的专题研究受到广泛关注。最有代表性的著作是费孝通著的《行行重行行》，它是一部由 35 篇研究论文组成的乡镇发展论文集。费孝通追踪十年，九访江村，于 1986 年又完成了《江村五十年》，堪称理论工作研究与实践紧密结合的典范。

小结

在西方，工业社会早期的大多社会调查研究，由于缺乏对于调查方法的科学研究，调查研究没有能够上升到科学理论的高度；然而这些调查对当时的社会发展与改良起到了积极的作用，亦为之后的社会学研究提供了丰富的调查经验和翔实的调查材料。进入现代时期，一方面社会调查在强调定性化研究的同时，也开始强调定量化；另一方面，由于哲学观念的发展，在调查研究中，人们更加关注主观意识的作用，并开始注重个人行为的主观意义和社会关系的研究，社会调查与理论研究的结合也日益密切。

在中国，古代很早就有社会调查的文史档案记载。近代的社会调研活动起始于 20 世纪初，当时的先行者们运用社会学调查研究方法，奠定了从实证主义走向

---

① 为了答复当时党内党外对于农民革命斗争的责难，在 1927 年 1 月至 2 月，毛泽东在湖南长沙、醴陵、湘潭、衡山、湘乡五个县对农民运动的情况做了三十二天的调查研究，用丰富的第一手材料，指出农民革命斗争的正确性，为中国共产党后来领导的农民运动的发展奠定了坚实的理论基础。

② 寻乌调查对寻乌县的政治、经济(包括商业、交通)、文化、社会各阶级的历史和现状做了全面详细的调查，时间是十几天，调查报告约八万字。

③ 1930 年 10 月，为了总结土地革命的经验，毛泽东等通过对八户家庭调查，调查了各阶级在土地斗争中的表现，了解到农村的实际情况，以及党的土地革命路线和政策的执行情况，指出革命根据地的建设方向和前途。

④ 1930 至 1933 年间，毛泽东在江西福建苏区，又做过一系列农村调查。内容着重苏区土地斗争、苏区建设的经济调查。其中著名的《才溪乡调查》，是作为"苏区工作模范"的调查材料，印发给当时参加第三次全国苏维埃代表大会的代表的。

⑤ 韩明汉. 中国社会学史[M]. 天津：天津人民出版社，1987：62—76.

理解社会学的社会学研究基础。革命根据地时期的社会调查，形成了一些有特色的调研方法，为探求中国革命理论和策略起了重要的作用。20世纪80年代以后，我国社会经济急速发展，调研范围也不断扩大，但与国外仍有一定的差距。

1.2　调查研究的意义

1.2.1　社会学发展同建筑与规划学科发展的关系

近代，人们将客观世界分门别类，以学科为研究基础，对事物进行专业化研究。到了现代，各学科的高度分化、学科间的相互渗透与融合成为科学发展的总趋势。进入当代，系统论（Systemism）观点认为，客观世界是以一个整体的方式存在与发展的，得到越来越广泛的重视与应用。仅凭单一的学科知识越来越难以解决全球化背景下的资源、环境、社会等错综复杂的问题。

在社会学领域，早期社会学调查大都关注社会结构、人口分布、社会经济状况等发展规律。随着社会学调查的日益广泛与深入，社会学研究更加关注各种社会现象之间的关系；与此同时，社会学科的发展促进了社会调查的科学化、规范化、实用化、集约化和多元化。作为社会学研究的一个分支，城市社会学（Urban Sociology）[①]运用社会学理论对社会中特殊的结构性单位——城市系统进行研究。研究对象包括城市的社会结构、空间要素及发展规律等，目的是促进城市系统的持续、快速、健康和协调发展。

建筑与规划作为一门实践性学科，它的内容涉及社会、经济、科学、艺术等多个层面，兼有自然科学与社会科学双重性，研究面广，涉及内容丰富。一方面，为了深入细致地研究社会环境中存在的繁复现象，建筑与规划学科将调查研究作为一项基础研究工作，社会学的调查研究方法在学科内也得到日益广泛的重视与应用。另一方面，建筑与规划学科与其他相关学科相互交叉、渗透与融合的趋势也日益显著，建筑与规划的研究往往也是建立在其他学科科研成果基础上的。这些研究为建筑与城市规划学科的科学发展提供必要的支撑，成为沟通建筑学领域理论研究与创作实践的重要桥梁；调查研究是理论研究工作的基础，它支撑着建筑理论推陈出新；同时，建筑理论的发展也对社会调研工作、城市与建筑的规划设计实践形成有效的指导。

1.2.2　我国社会发展对建筑与规划学科发展提出的新课题

我国目前正处于城市急速扩张的发展阶段，在大规模城市建设任务的压力下，

① 城市社会学认为，城市是社会发展的中心存在。与乡村相比，一方面，城市的政治、经济、文化和教育都更加发达；另一方面，城市居民的自主性强，生活节奏快，各种社会行为方式、城市社会问题和社会矛盾众多而复杂。针对这些问题，城市社会学的研究主要关注的是城市生活的本质、现状和发展等。

城市与建筑的规划设计工作重经济、重规模、重形式、重技术、重速度，较为忽略社会、环境及政策层面的研究；建设活动中对历史、文化、环境的保护重视不够，项目开发缺乏理性论证，忽视资源集约利用和投入产出的综合效益分析。因此，城市与建筑的规划设计研究必须在可行性研究、规划决策、运作实施等城市与建筑的规划设计、建设、管理各环节，不断地理论联系实际、针对实际反复调查研究，及时、有效地反馈信息，并对规划决策予以必要调整，使规划设计成为一个动态、循环的科学过程。通过对具体空间环境现状的调查，引发规划设计者对观察对象的兴趣与思考，在动态发展过程中进行整体性城市研究。

目前，我国的建筑学教育偏重物质形态设计技能的培养和建筑工程基础知识的传授。随着和谐社会建设愿望的日益迫切，需要重新审视建筑学与经济、文化、社会等多方面的关系，探索它们之间的作用与反作用方式，这已经成为建筑与规划学科走向现代化、科学化的新课题。

小结

在当今世界各学科知识与研究相互渗透与融合的总趋势下，建筑与规划学科和社会环境学科的关系日益紧密。一方面，当代社会学研究更加注重系统地对各种社会现象展开调查，这些新的研究方法对建筑与规划学科的社会调查有积极的借鉴与引导作用；另一方面，建筑和城市科学与社会科学的交叉与重叠发展，共同取得了许多研究成果，有效地促进了建筑理论推陈出新和设计实践的良性发展。

此外，由于我国目前正处于快速发展阶段，在大规模城市建设任务的压力下，城市与建筑的规划设计工作也亟需通过社会调查来及时、有效地掌握现实情况，理论联系实际，动态地、循环地对规划决策予以必要调整。因此，针对社会发展现状，我国的建筑学教育也需要重新审视建筑与规划学科的学科背景，促进学科向现代化、科学化的方向发展。

本章思考题

1. 我国的社会学调查是从何时开始的？
2. 当代的社会学调查有什么发展趋势？
3. 社会学发展为建筑与规划的发展提供了怎样的机遇？
4. 我国社会发展现状对建筑与规划学科的发展提出了怎样的新课题？

本章参考读物

1. 周晓虹. 西方社会学历史与体系[M]. 上海：上海人民出版社，2002.

2．（美）帕克(Park,R.E.)等．城市社会学：芝加哥学派城市研究文集[M]．宋俊岭等译．北京 ：华夏出版社，1987．

3．费孝通．江村经济：中国农民的生活[M]．北京：商务印书馆，2001．

Chapter2 Investigation Methods

第 2 章　调查研究方法论概述

第 2 章   调查研究方法论概述

在城市与建筑的规划设计中，面对庞杂的城市巨系统，如何在各种城市问题千丝万缕的复杂关系中理出头绪，科学的思维方法可以为我们提供有力武器。理性的调查研究是解决问题的关键性前提，通过分析、比较、归纳、综合等多种科学研究方法的运用，对规划设计中的环境要素进行深入全面的调查研究，进行科学评价（SWOT①分析），深入和理性地分析问题，由表及里、深入浅出地提出问题、研究问题、解决问题，将为规划设计打下坚实的科学基础。

城市与建筑规划设计的科学研究方法可分为三个层面：研究的方法论；研究的操作程序与方法；研究的技能与技巧，在以后的几个章节中将对科学方法的这三个层次分别进行介绍。

2.1   调查研究方法论的基本概念

2.1.1   调查研究方法论的研究层次

科学研究的思想方法是指导科学研究的一般性思维方法和运作方法，它涉及宇宙观、认识论等多方面内容，也可称为方法论（Methodology）。方法论主要涉及科学研究的基本假设、逻辑、原则、规则、程序等问题。一般而言，方法论包括两个层次的内容，一是进行科学研究时所遵循的哲学思想，二是进行本学科研究时所遵循的科学方法。

科学方法在建筑与规划的调研工作中起着重要的指导作用。运用信息收集、汇总，素材比较、分类，资料综合分析等多种科学方法对调查所得到的第一手资料进行分类、整理、归纳和分析，从而对研究对象的历史与现状形成较为全面、客观的认知和评价，以指导下一阶段的判断与决策。由于城市科学涉及自然科学与人文科学两个科学领域，所以城市科学调研方法论主要探讨下述问题：

(1) 是否存在客观的社会规律？

(2) 社会科学能否像自然科学那样客观地认识社会现象？

(3) 应采用何种方法来研究社会现象？

(4) 如何判断社会科学知识的真理性？

---

① SWOT 即 "S—Strengths，优势；W—Weaknesses，劣势；O—Opportunities，机遇；T—Threats，风险" 的缩写。

(5) 人的主观因素（如价值观、伦理观）对社会研究有什么影响？

2.1.2　研究方法论基本学派

科学研究需要有一定的理论作为指导，但科学方法并非是静止的、一成不变的，它往往处于发展变化之中；同时，不同的学科有不同的方法论，并不存在任何凌驾于科学之上的、放之四海而皆准的指导思想或方法论原则。长期以来一直存在着两种基本但又相互对峙的派别，即实证主义学派和人文主义学派。

2.1.2.1　实证主义学派

实证主义 (Positivism) 学派的代表人物是法国人孔德 (Auguste Comte，1798～1857)[①]。孔德之前，社会的各种状况通常被认为是既成事实，是神的旨意的体现。而孔德则把人类社会历史完全归结为人类的理智发展，因而与理智发展最高阶段相匹配的社会组织形式——工业社会就具有普遍的、全人类的品格。

孔德认为，在整个世界发展中，群体、社会、科学甚至个人思想都经历了神学、形而上学、科学等三个阶段。为了获得实证知识，要采用四种方法，即观察法、实验法、比较法和历史法。孔德同时也论证了这些方法对社会学的适用性。他认为贯穿在这些具体方法中的基本原则就是坚持统一的科学观，即认为社会同自然并无本质的不同，没有必要在自然科学和社会科学之间作出划分。这一思想，为后来的实证主义社会学奠定了方法论基础。

孔德相信社会是一种可以运用科学方法进行逻辑理性研究的现象，呼吁用科学的客观取代宗教的信仰，主张用实证主义反对神学和形而上学，通过科学、知识与理性来改变现状。他首创了"社会学 (Sociology)"，被誉为"社会学之父"[②]。

孔德主张社会研究应该向自然科学看齐，学习自然科学中那种具体、客观的观察[③]和研究方式，从而对社会中的现象及其相互联系做出科学的结论。孔德甚至把社会问题的解决过程比拟为自然科学过程：社会的骚乱就同人体的疾病，从中可以显示出机体的主要运行规律，生病后才能够更好地认清社会准则。社会学研究方法论的确立始于实证精神的引入，孔德创立了"实证主义"一词来描绘这

---

① 奥古斯特·孔德是法国著名的哲学与社会学家，实证主义创始人。有《实证哲学教程》、《实证政治体系》、《主观的综合》等著作。人们把他尊为社会学的创始人、奠基人，或认为是社会学的命名人。

② 周晓虹. 西方社会学历史与体系[M]. 上海 ：上海人民出版社，2002：35.

③ 观察包括直接观察与间接观察，其中直接观察指考察特定社会的历史文化与遗迹、风尚仪式，以及分析比较各种语言。间接观察是指属直接观察外的其他观察方式。试验指在专门为研究目的而创造的条件的影响下，对现象的变化进行观察。比较法也可分为两类：一是人与动物的比较，借以了解社会的起源；二是世界不同区域的社会的比较，借以了解人类社会发展不同阶段的具体情况。详见(苏)И.С.科恩. 十九世纪至二十世纪初资产阶级社会学史[M]. 梁遗译. 上海 ：上海译文出版社，1982：21-23.

种新的科学取向，它使社会学真正独立为一门科学。[1]

2.1.2.2 人文主义学派

由于人类社会存在特殊性，社会学家不可能通过对同一试验对象的反复测量来检验研究结论；也不可能通过对单一样本的研究来推断同类物质的共性。孔德等早期实证主义社会学者在极力主张向自然科学方法论学习的同时，过分强调公式化，不理解社会发展的多元性、多样性与模糊性特征。随着自然科学方法日趋精密和严谨，它与人文科学的反差越来越明显，实证主义方法论中的片面性日益显现。针对这些缺陷，20世纪70年代后，出现了更具人文色彩的方法论观点。

德国反实证主义代表人物狄尔泰（Wilhelm Dilthey，1833～1911）[2]强调社会研究需要考虑到社会现象和自然现象之间的差异。在《精神科学导论》（1883）这部著作中，他对当时人文和社会科学流行的自然科学方法潮流提出了异议，指责这种做法忽视了社会科学的特殊性，令以社会和历史为研究对象的学科"奴役于"迅速发展的自然科学。[3]在狄尔泰的哲学范畴里，客观真理没有立足之地：他相信人的自由意志使人的行为无规律可循；而社会活动中隐含着大量的个人意识和机遇性，充满了不定性；历史事件也都具有偶发性。狄尔泰认为社会学研究只有深入到行为者动机领域，才能揭示出指导人们行动的内部逻辑。因此，在对人和社会进行研究的过程中，要采用人文学科的主观方法对具体的个人和事件进行分析，充分发挥研究者的主观性。这个理论被称为"解释范式"方法论。[4]由于狄尔泰的理论影响，他被后人誉为"历史认识上的康德"。[5]

以狄尔泰为代表的方法论观点完全反对使用自然科学的方法来研究社会现象，狄尔泰在批判实证主义的同时又走到了另一个极端——人文学科的主观方法论。

2.1.2.3 韦伯及其理解社会学

德国社会学家韦伯（Max Weber，1864～1920）[6]是当代社会科学领域最有影响、最有争议的思想泰斗，他既反对极端的实证主义，也反对极端的主观主义。

① 周晓虹. 西方社会学历史与体系[M]. 上海：上海人民出版社，2002：41-43.
② 狄尔泰于1833年出生在德国莱茵地区的别布列奇，父亲是个加尔文教派的牧师。他是生命哲学的奠基人。曾先后在巴塞尔大学、基尔大学、布雷斯劳大学和柏林大学任哲学教授。狄尔泰的哲学思想是新康德主义的发展。他严格区分了自然科学与精神科学，并以生命或生活作为哲学的出发点，认为哲学不仅仅是对个人生命的说明，它更强调人类的生命，指出人类生命的特点必定表现在时代精神上，但他却把生命解释为某种神秘的心理体验。著作有《精神科学导论》（1883）、《哲学的本质》（1907）等。
③ (苏)И.С.科恩. 十九世纪至二十世纪初资产阶级社会学史[M]. 梁逸译. 上海：上海译文出版社，1982：156-157.
④ 周晓虹. 西方社会学历史与体系[M]. 上海：上海人民出版社，2002：280-283.
⑤ (苏)И.С.科恩. 十九世纪至二十世纪初资产阶级社会学史[M]. 梁逸译. 上海：上海译文出版社，1982：156.
⑥ 马克斯·韦伯，德国著名社会学家，现代一位最具生命力和影响力的思想家。其对西方社会的影响巨大，是公认的社会学三大"奠基人"之一（另外两位为迪尔凯姆、齐美尔）。

韦伯比较重视个人的主观要素,主张只有置身于社会之中,认真理解与领悟,才便于切实了解社会现象与动向,他的学说被称为"理解社会学"。与实证主义者不同,韦伯认为自然现象与社会现象有本质的区别,社会现象含有社会成员对自己和他人行为的主观理解,即"社会事实最终归结为可理解的事实";同时,不同于人文主义者,他相信人的社会行为是有意义、有目的的,具有一定的规律性,而对于规律性的行为就可以采用自然科学的方法加以研究;但是,社会研究必须理解人的行为动机,不能仅仅通过外部表现和外部影响来进行研究。他指出:通过对理性行为的理解,可以找出社会现象的规律性。[①]韦伯的理解社会学思想,改变了实证主义方法论的一统局面,促进了现象学社会学的产生。以韦伯为代表的方法论原则已经被大多数社会学家所接受。

小结

社会调查研究的方法论是指导研究的一般思想方法或哲学基础,包括进行科学研究时所遵循的哲学方法和科学方法。

指导研究的方法论并非是统一的,不同的理论学派有不同的方法论。长期以来一直存在着两种相互对立的方法论派别:实证主义学派和人文主义学派。与这两种极端的论点不同,韦伯的理论既反对极端的实证主义,也反对极端的主观主义,目前他的方法论原则已被大多数社会学家所接受。

2.2　调查研究类型划分方法

2.2.1　根据研究性质划分研究类型

根据研究性质不同,调查研究可分为理论性研究和应用性研究两类,在研究同一种社会现象时,它们的关注点各不相同:理论性研究侧重于如何形成并发展某种一般性的社会认知,而应用性研究则更关注如何有效地解决现实社会问题。

2.2.1.1　理论性研究

理论性研究又称基础研究,具有明显的理论倾向。它是侧重于建立或检验各种理论假设的经验研究。理论性研究主要关注的是各种社会现象之间的因果关系,以及探索各种社会现象中所隐含的内在规律。

例如凯文·林奇(Kevin Lynch)在对美国洛杉矶、波士顿以及泽西城城市现象的研究中,运用城市心理学的调查研究方法,组织市民在客观感知基础上,描绘其所在社区环境的心理地图(Mantel Map),获得了大量的城市"意象"素材。

---

① 周晓虹. 西方社会学历史与体系[M]. 上海 : 上海人民出版社,2002:347—363.

再通过对这些第一手资料的分析、归纳，总结出城市意象的五个构成要素，即道路（Path）、区域（District）、边缘（Edge）、节点（Node）、地标（Landmark），进而剖析并讨论了城市的可读性（Legibility）与意向性（Imaginability），他的研究为"城市意象（The Image of the City）"理论奠定了科学基础。[①]

2.2.1.2 应用性研究

应用性研究是指那些侧重于现实社会问题，有针对性地提出特定社会政策的经验研究。它通过社会调查来了解社会现象，着重解答实际工作中的具体问题，目的在于提出解决相关问题的方案或政策性建议。城市规划与建筑设计前期基础调查基本上属于这类研究。

例如在我国现阶段，随着城市化进程的加速，城乡差异的加剧，如何促进城乡一体化发展，建构和谐社会的问题已受到广泛的关注。在这种情况下，为了达到调整现状乡镇空间结构、优化产业布局的目的，探索切实可行的应对策略，各级政府机构和规划局、农委、水务局等实际工作部门积极开展了对农村的调研与规划工作，这些都属于应用性研究的范畴。为了解决具体问题，调查者必须深入乡村开展调查研究，分析不同地区发展的优势、劣势、机遇与挑战，确定发展策略。并在此基础上，编制乡镇发展的近期与远期规划，并针对各乡镇存在的实际问题及其轻重缓急制定出具体建设项目的时间表。

2.2.2 根据研究目的划分研究类型

在制定调研方案之前，首先要明确调研目的，了解调研方式与方法及其适用范围。根据不同的研究目的，可以划分成以下几种科学研究类型：

2.2.2.1 探索性研究

探索性研究是指对社会现象或问题通过初步考察和了解，获得对调研对象的初步认识，其主要目的是为今后更深入、系统的专业研究开辟道路、指引方向。探索性调查研究属于意向性研究，它的调查对象无需具有代表性，对调查精度的要求也不严格，调查结果往往是对社会问题或现象的初步印象，或对更进一步调查的可能性的探讨。探索性研究无法对所研究的问题提出比较确切、系统、令人满意的答案，往往只能充当后续定性化研究的背景或起点。[①]

在进行大规模研究之前，研究者需要对整个调查进行通盘考虑，通常需要先进行探索性调查、分析、研究。此外，当调查者准备研究的问题或现象比较特殊，或尚无定论的时候，也需要进行探索性调查研究。

例如在近代建筑中，钢、铁结构在房屋建造中的应用就经历过一个探索性的研究过程。18世纪下半叶，铸铁作为在道路桥梁修建中的一种新结构材料已被广泛应

① 凯文·林奇. 城市意象[M]. 方益萍等译. 北京：华夏出版社，2001.

用,①而建筑则仍以沉重的石料为建材。1851年,人们虽然在英国应用钢铁材料神奇地建成了著名的世博会水晶宫,但它仍沿用着砖石建筑的梁—柱结构承重体系。1855年在法国建成的铸铁结构的哥特式教堂,虽然在建造史上创造了奇迹,但它也是在模仿石柱、肋拱、拱顶的哥特式石结构。虽然它们都采用了新型材料,但是都没有脱离传统材料的结构体系。为了探索与钢铁这种新材料相适应的新结构体系,法国建筑理论家勒迪克②通过对哥特式石建筑的尖券、拉索、飞扶壁等形式的观察、调查、分析、研究,归纳总结出尖券、拉索、飞扶壁等形式都存在三角形稳定原型要素的力学结构,并把它抽象为新材料的结构与数学模型,进而将它发展成为使用于钢、铁材料的独立的新结构体系,并于1866年将它应用于一座可容纳3000人的大跨度市政厅的结构设计,完成了从模仿到创新的飞跃。通过勒迪克这个探索性研究,创造了一种建立在新材料基础上的轻巧的全新钢结构体系。它为现代大跨度空间建设开拓了可供使用的新结构和新材料。随着不断的发展研究,最终形成了今天由金属杆件单元组合而成的通透的球体结构空间 (图2-1～图2-4)。

图2-1 水晶宫 (Joseph Paxton,伦敦,1851)

图2-2 St.Eugène教堂 (Louis-Auguste Boileau,巴黎,1954～1955)

---

① 1779年第一座铸铁拱桥落成,跨度30.5m;1796年的铸铁拱桥已达到71m。1810年的铁吊桥74.5m;1864年的吊桥跨度达到214m。

② 维奥莱·勒迪克 (Eugene-Emmanuel Viollet-le-Duc,1814～1879):法国大建筑师,曾负责修缮包括巴黎圣母院在内的许多中世纪建筑,他所编写的《十一至十六世纪法国建筑考据大全》及《文艺复兴以前的法国家具图录》两书,史料翔实,有极高的历史和艺术价值。他也是新材料和新方法的倡导者,主张新材料与新方法的真正作用应该是简化造型,逐渐打破由旧习俗强加的传统。

图2-3 市政大厅设想（勒迪克，1866）
在大厅中，铸铁组合支柱和铁框架支撑着石头的拱顶。

图2-4 世博会美国馆（富勒，1967）
三角形与六角形组成的多面体，外覆塑料外壳，穹顶直径达67m。

2.2.2.2 描述性研究

描述性研究是指通过收集资料来获得某些群体、组织或社会现象在某些特征上分布信息的社会研究。描述性研究重点在于全面、准确地描述研究对象的状态，因此调查研究要做到结构系统、全面概括、科学准确。

在具体操作上，描述性研究往往直接从经验观察入手，广泛收集资料，以获得研究所需的大量研究样本。描述性研究成果的质量往往取决于研究者的价值观和科学水平等综合素质。

例如梁思成先生为了解读宋《营造法式》，深入到各地对中国古代建筑展开实地测绘，这些大量的实测工作都属于描述性研究的范畴。梁思成先生曾说："近代学者治学之道，首重证据，以实物为理论之后盾，俗谚所谓'百闻不如一见'，适合科学方法……造型美术之研究，尤重斯旨，故研究古建筑，非作遗物之实地调查测绘不可。"[1]梁思成先生在组织蓟县独乐寺观音阁山门寺实地调研期间，亲自对山门寺进行了精密测绘，分析了寺史、现状结构与制度，并对照《营造法式》等历史文献，初步探明了宋式建筑的设计规律，最终于1932年完成了《蓟县独乐寺观音阁山门寺》论文，这是中国人首次运用科学方法详细调查中国建筑的一项研究成果。在此后的几十年里，梁思成先生和营造学社的同仁们一起，实地测绘了许多古代建筑，从中国古建的整体造型到细部构造，留下了大量描述性研究的成果（图2-5～图2-8）。

---

[1] 梁思成. 蓟县独乐寺观音阁山门寺. 载《凝动的音乐》. 天津：百花文艺出版社，2006：1.

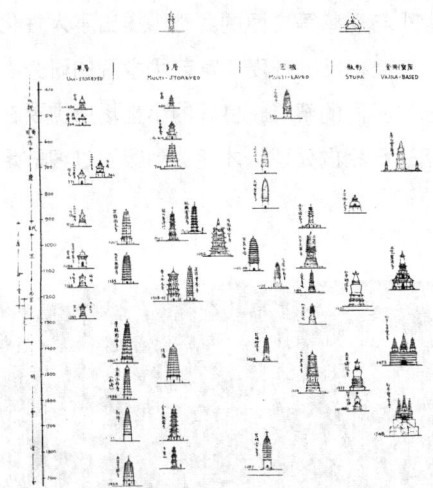

图2-5 中国古塔形式研究

研究者从历史时代的更替（垂直坐标，从公元4世纪的北魏到20世纪的清末）和塔的类型（水平坐标，单层、多层、密檐、瓶形、金刚宝座）两个方向描述了中国古塔形式的变迁与发展。

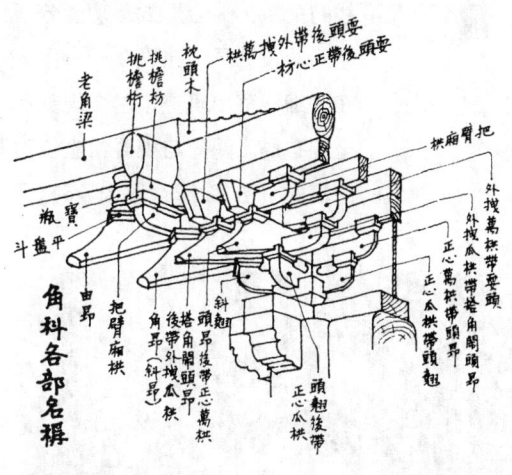

图2-6 斗栱大样

研究者详细描述了斗栱各科各部件的名称、位置及相互关系。

在1931～1945年，梁思成和中国营造学社的同仁一起，对15个省2000多项古建筑和文物进行了调查，积累了大量资料。

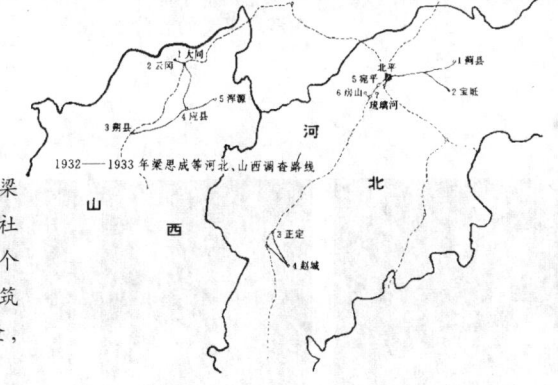

图2-7 梁思成调查古建筑路线图

图2-8 梁思成与林徽音在北京天坛的屋顶上（1931）

2.2.2.3 解释性研究

解释性研究是指揭示现象发生或变化的内在规律的社会研究。这种调查不仅需要描述研究对象的状态，即"是什么"（What）的问题，还需要解释"为什么"（Why）的问题，以探寻社会现象背后的原因与相互联系。解释性研究在调查程序上较为复杂、严谨，一般需要先对"是什么"进行定义，再就"为什么"作出尝试性或假设性的说明，然后再通过观察、调查来系统地检验假设。

例如在公共场所休憩或聊天的时候，人们总是选择相似的区域逗留，这个现象引发了许多研究者的兴趣。美国加州大学的研究者从这个现象入手，在分类比较了许多令人感觉舒适的公共场所之后，总结出它们在空间位置与类型及交通流线的关系，围合形式，功能分区，空间大小与质感等方面的共性，提出了人性化空间的设计导则（图2-9～图2-11）。[①] 与之相反，丹麦皇家艺术学院的研究者在仔细观察、研究了这个现象后，则做出了不同的解释：良好的小坐场所需要在坐位布局、朝向与视野、坐位类型等方面进行相应处理，才能达到吸引过客驻足的目的（图2-12、图2-13）。[②]

图2-9 后院空间
邻近后门与道路、半围合，边界由建筑与高差所界定，在晒得到太阳的草坪上。

图2-10 前院空间
邻近主要入口与道路，较开敞，边界由植物所界定，在沿边布置的台阶上。

图2-11 前院空间
邻近前门与道路，半围合，边界由建筑与植物所界定，在沿边布置的晒得到太阳的木质休息座椅。

图2-12 良好的小坐场所
凹处，可选择的半公共半私密空间，希望更加私密的人只需略微向阴处后退即可，让人感到安全、亲切。

---

① (美)克莱尔·库珀·马库斯(Clair Cooper Marcus)，(美)卡罗琳·弗朗西斯(Carolyn Francis). 人性场所：城市开放空间设计导则[M]. 俞孔坚等译. 北京：中国建筑工业出版社，2001：172-182.

② (丹麦)扬·盖尔. 交往与空间 [M]. 何人可译. 北京：中国建筑工业出版社，2002：156-166.

开敞空间的边缘，背部受到
保护，小气候也最为宜人，有
机会观赏各种活动。座位舒
适而实用。

图2-13 良好的小坐场所

2.2.3　根据调研对象与范围划分调查类型

2.2.3.1 普查

普查是指在某一时间段内对全体研究对象逐个进行调查的方式。普查具有全面、普遍的优点，利于认识事物全貌，可为整体规划提供可靠的基础依据，但往往缺乏深度，且由于花费较大，难以频繁开展。

普查常需要按一定周期进行，这有利于对普查资料进行系统的对比分析，可以提高普查资料的利用率与价值，例如各国周期性的人口普查等。

2.2.3.2 抽样调查

抽样调查是从调查总体中随机抽取一部分个体进行调查，通过对调查样本的推断，反映总体情况的调查方式，是一种非全面调查。它以概率论的大数法则[①]为理论基础。能否科学地抽取样本是抽样调查成功的关键。在抽样调查中，抽样单位数量的多少十分重要，随着抽样单位数量的增加，样本特征将越来越

---

① 大数法则指出，如果被研究的总体是由大量相互独立的随机因素所构成，而且每个因素对总体的影响都相对很小，那么对这些大量因素加以综合平均，个别影响就能够相互抵消，从而使总体具有稳定的特征。

接近总体特征。

由于普遍性社会调查所涉及的人员广、调查原始数据加工量大且复杂、调查指标系统的确定难度大，因此，人们在有限的时间、财力、物力等限制下，往往会采用抽样调查的方式进行调研，常可以取得事半功倍的调研成果。

2.2.3.3 个案与典型调查

个案调查是对某一具体个体进行全面、深入调查的研究方式。它能够全面、深入地把握个案的全貌，是深度调查的一种。个案调查包括对调查对象的现状、历史以及其所处社会背景与各种社会联系等的调查。由于个案调查的调查对象往往是在对总体还没有全面了解的情况下确定的，因此它并不具有普遍意义，调研结果只具有个案性的启发意义，不能用来推论总体的特性，仅适用于社会非常规个体、事件或新生事物的调查。

典型调查是在对调查对象进行全面初步了解的基础上，选取若干具有代表性的对象，对其进行深入系统调查的研究方式。典型调查通过选择典型、举一反三，可以在全面把握事物和现象的同时，节省调查工作的时间，节约人力、物力及经费。典型调查的方法较为灵活、多样，能够获取深入、细致的调查资料。面对同样的现象，调查目的不同时会产生不同的类型选择，因此必须围绕调查研究的目的对调查过程进行设计。通过分析判断，正确选择调研对象是保证典型调查科学性的关键。

2.2.3.4 专家调查

专家调查是通过咨询特殊人群获取相关研究材料的调查，又称特尔裴法(Delphi Forecaeting Method)①。其中"特殊人群"作为调查的对象，是指对所调查问题已有专门研究的专业人员，对"专家"的有效选择是这类调查研究工作成功的关键。

小结

根据研究性质不同，调查研究可分为理论性研究和应用性研究两大类。社会调查的三个基本目的是探索、描述和解释。调研按对象与范围不同，又可以分为普查、抽样调查、个案与典型调查和专家调查等。在制定调研方案之前，要根据研究目的，选择研究对象，设计调研方案，针对不同类型确定具体的操作程序，根据不同的研究目的，划分科学研究类型，使调研具有明确的目标、可行的方式、方法和与之相适宜的研究范畴。

---

① 特尔裴(Delphi)一词，来源于古希腊的传说。相传太阳神阿波罗在特尔裴杀死了派桑巨龙后，成为特尔裴的主人。阿波罗以对本来有预见能力而闻名，特尔裴因而成为预告未来的神谕之地。

本章思考题

1．在调查研究方法论方面存在哪些基本学派？他们各自有什么基本主张？

2．根据研究性质,社会调查可以被划分为哪些类型？它们各自有什么特点？

3．根据研究目的,社会调查可以被划分为哪些类型？它们各自有什么特点？

4．根据研究对象与范围,社会调查可以被划分为哪些类型？它们各自有什么特点？

本章参考读物

1．（美）雷蒙·阿隆(Raymond Aron)．社会学主要思潮 [M]．葛智强等译 上海,上海译文出版社, 2005.

2．汪丽君．建筑类型学[M]．天津：天津大学出版社, 2005.

3．孙山泽．抽样调查[M]．北京：北京大学出版社, 2004.

Chapter3 Principles and Objecfs of Investigation

第3章 调查研究的原则与内容

第 3 章   调查研究的原则与内容

3.1   调查研究的原则

3.1.1   调查研究的价值观

作为一种科学的认识活动,调查研究必须遵循科学研究的一般价值取向。它将指引调查研究方向,并可以保证调查研究的科学、合理和有效。调查研究时只要坚持科学的态度和方法,就有可能获得真实可靠的调查成果,得出符合客观实际的调查结论。

3.1.1.1   客观性与科学性

科学性首先要建立在研究者的客观性基础上,也就是要求研究者在进行社会调查研究时,不带或少带有个人的主观偏见,实事求是地反映社会环境现实。然而,在对实际环境的调查研究过程中,一方面,环境是以一定的历史与社会发展阶段为背景的,被调查对象也存在于不断发展变化的社会中,具有多样性和多元性;另一方面,调查者自身就存在于他所研究的环境中,其固有的价值观、经历体验以及学术水准与修养等,往往会从不同角度、在不知不觉中影响到调查成果的客观性。因此,调查者必须尽可能地本着求实、客观、科学、严谨、理性的研究态度,严肃审慎地检验调研成果,审慎对待其中的偏差和偏见,再认真分析、客观评估和严格纠正。唯有这样,才有可能最大限度地消除各种主观因素的影响。

3.1.1.2   整体性与科学性

调查过程与调查事实的系统性与整体性是确保社会调查结论科学合理的重要保障。

系统是由相互联系、相互作用的若干要素,以一定结构构成方式存在的,具有一定整体性功能的有机整体,它是世界上一切事物普遍存在的一种根本属性和存在方式。城市是一个由多种构成要素和构成方式彼此相互联系的特殊复杂系统。为了探索城市现象中必然的、普遍的联系,需要系统地分析各环境组成要素,然后再从不同层次、不同侧面分析其内在联系,从而达到系统性。

整体性强调系统内各个部分的联系与协调,使系统形成具有一定结构的有机整体,充分发挥整体功能,以达到整体目标。在城市与建筑的规划设计调研中,整体性表现为对物质与非物质环境现象的全面、非局部反映。

人们通常都把系统等同于整体。实际上,在系统性与整体性的思维方式中,整体性才是其价值取向的精髓，人们真正关注的不是"系统"而是"整体"。"整体"不断地以"部分"的形式显现其自身，它是系统的目的和实质所在，系统只是整体的一种描述方式与表达方式，即从系统的观点看，世间万物的整体性可以通过系统的术语和手段来表达，"部分"是作为"整体"的体现而存在的。系统强调空间结构，而整体除强调空间结构外，还关注时间的延续性与系统的动态性。

总之，在城市与建筑规划设计的科学调查研究中要做到整体性与系统性的统一，调查者就必须从整体上把握社会现象与发展规律，全面、整体、系统地认识客观事物。

3.1.1.3 理性与科学性

正确的逻辑推理是科学合理地得出调查成果的重要前提。科学的研究成果，往往要遵循科学分析的归纳、推理原则，其论证过程也应具备科学逻辑，而这首先要求逻辑推理是建立在符合客观理性规律的概率统计的抽象基础之上的。此外，调研所得出的结论还必须符合实证性原则，能够经受得住实践的科学检验。

3.1.2　调查研究的标准

社会调查是一项严密、细致的科学工作，它要求研究者遵循一定的行为和道德规范。

3.1.2.1 职业道德标准

建筑师与城市规划师在调查研究工作中必须遵循他们的职业道德，养成科学的工作作风和良好的专业素养。这包括：实事求是、认真严谨的工作态度；深入社会、深入群众、深入生活，坚持走群众路线的工作作风；客观、全面、本质地体验、观察和分析问题的工作素养；尊重被调查者的权益，保护被调查者的名誉和合法利益的法律观念。在调查研究工作中，研究者应该不怕麻烦、不畏艰苦、谦虚谨慎，与被调查者建立相互信任、相互合作乃至互相帮助的友好协作关系。努力扩充、完善自身的知识结构，提高专业操控技能，克服主观性、片面性和表面性，不断提高自己的调查研究水平与能力。

3.1.2.2 理论与实践相结合的标准

调查是人们认识世界的过程，"认知"的发生是由于研究主体与客体之间存在交互作用。"认知方式"实际上是通过"认知行为"来建构的，而"经验"是一切"认知活动"的源泉。"经验"是在人与环境、人与人之间的交互作用中形成的，它在本质上是一种"关系"。"经验"的种种侧面不是个别的"片断"，而是整体的、具有综合性的"局部"；它不是被动性、感觉性的心理作用，而是能动的、知性的、建构的"实验性认识"过程。另一方面，人们之所以能从认知角度把握世界，就是借助了人们认识活动中对 "意义"的认知过程。人类一切"活动"和"经验"的特征就在于对"意义"的关注，任何事物、人物、观念、事件都是作为"同我们有关系的东西"成为"经验"的。

杜威（John Dewey，1858～1952）①提出了衡量经验的两个原理：一是"连续性"原理，即从内部结构和外部条件两个方面，说明连续发展的构造，它把逻辑与心理、科学与体验、个性与共性等处于两极的概念在经验中予以统一。二是"交互作用"原理，指特定情境中的一切经验都具有动力性质。认知活动是交互的、共生的，它以语言与工具为媒介，使客体与主体的关系得以流动与统合。

"理论"是相对于"实践"而言的，"理论"是对"事实"的抽象、概括与构建，它是由人创造的，代表了研究者观察环境的方式，但其本身并不反映客观现实。即理论具有不完备性，一个理论往往忽略某些方面而集中关注于一个方面，没有一个理论能完全反映真理。对理论的提问，应该关注它的用处而不是它的真实性。

"理论"最基本的功用就是提出有用的"概念"，"概念"是理论的抽象，在特定的语境中人们通过"符号"（通常是词语）来阐述"概念"。任何理论都有一套"理论概念"术语，并有机地组成"概念"和"定义"，"概念"和"定义"是不可分开的。

"理论"常会对"概念"提出一个详尽的解释性框架，在这一框架中，"陈述"由"逻辑"关系连接起来，"逻辑"必然是依靠一套内部相关一致的"定义"和完整的"逻辑规则"来实现的。

自然科学通过实践方法获得实证式研究成果，并采用"假设—演绎"法来构建理论。理论的形成通常包含提问、预测或假设、操控、分析和概括等五个步骤。其中，"预测"或"假设"是探求问题的重要前提，它界定了人们的研究语境；"操控"是对"预测"或"假设"的所有变量进行观测的手段，它通常使用准确的、数字化的标准来进行观察测定；"分析"与"概括"则是对各种情境下的某一组特定变量的因果关系进行的理论说明。研究人员往往通过分析和概括，发现规律，从而对未来事件作出预测。

在调查研究过程中，人们通过"实践—经验"过程提出理论；反之，理论又进一步指导人们的实践活动，理论与实践的互动是相辅相成的。调查研究的实践活动常常需要依托于现有理论的指导，但是，在调查实践过程中，往往会发现

---

① 杜威（John Dewey，1858～1952），20世纪美国最有影响的实用主义哲学家、教育学、心理学学家和政治家。他1879年毕业于佛蒙特州立大学。1884年获霍普金斯大学哲学博士学位。先后任密歇根、明尼苏达、芝加哥、纽约哥伦比亚大学教授。1919～1921年曾应胡适等人的邀请到中国讲学。他试图使实用主义与自然科学研究以及方法论相一致，使哲学具有科学与客观的色彩。他不局限于一般地谈论实用主义的哲学理论，而是竭力把这种理论推广，运用于政治、教育、宗教、道德以及现实生活的许多领域，从而使其哲学获得了更为广泛的影响。他继承了皮尔士和詹姆斯合理的思想，并主要发展了实用主义的真理观，创立了工具主义真理观，故他的实用主义也被称为经验自然主义、工具主义。他重要的哲学著作有《哲学的改造》、《经验与自然》等。

与既定理论不符的现象，调查者要本着科学的态度，理性地对待所调查到的事实材料，补充或完善既定理论。实践的观点是马克思主义哲学首要的基本观点和根本特征。准确地把握实践的含义，才能使认识论建立在科学基础上。当然，在理论研究中，应当允许理论超出经验事实，因为理论是对经验的抽象和概括，它高于经验。如果理论不与实践相结合，就会沦为教条，教条主义就是以一些空洞的原理或信条来解释现象。坚持理论与实践相结合的准则，就是要在社会调查中防止经验主义和教条主义两种错误倾向。但是应当注意，这样建立的新理论只是未经验证的假说，它需要在实践中进行系统的检验。坚持理论联系实践是科学调研的重要标准。

3.1.2.3 效能性标准与连续性标准

调查的效能性标准是指调查活动应具有的一定实际效率和效益，即调查研究成果应该能够通过深入认识社会现象，对建筑与规划设计提出可行性的建议和意见。由于城市问题往往呈现出复杂性、多样性、模糊性和不确定性，并涉及广泛的自然科学和人文科学领域，为了确保调查研究的效能，调查者应该慎重选题并找准问题切入点，在调研中尽量少走弯路，减少调查研究过程中的无用功的消耗。为了达到这一目的，调研者应该根据社会发展和改良的趋势，围绕建筑与规划研究所亟待解决的问题来选择调研课题。

在具体操作上，首先应该合理配置资源、组织人员，确保社会调查的过程按预定时间表完成；其次要注意方法优选，因人、因事、因时根据问题因地制宜、因势利导，尽量发挥调查研究实践活动的最大效能性。此外，调查研究工作应该是在不断理解城市发展的内部矛盾及其影响的前提下，指导并运用规划设计手段，推动社会良性发展的重要科学依据。

另外，由于城市变化很快，许多调查研究所获得的基础资料在一段时间后就会过时。因此，调查组织者一方面要保证调查研究结论的及时性与有效性，另一方面还要对城市发展变化进行连续性的跟踪调查。总之，对城市问题的调查研究不是一项一劳永逸的工作，随着时代的发展，调研的结论就会慢慢失效，无法有效指导建筑与规划设计来解决社会问题。面对这种情况，当前许多先进国家都建立了科学、系统、连续的调查研究机制和机构，并定期向公众发布研究成果，这对推动社会的发展起到了十分积极的作用，值得我们效仿。

小结

开展社会调查活动必须坚持科学的价值观，否则就无法获得真实可靠的调查成果，也无法得出符合客观实际的结论。城市与建筑规划设计调查研究的科学性要求调查者必须坚持客观性、整体性和理性原则。

作为一项严密细致的科学工作，社会调查工作也对调查者提出了一定的行为标准。它要求调查者遵守一定的职业道德，养成科学的工作作风和良好的专业素养。它要求调查者将理论与实践紧密结合，以调查到的事实来检验或发展理论。它还要求调查者关注现实民生，围绕亟需解决的社会问题慎重选题，尽量发挥调查活动的最大效能。随着时代的发展和社会的变化，对城市的建设发展应进行连续性的跟踪调查，做到与时俱进。

3.2　调查研究的内容

通过上面的论述，我们已经明确了调查研究工作的基本价值理念与相应的研究标准。我们知道，城市与建筑的规划设计工作主要围绕城市空间环境建设展开，以环境、空间、场所和人的活动等作为主要研究内容。那么，面对纷繁的大千世界，我们将如何界定和划分调查研究内容呢？

"环境"是人们经常使用的一个词汇，一般意义上的环境，指的是围绕着某个中心事物的外部客观存在的总和，它是个相对于中心事物而存在的概念。根据《中国大百科全书·环境科学》，环境指的是围绕着人群的空间，即其中可以直接、间接影响人类生活和发展的各种自然因素的总体[①]。其中，自然环境资源主要有以下四类：

（1）三大生命要素：空气、水和土壤；

（2）六种自然资源：矿产、森林、淡水、土地、生物物种、化石燃料（石油、煤炭和天然气）；

（3）两类生态系统：陆地生态系统（如森林、草原、荒野、灌丛等）与水生生态系统（如湿地、湖泊、河流、海洋等）；

（4）多样景观资源：如山势、水流、本土动植物、自然与文化历史遗迹等。

随着社会的发展，人们对"环境"认识不断加深，"环境"一词不单单包含自然环境因素，同时还涉及到社会环境因素、经济环境因素等内涵。在城市与建筑的规划设计、建设和管理过程中，围绕城市的社会、经济和自然等诸多环境要素，调查研究工作的研究内容也相应地被划分为物质环境与非物质环境两大部分。

3.2.1　物质环境

物质环境调查主要包括对自然环境、人工环境与经济结构环境等三方面的调查。

---

① 需要特别指出的是，随着人类社会的发展，环境的概念也在变化。以前人们往往把环境仅仅看作单个物理要素的简单组合，而忽视了它们之间的相互作用关系。进入20世纪70年代以来，人类对环境的认识发生了一次飞跃，人类开始认识到地球的生命支持系统中的各个组分和各种反应过程之间的相互关系。对一个方面有利的行动，可能会给其他方面带来意想不到的损害。

3.2.1.1 自然环境

(1) 自然环境状况调查

自然环境是环绕人们周围的各种自然因素的总和。从生态学的角度来看，通常将自然环境划分为大气圈、水圈、生物圈、土壤圈、岩石圈等五个自然圈。自然环境与景观包括气温、风向、雨水、湿度、日照等气候要素和地理、地质、地形地貌、河流水系、湖泊海洋以及植被动物等生态系统诸自然景观要素。这些内容往往会影响到基地上城市与建筑规划设计的功能与形式，因此城市与建筑的规划设计、建设及管理工作中，它们常被视为前期调研和后期使用评估报告的重要组成部分，受到普遍重视。

由于基地的自然环境与景观所包含的内容往往是错综复杂的，因此调研者需要根据调研的目的、内容和研究深度对调查范围有所选择，并加以限定。

例如在广州市居住小区架空层调查[①]中，调查者对自然环境的调查范围表现出明显的选择性特点。调查者试图从居住区规划的角度来研究架空层这种建筑设计手法，探讨它的形式及其使用方式的关系。"架空层"这种建筑设计手法来源于气候湿热地区的传统干栏式民居，其接地层架空的建筑原型对广州的气候有着良好的适应性，因此将它继承与发展成新建筑的一种设计手法，并广泛应用，是十分必要的。调查者围绕研究课题，从概括了解广州的日照特征、年降水率、气温与季风规律等地方气候特点入手，进而研究了架空层建筑形态的环境适应性问题。

1.2.4 气候条件

岭南气候的基本特点：

岭南大部分地区，在我国建筑气候区划中属于Ⅳ气候区，即南亚热带与热带气候区，其基本气候特点具体反映在以下几个方面：

1. 在气温方面——该区长夏无冬，高温高热，气温年较差和日较差均为小。

2. 在降水方面——雨量丰沛，多有热带风暴和大风暴雨天气，是我国降水量最多的地区。

3. 在太阳辐射和日照方面——太阳高度角大，辐射强烈，日照较强。

4. 在风方面——每年10月到翌年3月普遍盛行东北风和东风，4月至9月大多盛行东南风和西南风。

又例如，在对北京市昌平区南口镇龙潭村的规划调研[②]中，调查者围绕村镇规划的设计深度要求，较为全面而概括地对调查区域内的地质、地貌、水资源、气候以及生态系统等自然环境要素进行了普查。

---

① 华南理工大学99级城市规划专业学生．广州居住小区架空层调研报告[R]．高等学校城市规划专业指导委员会获奖案例．

② 中央美术学院建筑学院．北京市昌平区南口镇龙潭村村庄规划．2007．

1.2 自然现状

1.2.1 地质条件

龙潭村地处山区潭峪沟台地上，地势东北高、西南低，北高南低，最高点海拔713米；村庄由三个自然村组成，自东向西分别为冯家湾、龙潭、药材峪村，村址平均海拔200米，坐落于河谷沿岸。沟谷内常年流水，在冯家湾下游汇聚成响潭水库。

1.2.2 地貌条件

龙潭村为深山区，土壤为砂壤质花岗岩质耕种型淋溶褐土。

1.2.3 水资源现状及水资源评价

1）水资源现状

药材峪山岭汇水与居庸关方向流入村域的水道在龙潭村北部汇合形成响潭沟，贯穿整个村庄，在冯家湾下游汇聚成响潭水库。

2）水资源评价

河谷内常年流水，水质优良，曾有出产矿泉水的记载，现为水厂水源地。

1.2.4 气候条件

龙潭村属中纬度温带半湿润大陆性季风气候，年均日照时数为2980小时，年均湿度42.8%。全镇最高气温摄氏36℃，最低气温−16℃。无霜期约160天，年平均降水量650～850毫米左右。风向以西北风为主。本镇自然灾害主要为有洪水、风灾、雹灾。

1.2.5 其他条件

常见野生动物有野猪、狍子、山鸡、各种鸟类，植物有国槐、洋槐、刺槐、榆、杨、椿、核桃、桃、苹果、栗等。土壤为砂壤质花岗岩质耕种型淋溶褐土。

案例介绍一：城镇的环境调查，以北京市怀柔区九渡河镇为例：[①]

在北京市怀柔区九渡河镇总体规划的前期调研中，围绕城镇控制性总体规划的设计深度要求，调查者首先说明了九渡河镇的地理与气候环境，内容涵盖地貌、地质、水文（地下及地表径流）、气候（日照、湿度、温度、降水、季风、自然灾害）等方面——这一部分的调查简明而概括。但是，随后调查者对九渡河镇水环境的调查则全面而深入。这是因为九渡河镇所属的怀柔区地处首都生态涵养发展区，是北京市的生态屏障和主要饮用水的采水及补给地，承担着北京市的生态屏障和水源保护的重要任务。九渡河镇位于这一重要战略定位区内，被定位为以环境保护为前提的生态涵养保护区，这种战略定位会对九渡河镇的规划内容产生重大影响，因此调查者对该区域内的降雨、水文、河湖水系与湿地、地下水等水环境的具体情况分别作了深入细致的调查与说明。

---

① 戎安. 北京市怀柔区九渡河镇总体规划. 2006.

1. 地理环境调查:

九渡河镇地处浅山区,地形特征为北高南低,北部与延庆县交界的凤驼梁为全镇最高峰,海拔为1529.7米,最低为南端的四渡河,海拔为115米。境内分布有中生代火山口遗迹,且中生代火山岩系及燕山期花岗岩侵入体占很大面积。

九渡河镇的水文特点与其地质地貌特征密切相关,在花岗岩分布地区,地表透水性差,多含有浅层地下水。在石灰岩、白云岩分布地区,岩层裂隙发育,地表水比较贫瘠,浅层地下水很少,但在地势较低处含有较丰富的深层地下水,并形成溶洞。地下水水质为碳酸盐溶裂缝水。镇内有多处泉水,其中较大的常年泉有11个,个别可直接饮用。

镇内主要干流为怀九河,怀九河是九渡河镇的母亲河,发源于延庆县大庄科乡经西水峪进入境内,在黄花城南与发源于杏树台的另一支流汇合后,形成怀九河干流,由此南下在北宅乡东庄村注入怀柔水库。流域面积为347.2平方公里,河道纵坡为2.1‰~2.5‰。镇内现有两座水库,即黄花城水库和西水峪水库。总储水量为322万立方米。

九渡河镇属中纬度温带半湿润大陆性季风气候,年均日照时数为2980小时,年均湿度42.8%。全镇最高气温摄氏36℃,最低气温 −16℃。以长城为界,南部年平均气温9~11℃,无霜期约180天,年平均降水量700毫米左右;北部年平均气温6~8℃,无霜期约160天,年平均降水量650~850毫米。风向以西北风为主,常见风力最大为7级。本镇自然灾害主要为冰雹、干旱、洪水及泥石流等。

2. 水环境调查

2.1 水域条件分析:

2.1.1 雨水现状:

九渡河镇属于中纬度温带半湿润大陆性季风气候,年平均降水量700毫米。自然灾害多为风雹、干旱、洪水。

2.1.2 水文资源:

九渡河镇的水文特点与地质地貌有关,在花岗岩分布的地区,由于花岗岩透水性差,使地表水和浅层水多含浅层地下水。在石灰岩、白云岩分布地区,由于岩层裂隙发育,透水性强,在地势较低处往往有较为丰富的深层地下水,并形成溶洞。

2.1.3 河流情况:

怀柔地区河流分属海河流域的潮白河和北运河两个水系,四级以上河流有17条,以东起云蒙山,西至凤驼梁一线的山脉为分水岭,岭南水系有潮白河及北运河两个水系,岭北水系由白河及其支流组成。

2.1.4 水库情况:

(1) 黄花城水库:川内黄花城(古称黄花镇),地势险要,有城一座,建于明景泰四年(1453),有"京师北门"之誉,为历史上的守边重镇。1971年8月,利用长城头道关狭窄地势，拆掉长城筑坝，修建了黄花城小水库(也称头道关小水库)，蓄水49万立方米，可浇灌耕地480亩，果树10万余棵。

(2) 西水峪水库：1996年完工，水库蓄水317万立方米，水库所需控制流域面积85.6平方米，属小型水库，按30年一遇洪水标准设计，坝型为双典拱坝，最大坝高40米，坝顶长度187.62米。溢洪道为坝顶溢流形式，共5孔，孔宽10米。西水峪水库存的修建能够缓解洪水下泄，削减洪峰，保证怀九河两岸安全及期怀柔水库的安全，并使下游乡镇部分农田和1.5万亩板果得到灌溉，带动怀九河流域经济的发展。水库存蓄水后，由于水库四周陡峭的山崖上存有明代中期修筑的长城，且城墙和10余座敌楼保存得比较完整，是开展旅游的好地方。

2.2 地下水资源：

2.2.1 黄花镇大水泉位于黄花城乡黄花镇村北黄花峪的沟内，日出水量1297立方米，水质清澈，四季稳定，泉旁有10余株大核桃树面泉而立，浓荫覆盖于泉上。现仍为黄花镇饮水、灌溉农田及果园的主要水源。

2.2.2 花木泉位于黄坎乡花木村中，砌有石井，由四块红色花岗岩石条榫镶嵌，泉水由井口向南一侧预留的水口中流出，水质优良，清澈见底。

2.2.3 地下水主要为碳酸盐溶裂缝水，有较大的长年泉11个，其中局里(地名)的龙潭泉、囷泉(地名)的南泉、花木的水龙窟泉流量较大并可供饮用。

(2) 土地资源利用强度调查

土地利用强度包括人口密度、建筑密度、容积率等。人口与土地的平衡是城市规划与建筑设计的重要内容，在前期调研中对人口与土地利用情况的调查必须予以足够的重视。

例如，在对北京东城区新太仓地区进行保护修缮规划设计[1]时，该地区的胡同肌理与传统院落空间形态支离破碎，街区沦为城市贫民窟。为了探索这里令人担忧的居住现状的根源，调研者对该地区的人口密度与建筑密度进行了详细的分项调查，分别查明了区域内各院落的居住人口状况，并在统计、分类后予以图示化表达（图3-1，表3-1）。

在进行中、微观尺度的城市设计与地区详细规划时，为了配合较为具体的规划设计任务，对相关土地资源利用强度的调查往往比较深入细致。然而，在开展比较宏观的总体规划中，只需对人口密度、土地使用情况等进行了解，达到定性描述的目的。由于土地平衡是规划的最重要的目的之一，因此调查者需要对调查范围内各种地块的用地性质、位置，以及总面积等进行详细说明。例如，在北京市昌平区南口镇龙潭村的规划调研[2]中，调查者先简要概述了村域的建设与非建设

---

① 戈安. 北京市东城区新太仓地区保护修缮规划设计方案. 2006.
② 中央美术学院建筑学院. 北京市昌平区南口镇龙潭村村庄规划. 2007.

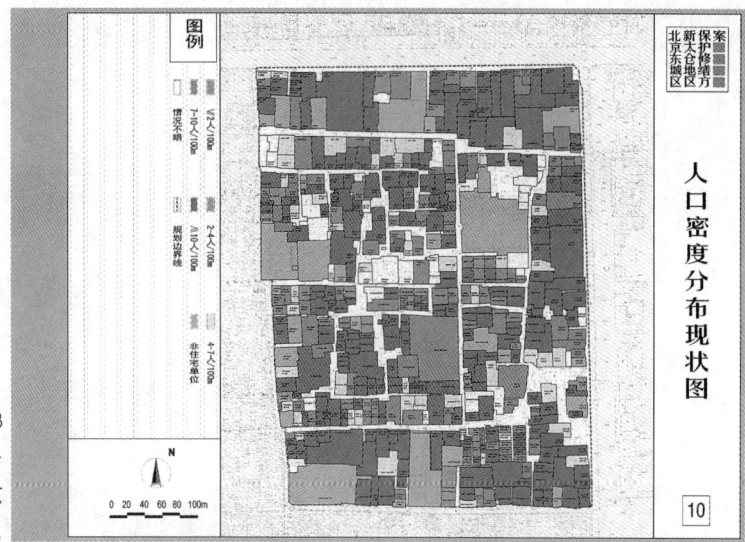

通过调研统计，新太仓有218个院落平均每百平方米的居住人数超过10人，这占了该地区总院落比例的一半以上。

图3-1 北京东城区新太仓地区人口密度分布现状图

北京东城区新太仓地区人口密度分布表 表3-1

等级	人口密度 （人／100m²）	所含院落 （个）	占总院落比例 （%）
I	0~2	24	5.5
II	2~4	36	8.0
III	4~7	63	14.2
IV	7~10	72	16.2
V	>10	218	49.0
VI	其他用地	32	7.1
总计		445	100

总用地面积：177 621m²
居住用地面积：75 695m²
总居住户数：2 830户
总居住人口：7 529人
人口毛密度：4.2人／100m²
人口净密度：10人／100m²

用地利用现状、人口密度等方面的内容，对于比较复杂的建设用地使用现状进行了单独列项说明，重点介绍了几块特殊用地的面积、土地所有权与使用权分布情况等。

（1）非建设性用地

龙潭村村域面积约900hm²，其中耕地面积14.333hm²，经济林地面积6.133hm²，人均耕地面积0.086hm²；现有经济林地面积5.067hm²，人均经济林地面积306.682hm²；农业生产设施用地13.133hm²；水域2hm²；闲置土地120hm²。

（2）建设性用地

村庄住宅用地面积约为0.779m²，人均宅基地0.005hm²；村公共设施用地面积0.667hm²，道路用地面积2hm²。二、三产业建设用地面积0.667hm²。总建设用地为20.4hm²，人均0.123hm²。

已占用地状况：

部队军事用地40hm²；

化工大学绿化基地0.267hm²；

科宝舒新电器公司用地100hm²；

梁氏舞蹈学校占地0.267hm²；

龙潭山庄占地 0.2hm²；

藏獒养殖中心2hm²；

私人住宅占地 0.667hm²。

(3) 生态环境调查

生态环境调查研究包括生态足迹、环境适应性、生态环境敏感性和环境承载力调查。

1) 生态足迹

"生态足迹"也称"生态占用"，是20世纪90年代初由加拿大生态经济学家提出的。它首先需要收集一个区域或国家人口大量的衣、食、住、行以及他们所产生的废弃物方面的数据，然后把它们折算成可以生产或吸收这些资源的陆地或水域生态系统的面积。"生态足迹"形象地描述了一只负载着人类和人类所创造的城市、工厂、铁路、农田等的"巨脚"，踏在地球上时留下的"脚印"大小。"生态足迹"通过测定现今人类为了维持自身生存而利用自然的量来评估人类对生态系统的"生态占用"，它是计量人类对生态系统需求的指标。生态足迹计量内容包括：人类拥有的自然资源、耗用的自然资源，以及资源分布情况。它显示出，在现有技术条件下，指定的人口单位内（一个人、一个城市、一个国家或全人类），需要多少具备生物生产力的土地和水域来生产所需资源和吸纳所衍生的废物。并且生态足迹为核算某地区、国家和全球自然资本利用状况提供的简明框架，通过测量人类对自然生态服务的需求与自然所能提供的生态服务之间的差距，就可以知道人类对生态系统的利用状况，可以在地区、国家和全球尺度上比较人类对自然的消费量与自然资本的承载量。

"生态足迹"的意义不在于强调"事情到底有多坏"，而是探讨人类持续依赖自然以及要怎么做才能保障地球的承受力，进而支持人类未来的生存。

2) 环境适应性

环境适应性是生态规划概念，它体现了有机物和环境之间的相互协调关系。即有机物的形态结构和生理功能等随外界环境条件的改变而改变，以及它所形成适合环境的特性或性状能力。它既是生物进化的结果，又是生物进化的过程。生物表现出的适应特征，通过遗传传至后代，随后代积累而加强，形成新的类型。

3) 生态环境敏感性

生态环境敏感性评价是根据主要生态环境问题的形成机制，分析可能发生的主要生态环境问题、类型与可能性大小，及其生态环境敏感性的区域分异规律，明确主要生态环境问题，如土壤侵蚀、沙漠化、盐渍化、石漠化、生境退化、酸雨等可能发生的地区范围与可能程度，以及生态环境脆弱区。

在当代对生态环境所进行的调查研究中，影响最大的当属英国著名的环境规划师麦克哈格主持的一系列对于海洋、陆地、气候、植被、城市、乡村等问题的生态规划调研。在此基础上，麦克哈格完成了他的代表作《设计结合自然》[①]。书中，麦克哈格提出了以生态学原理进行规划操作的分析方法和设计理念，将规划设计学科提升到生态科学的高度。例如，他从荷兰人与海洋共存的历史中发现，海堤应该是柔性的，柔性海堤能够经受海浪的冲击，并可以吸收减弱海浪的能量，而由于沙丘具有极大的柔性，因此是最理想的海堤形式；另一方面，人需要沙丘保护，而沙丘本身则需要由植被来稳定。因此，他在对新泽西海岸的研究中，首先就对海滩的沙丘的形成过程、生态分区、生态敏感性等问题进行了综合性调查与系统性分析。然后，根据海滩主、次沙丘的丘谷、丘背的环境承载力，针对生境退化等可能发生的范围与可能程度，确定了海岸土地的分区规划原则，主张在生态环境脆弱的沙丘区域对建设量进行严格控制（图3-2、图3-3）。

沙滩植被研究中的生态环境敏感性评价：

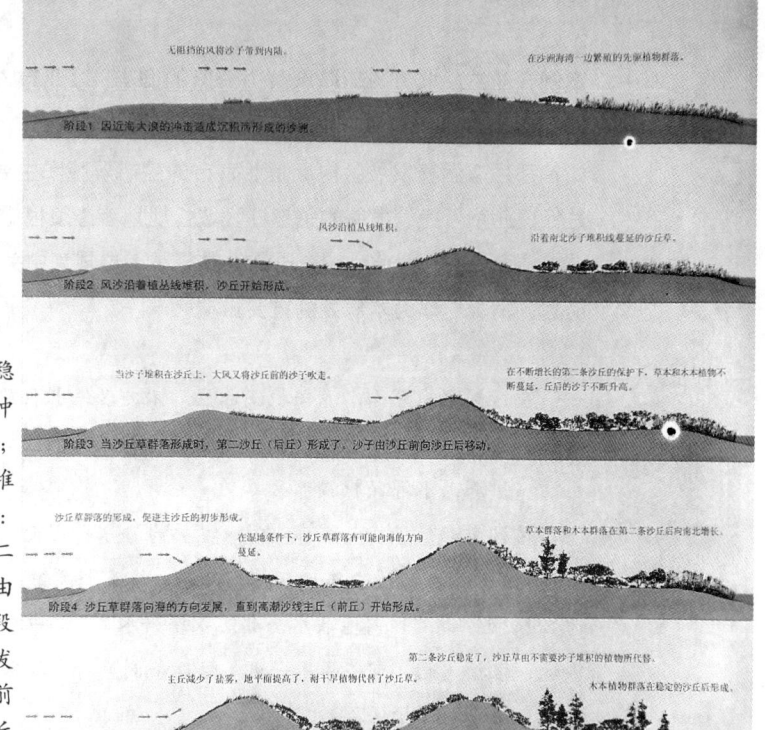

沙丘的形成需要由植物来稳定。阶段1：因近海大浪的冲击造成沉淀而形成的沙洲；阶段2：风沙沿着植丛线堆积，沙丘开始形成；阶段3：当沙丘草群落形成时，第二沙丘（后丘）形成了。沙子由沙丘前向沙丘后移动；阶段4：沙丘草群落向海的方向发展，直到高潮沙线主丘（前丘）开始形成；阶段5：主丘形成了，第二条沙丘稳定了。

图3-2 沙丘的形成过程图示

---

① （美）伊恩·伦诺克斯·麦克哈格. 设计结合自然. 芮经纬译. 天津：天津大学出版社，2006.

图3-3 海岸土地建设的分区控制规划

积极的政策能促进沙丘的形成和植被生长。控制分区从左至右依次为：在控制污染的条件下，海水，可承受密集的游憩活动；海滩，可承受密集的娱乐活动，不准建筑；主沙丘，不可承受，不准通过、破口或建筑；丘谷，有一定的承受力，有限的游憩活动，有限的建筑；第二条沙丘，不可承受，不准通过、破口或盖房子；丘背，可承受，最适合建筑地带；海湾边岸，不可承受，不准填土或倾倒垃圾；海湾，可承受密集的游憩活动。

　　4）环境承载力

　　"环境承载力"是在某一时期，某种状态或条件下，某地区的环境所能承受的人类活动作用的限值。这里，"某种状态或条件"是指现实的或拟定的环境结构，在不发生明显的、向不利于人类生存的方向改变的前提条件下。所谓"能承受"是指不影响环境系统正常功能的发挥。由于它所承载的是人类社会活动（主要指人类经济发展行为）在规模、强度或速度上的限值，因而其大小可用人类活动的方向、速度、规模等量来表现。

案例介绍二：水资源环境承载力分区的调查，以北京市怀柔区九渡河镇为例：①

　　又如，在进行北京市怀柔区九渡河镇总体规划时，由于该地区的战略定位（地处首都生态涵养发展区内，是北京市的生态屏障和主要饮用水的采水及补给地，是保证北京可持续发展的关键性区域），规划者必须根据其环境承载力控制建设区域以及建设量。为此，调查时详细收集了上位规划中关于该地区生态涵养保护区的划分情况，作为本规划的重要依据之一。

　　全区划分为深山水源保护涵养区、怀柔水库水源保护涵养区、北台上水库水源保护区、北京水源八厂防护补给及应急水源保护区四个区。

　　（1）深山水源保护涵养区

　　该区全部位于密云水库上游，主要为分水岭以北的深山区，包括宝山镇、喇叭沟门乡、长哨营乡、琉璃庙镇、汤河口镇五个乡镇，涉及64条小流域，总面积为1273.647km²。区内地表水全部汇入密云水库，其中喇叭沟门乡是密云水库的发源地。根据《北京市"两库一渠"管理条例》对水源保护范围的界定，该区域全部为三级水源保护区。

　　深山水源保护涵养区应重点开展小流域综合环境治理、山洪泥石流水土流失防治；实施生活畜禽粪便污水治理和垃圾无害化处理基础设施建设；开展农

---

① 戎安. 北京市怀柔区九渡河镇总体规划. 2006.

业节水灌溉生态环境建设工程,加大荒山绿化和水源涵养林植造,加强植物多样性保护。

(2) 怀柔水库水源保护及涵养区

怀柔水库水源保护区控制流域面积共计525km²,其中在怀柔区境内的流域面积为408.9km²,涉及小流域23条,流域覆盖渤海镇、九渡河镇、桥梓镇、怀柔镇以及东庄、郭家务、辛庄、三渡河、渤海、一渡河、北宅、口头等近34个村镇。

根据《北京市"两库一渠"管理条例》对水源保护范围的界定,将怀柔水库水源保护区划分为一、二、三级保护区。

一级保护区:怀柔水库主坝分水线、长副坝、怀沙公路、京通铁路、怀黄35千伏高压线、山脊线一圈以内区域。

二级保护区:一级保护区之外至怀柔水库的向水坡范围以内。

三级保护区:怀柔水库二级保护区以外上游河道的流域范围,即怀沙河、怀九河和白河流域。

怀柔水库水源保护及涵养区应重点解决怀柔水库一级水源保护区内周边行政村的污水治理和垃圾处理问题,加大小型智能化污水处理系统的建设和使用,实施怀柔水库二、三级保护区内镇乡所在地和大、中型村庄污水处理建设工程。全面加强怀沙河、怀九河流域的水源保护、污染防治设施建设、河床生态恢复工作。大力植造水源涵养林,加大水土流失治理。在水源保护区实施垃圾集中密闭化收集和无害化处理措施。

(3) 北台上水库水源保护区

2002年8月1日,北台上水库和上游流域范围被划为北京饮用水源保护区。北台上水库控制流域面积120.2km²,全部位于雁栖镇,涉及交界河、神堂峪、柏崖厂、北湾、西栅子、八道河、莲花池、长园等8条小流域。

北台上水库水源保护区应构筑"生态修复、生态保护、生态治理"三道水土保持防线,建设清洁型小流域。以优化流域生态环境和改善农业生产条件为重点,实施污水资源化战略,因地制宜,加大污水处理设施能力建设。建立垃圾集中收集、清运、封闭化管理体系。加大民俗旅游业的规范化管理和环境整治,确保水源安全。

(4) 水源防护补给和应急水源保护区

该水源保护区南以顺义向阳闸为界,西以怀柔水库——小泉河为界,东以顺义唐指山红寺村为界,北到怀柔山前地带,总面积500km²。其中涉及怀柔区的面积218.9km²,主要受影响区域包括庙城、怀柔、杨宋、北房、雁栖、怀北6镇。目前,根据地下水观测资料分析,桥梓镇部分地区也受到了影响。根据《北京市城市自来水厂地下水源保护管理办法》的规定,怀柔区北房、杨宋、庙城等平原地区均为水源八厂的水源防护和补给区,同时又是北京市42眼应急备用水源井的保护区。

水源防护补给和应急水源保护区应建立严格的水资源保护制度,加大生态恢复和水源涵养林的植造，禁止一切污染水环境、生态环境和破坏水源林、护岸林、与水源保护相关的活动。加大面源污染防治，减少化肥施用量。加大区域工业污染源的监控和老污染源治理，稳定达标排放。对新建项目，严格执行建设项目环境影响评价和"三同时"制度，杜绝新污染源的产生，以确保地下水源的安全。

3.2.1.2 人工环境

（1）人工环境形态调查

人工环境形态的调查包括调研对象的区位关系、内外交通关系、城市街道与建筑的关系、城市公共场所与公共设施现状、历史遗迹等。调查者往往需要根据调研课题的大小，确定影响面和所需调查的环境范围与调查内容。

在对某些需要保护的城市形态调查中，规划者必须对调查区域内的原有建筑环境形态分类并进行调查。例如，在北京历史文化保护区中的新太仓地区保护修缮规划[①]中，为了贯彻对重点保护院落、重点保护文物和挂牌保护单位及古树的保护修缮原则，调查者对规划范围内的建筑与院落的现状等进行详细地分类并大致划分等级，并依据分类、分级的原则，按类型逐一完成了具体的调查并确定了相应的分级。在此基础上，对该地区的院落风貌、建筑风貌和建筑质量进行了分析评价，并运用图示化、数值化、表格化的方式，直观地予以定量与定性表达（图3-4～图3-6，表3-2～表3-4）。

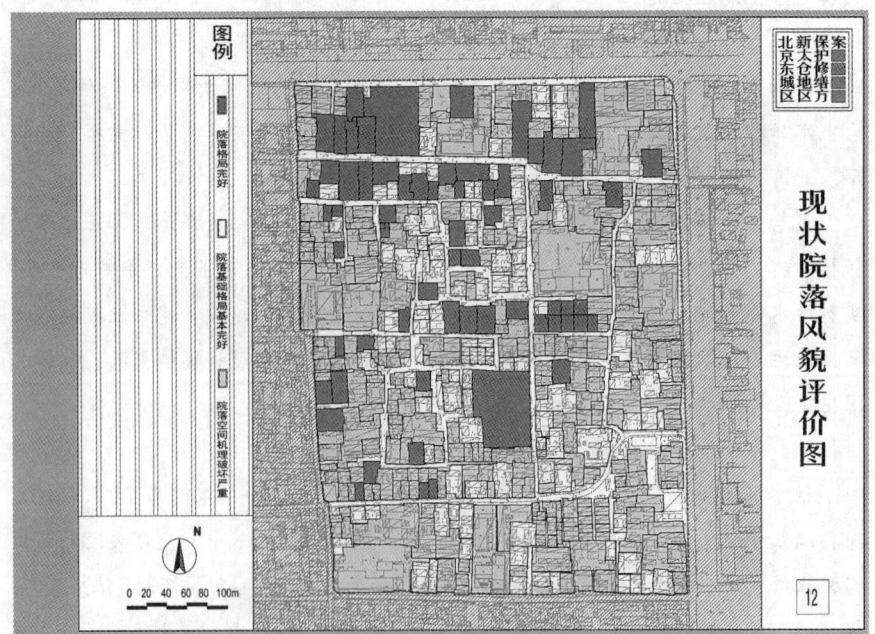

图3-4 北京东城区新太仓地区现状院落风貌评价图

---

① 戎安. 北京市东城区新太仓地区保护修缮规划设计方案. 2006.

规划区内院落现状 表3-2

序号	类型	数量	比例（%）	面积（m²）	所占比例（%）
1	文物保护单位	1	0.2	3782	2.6
2	区级挂牌	25	5.7	13056	9.1
3	基本格局较好	39	8.8	12251	8.7
4	格局尚可	106	24.0	29683	20.8
5	失去院落格局	271	61.3	84075	58.8

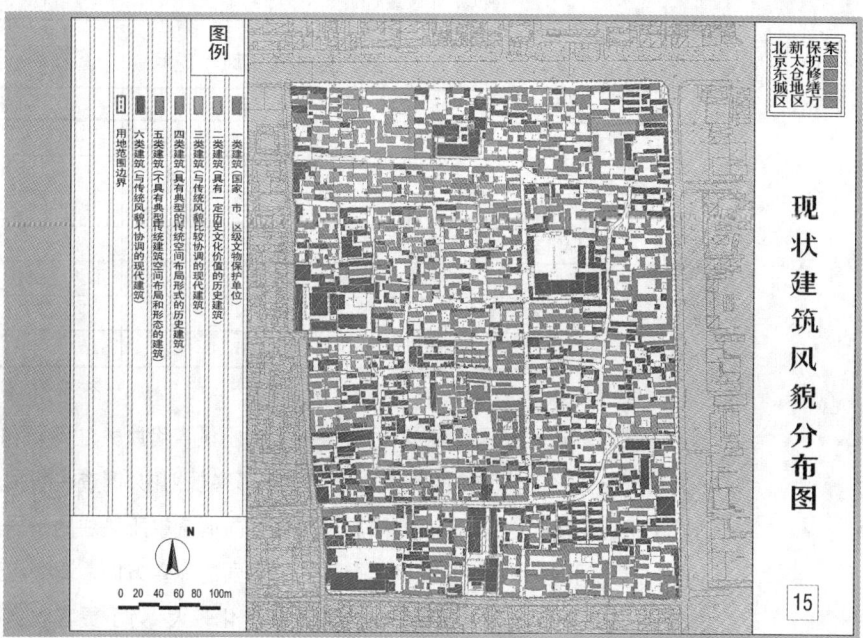

图3-5 北京东城区新太仓地区现状建筑风貌分布图

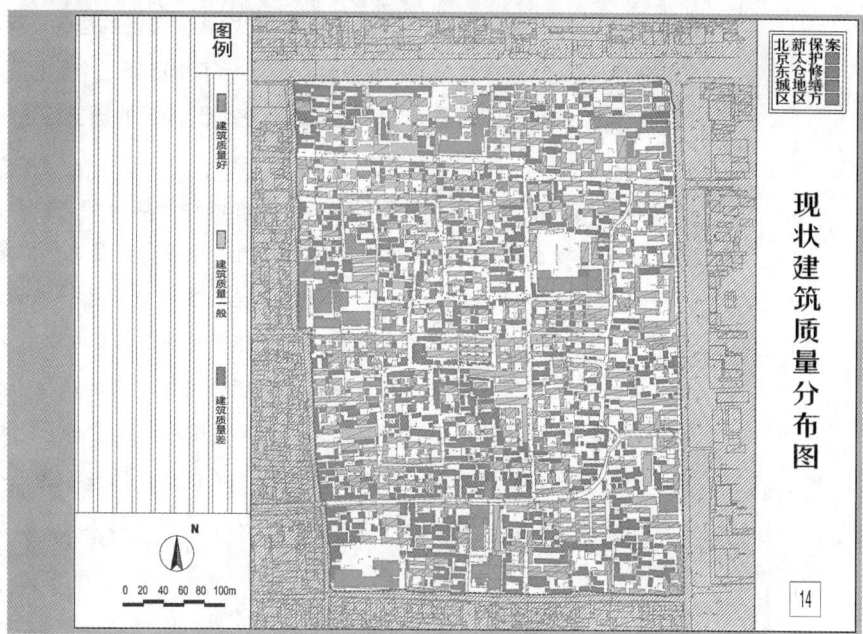

图3-6 北京东城区新太仓地区现状建筑质量评价图

规划区内建筑质量现状　　　　　　　　　　　　　表 3-3

	分类标准	建筑面积（m²）	所占比例（%）
建筑质量好	建筑主体结构完好，围护部件完整，市政设施基本配套齐全	13 712	13.74
建筑质量一般	建筑主体结构一般，围护部件一般，市政设施配套不齐全	46 633	46.72
建筑质量差	建筑主体结构很差，围护部件很差，市政设施配套不齐全	39 475	39.54

规划区内建筑风貌现状　　　　　　　　　　　　　表 3-4

类别	总计（m²）	所占比例（%）
文物类	2 214	2.31
保护类	4 358	4.37
改善类	5 061	5.07
保留类	20 407	20.44
整饰类	28 650	28.70
更新类	39 040	39.11
总计	99 820	100

在对苏州居民居住意向的调查[①]中，由于调查者所关注问题和角度的不同（在北京历史文化保护区中的新太仓地区保护修缮规划中，调查者所关注问题和角度是城市肌理与街区形态 而在苏州居民居住意向调查中所关注的是居民生活意向与居住形态之间的关系），调查者选择了完全不同的调查方向。调查者通过初步踏勘后发现：苏州中心城区居住区的形态随时间变化较大，为了更客观全面地了解当前的居民居住意向，保证样本的本真性，他们最终决定以时间和空间为参照系，选择了三个在时间和空间上都有典型性、可比性和发展连续性的居住小区进行调查。在建构对被调查区的选择依据时，调查者不但明析了所选择三个居住区与老城区、新城区的区位关系和建筑形态特征，还明确了它们阶段性的历史定位（图 3-7）。

桃花坞是苏州三大历史街区之一，有着浓郁的江南水乡特色，在苏州城市发展史上也曾经盛极一时；三元新村位于苏州古城区与新区之间，是我国在20世纪80年代兴建的示范性小区之一，其硬件设施在当时是首屈一指的，为改善当时苏州市居民的居住条件发挥了重要作用；今日家园则是在2000年，由房地产开发商开发，在苏州新区内按照现代居住模式和理念兴建起来的居住小区，同时也是国家建设行业智能化试点示范小区。这三个区域在时间和空间上延续着"苏州古城区——古城区与新区之间——新区"这一发展过程，保证了这三个区域在时间和空间上的典型性、连续性与可比性，从而保证了调查的深度、广度和全面性，所

---

① 苏州中心主城居民居住意向调查报告——以桃花坞、三元新村、今日家为例[R]. 高等学校城市规划专业指导委员会推荐案例.

得的结论适用性强，能为了解苏州居民的居住意向提供具体依据。

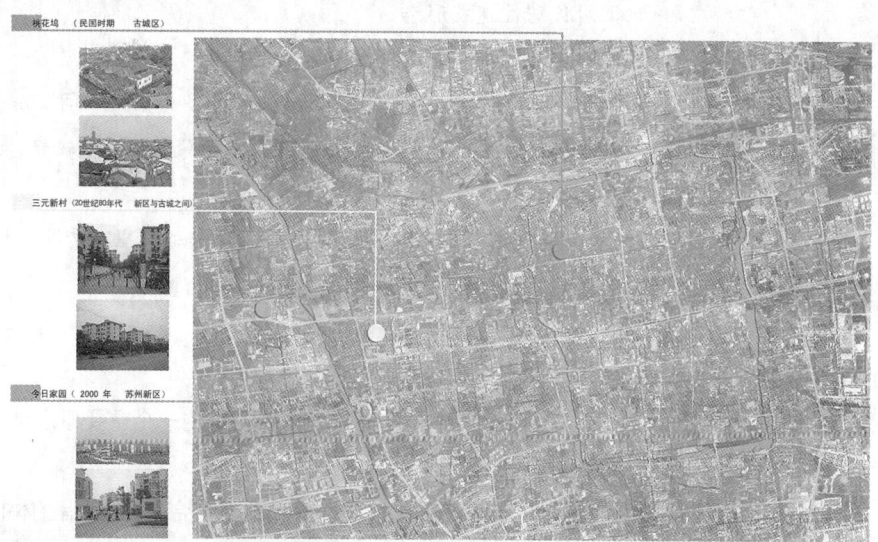

图 3-7 苏州中心主城居民居住意向调研中的被调查居住区的区位分析

　　在宏观尺度的城市设计与区域规划调研的人工环境形态调查部分，调查者也应该首先介绍区位关系，然后了解历史文脉和自然景观与人文景观，同时调查交通环境和其他现状。这些人工环境形态的基本要素及特点都是确定规划设计战略定位的重要依据。

　　例如，对北京市昌平区南口镇龙潭村的规划调研[①]案例的表述如下：

　　1.4 交通条件现状

　　1.4.1 外部交通现状

　　龙潭村有着便利的交通条件，无国道或县级公路，距离八达岭高速公路为1.5km。乡级公路穿过冯家湾村与龙潭村，该公路成为从南口镇经天龙潭风景区至居庸关的重要旅游景观路，将村庄与镇、区紧密联系在一起。

　　1.4.2 内部交通现状

　　1）村庄主路

　　龙潭自然村村内有两条主路分别连通村北部东、西两个聚落。道路宽度为3.5m，东部村内主路路面为一块板混凝土路面，西部主路为未硬化砂土路面。村落之间主路为龙潭村通往药材峪的道路，道路宽度为3.5m，为一块板混凝土路面；药材峪村至天龙斐园的道路宽度为3m，路面为未硬化砂土路面。

　　2）村庄支路

　　村庄支路为入户的街巷道路，路面宽度为3.5m以下的道路，路面为未硬化砂土路面。

　　3）公共交通

---

① 中央美术学院建筑学院. 北京市昌平区南口镇龙潭村村庄规划. 2007.

有12路公共汽车站（昌平——洋台）。

1.5 村民居住建筑形态

龙潭村内住宅形式主要分为两种类型：

1) 村民住宅多为有自家庭院的平房，布局多为南向5间瓦房，两侧加建厢房，建筑结构以砖木为主，多为20世纪70年代以后修建，质量较好。也有部分被征地农户迁入的2层楼房。

2) 外来居民住宅多为有庭院的2～3层洋楼式别墅，砖混结构，为20世纪90年代后修建的。

(2) 人工环境结构调查

对于人工环境的结构调查，首先需要明确的一个重要概念是"结构"，那么什么是"结构"呢？

"结构"(Structure) 是一个体系、一种关系的整合。结构是指整体中各个部分的配合和组织关系。"结构"是一种从上到下，从里到外，从微观到宏观，从整体到最微小的细节所涉及的一切都要服从于同一概念的事物整体。结构整合体内要素之间的关系比要素自身重要，体系内要素可以改变或更换，但它们的关系将不变（如果这种关系改变了，就是结构改变了），而且其变动被限定在整体范围内。内在整体是元素关系的独立存在，也就是说：结构是一种关系构架，是系统内在各个组成要素之间的相互关系、相互作用的框架。这个构架依赖于整体性并包含意义，它有其内在秩序和规律性，并在一定的时间或空间内以相对稳定的形式存在。组成这种构架的每一个元素或节点将依赖于整体规律和秩序而存在。结构体系可以转换，且转换过程（相对于其各成分的性质而言）具有规律性，正因为结构有转换的规律性，所以结构体系的转换能保持自己的守恒和充实。同时，这些转换是在这个体系领域之内完成的，并不求助于外界因素。"结构"概念在一定的程度上具有哲学含义。每个结构都包括了三个基本特性：整体性、转换性和自身调整性。①

---

① 1) 整体性：每个结构都有自己的整体性。每一个结构都将由若干成分组成，这些成分服从构成体系特点的组成规律，这些规律将不同成分性质整合并赋予结构整体性。一个结构整体并不是各成分的简单总和，并不能还原为一些简单相加的联合关系，结构整体性是先于各成分或者是在各成分发生接触的同时所得到的产物。

2) 转换性：如果说被构成结构的整体性特质是由于它们的组成规律而得来的，那么这些规律从性质上来说就是起建构结构作用的。在一个结构里，应当把结构受转换所制约的各种成分，跟决定这些转换的规律本身区分开来，也就是将这些转换和"形成过程"的关系区分开来。

3) 自身调整性：自身调整性带来了结构的守恒性和某种封闭性。它们的意义就是，一个结构所固有的各种转换不会越出结构的边界之外，只会产生属于这个结构并保存该结构规律的成分。这些守恒的特性，以及虽然新成分在无限地构成而结构边界仍然具有稳定性质，是以结构的自身调整性为前提的。节奏、调节作用和运算是结构的自身调整或自身守恒作用的三个主要程序。结构可以形式化（或译：公式化）。形式化意味着结构可以直接用数理逻辑方程式表达出来，或者通过控制论模式作为中间阶段。形式化可能存在于不同的过渡阶段，发现的结构的存在方式，并在每一个特定的研究领域里去加以说明。

人工环境结构调查主要是对物质空间组织结构对象的调查。具体调查内容包括对城市道路结构、景观生态结构、城市空间形态与肌理结构、绿化结构等固有物质空间结构的调查。人工环境的结构往往与自然环境的结构是同构的，特别是在宏观环境的调研中，自然尺度结构因素如山脉、水系结构对人工尺度的结构因素控制作用十分明显。

在北京市怀柔区九渡河镇调研[①]中，研究者对镇域范围内的自然景观结构进行了调查，并对旅游规划结构进行了定性研究。调查者发现镇域内的旅游资源主要是沿山、水（怀九河）、古长城等控制线呈带状分布特点，也正是这种自然特质限定了旅游发展规划结构的形成。在此基础上，调查者结合过境交通线路分布情况，对镇域旅游资源进行了分析评价，并将分析结果以图示化的方式予以简明表述（图3-8、图3-9）。

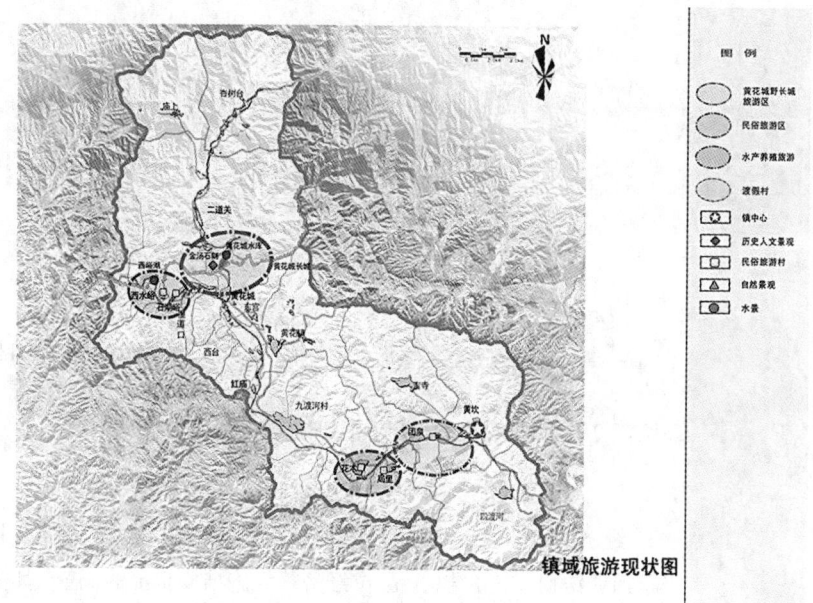

图3-8 北京市怀柔区九渡河镇镇域旅游现状图

"有山有水有长城"，九渡河的历史文化底蕴深厚，辖区内有大量的文物古迹与许多历史传说，其中，东宫大坟远近闻名，建于明永乐年间（1404年）的黄花城长城是北京唯一山水相连的长城，距今已有600多年的历史。

怀九河是九渡河镇的母亲河，发源于杏树台，在怀九河的孕育下，九渡十八村，村村都有其鲜明的地方特色。从桥梓镇一渡河沿怀九河至黄花城，需九涉河水，故名九渡。有些是历史上屯垦戍边所留下的古堡式村落，其中建于明万历二十年（1592年）的鹞子峪城堡位于二道关，现今仍然保存完好。小西湖水库旁的

---

① 戎安. 北京市怀柔区九渡河镇总体规划. 2006.

西水峪村也是古关口的卫士们所建的古堡，依山傍水，极具特色。"南有撞道口，北有震房关"，二堡相对，因山就势而建，独具风格。历史最悠久的堪称九渡河村，始建于金代，为九渡河第一大村，明万历年间成村。村东北有游觉寺，现存两大殿，康熙年间重修。村东有东庵庙，西有天齐庙和白云寺。村南狼窝沟有古栗树一株，干径1.9m，树龄约500年，树高25m。村内古槐一株，树龄300年。村落呈梯形，面积47.1万㎡。村内石板瓦屋面建筑表现出原生态建筑风貌。

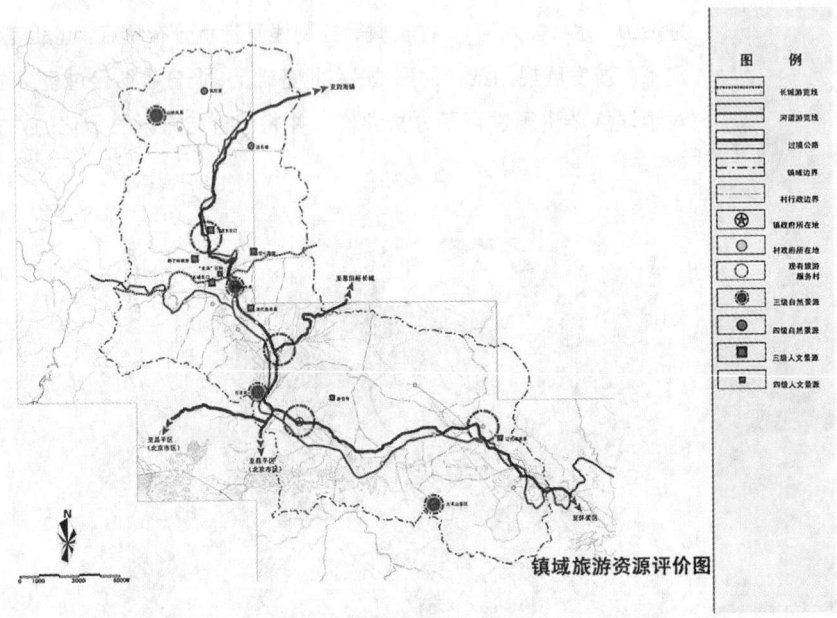

图3-9 北京市怀柔区九渡河镇镇域旅游资源评价图

3.2.1.3 经济结构调查

经济结构调查包括对土地资源、劳动力资源、生产资料、生活资料、产业结构、消费结构、市场结构、区位经济等经济结构状况的调查，其中包括就业率、不动产价格、社会资金组织方式等市场要素内容。

(1) 产业结构

在城镇体系规划中，产业结构的特点与发展方向往往会对物质环境规划的导向与形式产生重要影响。因此，对产业经济结构的调查，也成为城市与建筑规划设计的前期调研或后期使用评估报告的重要组成部分。

例如，在对北京市昌平区南口镇龙潭村村庄规划[①]中，设计者分别了解了该村的第一、二、三产业的构成情况，作为村庄近期环境整治与远期规划的重要依据。

龙潭村经济主要来自三个方面，首先是出租土地的地租，其次是第三产业的

---

① 中央美术学院建筑学院. 北京市昌平区南口镇龙潭村村庄规划. 2007.

收入，最后才是以林果业与农业为主的第一产业。

地租收入：村域广阔，风景优美，地租收入升值潜力很大。村委会考虑到土地承租与解决村劳动力就业相挂钩。

（一）第一产业

以林果业和种植业为主。有耕地215亩，经济林76亩。盛产桃、板栗、核桃、杏等干鲜果品。第一产业收入17.5万元，占集体总收入的7.2%。

（二）第二产业

龙潭村无第二产业。

（三）第三产业

龙潭村位于南口镇西北的深山区，风景优美旅游资源丰富。村内有山间溪流流经，形成下游响水湖水库，以垂钓园、农家院为产业的农户使旅游产业成为经济增长的龙头产业。已经初步形成了以民俗旅游和相关服务为龙头的第三产业的良性循环，为村民带来可观的经济效益。深山区内风景资源丰富，开发潜力广阔。药材峪风景优美，有藏獒养殖中心，具有很高的旅游参观价值；冯家湾响水湖为青少年水上运动中心训练地，初步成为休闲运动中心；龙潭村农家乐民俗旅游发展良好，成为旅游度假与服务中心。每年来自北京的游客客源丰富稳定，北京市内来此修建别墅住宅的市民也很多，能够拉动村内消费经济。毗邻龙潭村的凤凰山墓园每年清明前后吸引大批市民前来祭扫，对于经济发展提供了消费的动力。

第三产业收入166.1万元，主要来自于旅游收入，占村总收入的68%。地租收入为60万元，占村总收入的24.8%。

而在九渡河镇的总体规划[①]中，根据城镇规划设计深度的要求，调查了该镇的产业经济结构，内容包括劳动力资源、土地资源、生产资料、产业结构、市场结构、区位经济等方面。此外，为了贯彻"一村一品"的战略布局原则，对当地的特色种植、养殖以及服务业情况作了调查。

九渡河镇历史上就是著名的"板栗之乡"，是怀柔区的板栗主要生产基地之一。果品以板栗、核桃为主，是本镇的主要经济支柱产业，远销日本。九渡河镇现有板栗田78660亩，年产300万公斤，其中不乏树龄500年以上者，明清的板栗树有近两万棵。此外，本镇还生产杏、苹果、梨、李子等干鲜果品。规划应该继续大力发展本镇的特色农业。

九渡河镇新兴养殖业已经初具规模，现养殖业产值已占了第一产业比重的40%。全镇共有14个养殖区，养殖品种有肉鸡、肉羊、肉牛、商品猪、鲟鱼、虹鳟鱼等，产品已有初步的知名度。

---

① 戎安. 北京市怀柔区九渡河镇总体规划. 2006.

九渡河镇产业产值近三年来持续发展，全镇共发展企业25家。2004年产业产值2亿元，利润1500万元，形成了毛纺、家具、服装、印刷、饮料、农副产品加工、环保设备等行业。但是目前产业制作成本较高，纯利润获利低，需要进行改造和结构调整。九渡河镇可以继续发展绿色加工制造业。

九渡河镇镇内自然环境良好，森林覆盖率高，两怀流域生物物种丰富多样。镇内自然人文景观众多，有鳞龙山自然风景区和黄花城明长城，旅游的人数越来越多。全镇2003年旅游综合收入达到800万元，游客达到15万人。旅游业目前主要以自然景观和民俗风情参观为主。但是，古长城尚无有效的保护措施，也未进行有效的旅游开发，因此旅游经济尚属起步的阶段，潜力很大。

(2) 就业与经济收入状况

就业与经济收入状况往往会影响地区的社会发展方向、近期建设规模和远期发展潜力，因此成为经济结构的重要指标之一。

例如，在住区变迁问题的调研[①]中，调查者发现就业与经济收入状况的变化对住区功能与形态的转变有决定性的影响。为了探索商业化背景下的住区变迁的根本原因，调查者对珠江路原居民的就业与经济收入状况进行了调查，为此后对住区变迁原因的探索埋下伏笔（图3-10～图3-12）。

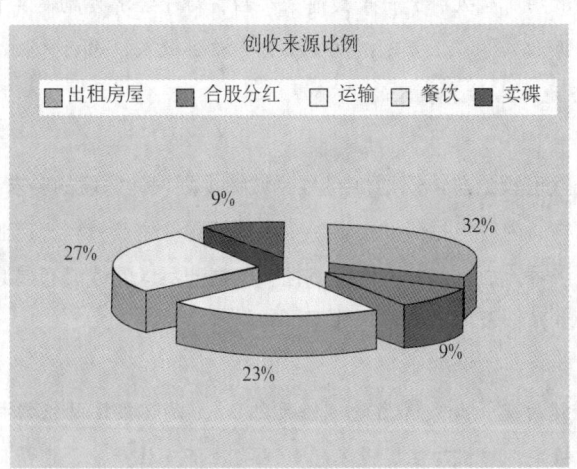

图3-10 原居民创收来源途径的比例图

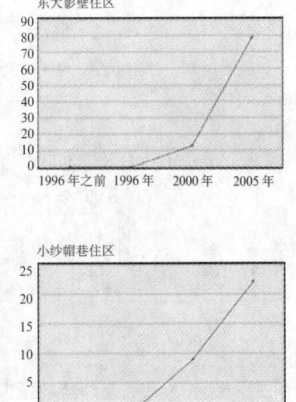

图3-11 就业方向转化的原居民人数

图3-12 职业转化的原居民与总人数的比例变化

① 吴靖梅，张佳，张强，宋若蔚. 商业化背景下的住区变迁——以珠江路科技街的兴起为例 [R] // 高等学校城市规划指导委员会等编. 2005全国大学生城市规划社会调查获奖作品. 北京：中国建筑工业出版社，2006：20.

在对北京市昌平区阳坊镇西马坊村的调查①中,针对规划设计所涉及的近期村庄环境整治工作的资金来源与政府投入比例问题,研究者分别对该村的集体和个人经济收入情况进行了大致的调查与统计分析（图3-13、图3-14）。

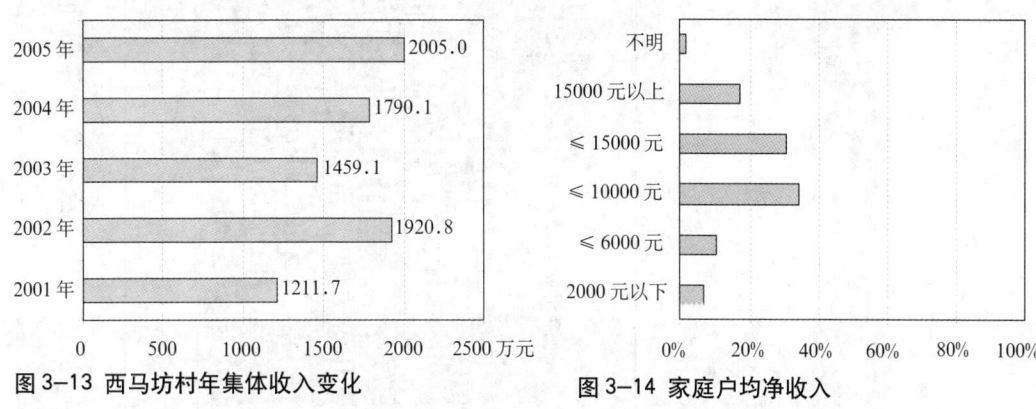

图3-13 西马坊村年集体收入变化   图3-14 家庭户均净收入

（一）集体经济

根据阳坊镇统计数据,西马坊村集体资产总额600万元。村集体主要收入来源以土地租赁为主,目前外来租用项目主要有凯嘉鑫苑基地、福昌铝塑彩印厂、万丰药业、北京东鑫精作装饰公司。村集体经济收入呈逐步增长态势,2001年为1211.7万元,2005年村集体收入2005万元,5年集体收入绝对值增长793.3万元,年均增长17.3%。

（二）个人经济收入

村民收入主要来源为外出务工和农业生产,村内缺乏产业经济支柱。村民年人均收入6900元。村民问卷调查显示,家庭净收入多集中在6000～15000元之间,占64.4%（其中户均收入最多的在6000～10000元之间,占33.9%）;15000元以上的占16.9%。

（3）不动产状况

由于历史原因,不动产房屋权属问题比较复杂,这种情况会对规划设计和建设决策与管理的实施造成一定困难,因此往往成为规划前期调研的最重要工作之一。这种情况在历史比较悠久的地区尤为明显,例如,在对北京市东城区新太仓地区进行保护修缮规划设计②前,调查者就对街区内所有房屋的产权归属问题进行了深入调查（图3-15,表3-5）。

此外,不动产的所属权与使用权问题作为经济基础的重要组成部分,也会

①　中央美术学院建筑学院. 北京市昌平区阳坊镇西马坊村村庄规划. 2007.
②　戎安. 北京市东城区新太仓地区保护修缮规划设计方案. 2006.

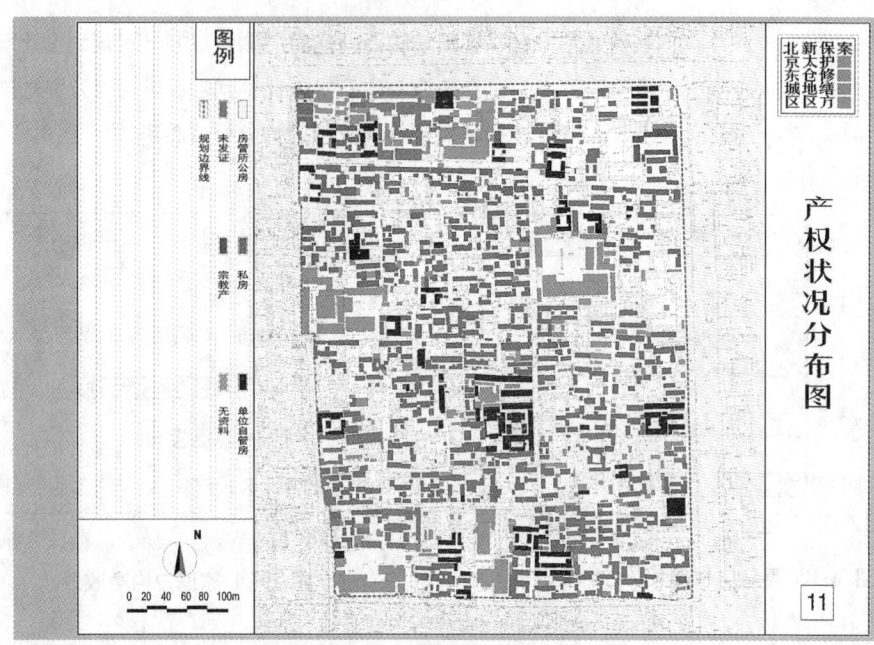

图 3-15 北京东城区新太仓地区产权状况分布图

北京东城区新太仓地区产权状况分布情况   表 3-5

序号	产权性质	建筑面积（m²）	所占比例（%）	备注
1	直管公房	23956	24	
2	单位自管房	10980	11	
3	私房	42922	43	
4	宗教产	998	1	
5	未发房证	7985	8	
6	待确定	12976	13	无资料

对社会心理等产生影响。因此，在对苏州中心主城居民的居住意向进行调查[①]的时候，调查者分别了解了三个被调查小区的不动产状况，包括住宅权属、住宅类型、居住条件（以厨卫条件为例）等方面的内容；并对各小区的调查结果进行比较分析，成为得出研究结论的最重要论据之一（图3-16、图3-17，表3-6～表3-8）。

A. 住宅权属

桃花坞住房的私有率仅为18%，其他租赁为24%，公房为58%，可见主要还是以公房为主。由于住房体制改革、住宅的商品化，公房这个概念在三元新村和今日家园已经消失。三元新村住宅外租率高达51%，表明此小区外来人员很多，这

① 苏州中心主城居民居住意向调查报告——以桃花坞、三元新村、今日家园为例[R]. 高等学校城市规划专业指导委员会推荐案例。

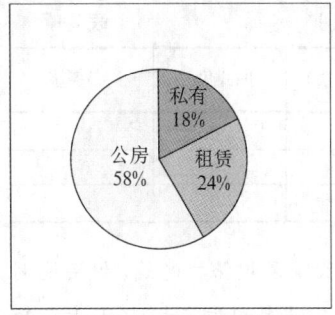
桃花坞受访者住宅权属状况

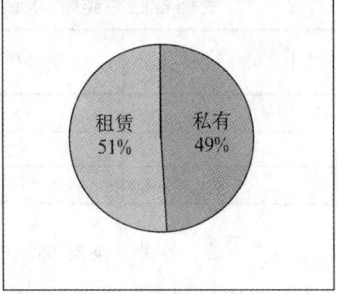
三元新村受访者住宅权属状况

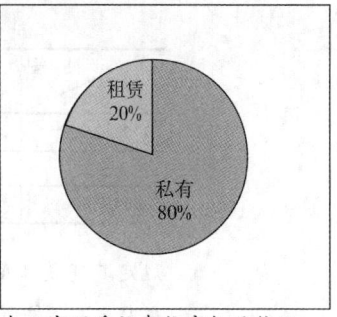
今日家园受访者住宅权属状况

图3-16 受访者住宅权属状况饼状图

受访者住宅权属状况（人）   表3-6

住房权属 地区	私 有	租 赁	公 房
桃花坞	15	20	49
三元新村	40	42	0
今日家园	72	18	0

和它本身在时间和空间上处的特殊位置有一定联系。在三种组别中，今日家园的私有率最高为80%，但结果发现仍有20%的外租率。经访谈与分析，调查者发现买房出租、以租还贷这种新式理财手段，近年来在苏州新区兴起，这可能与苏州新区房价急剧攀升有很大关系，很多人在今日家园购房只是用于投资，自身并不在此居住。

B. 住宅类型

桃花坞建筑类型以旧式里弄为主（78%），并存在数目不少的简易棚屋（20%），分析原因可能与桃花坞区域位置有关，其地处苏州市平江保护区，规划

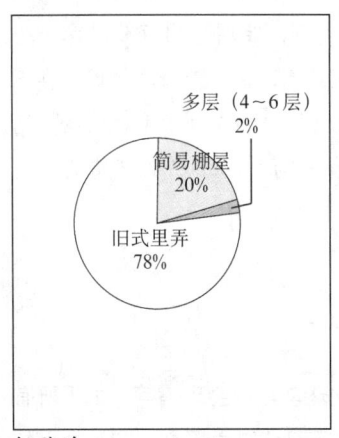
桃花坞

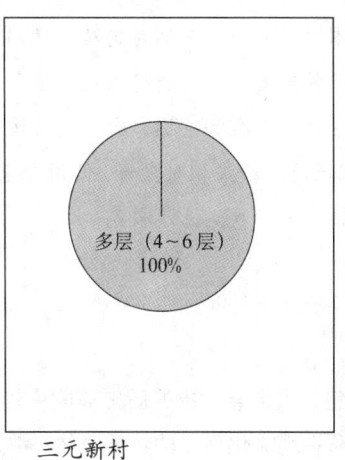
三元新村

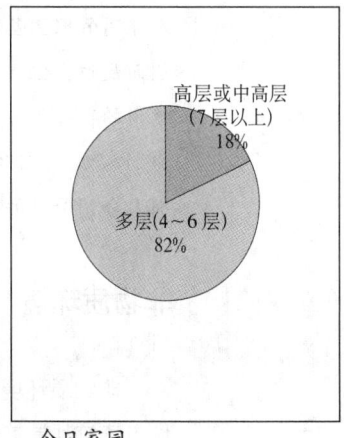
今日家园

图3-17 受访者住宅类型状况饼状图

受访者住宅类型状况(人)   表 3-7

类型 地区	高层或中高层（7层以上）	多层（4~6层）	旧式里弄	简易棚屋
桃花坞	0	2	65	17
三元新村	0	82	0	0
今日家园	16	74	0	0

规定其建筑高度不得高于4层。另外，桃花坞还有大量风貌保护建筑，但实地调查时发现多数建筑已经破旧不堪，条件很差，人口密集又相对较大，还有大量外来人口在内租赁，这可能是造成20%为简易棚屋的主要因素。三元新村是20世纪80年代建设的示范住宅小区，由于当初建筑水平和居住意识的限制，故住宅类型均为多层。而今日家园是在新的生活观念下出现的新型小区，由于住宅形式多样化、技术的提高、新区楼层不限高、提高土地的利用率等因素出现了18%的高层和中高层住宅。事实上，由于这些高层和中高层住宅的存在，丰富了小区内部的空间形式，取得较好的天际线和景观效果，同时还提高了空间的可识别性。

C. 厨卫条件

住区厨卫条件状况   表 3-8

使用设施 地区	煤气、液化气使用情况			厨房使用情况			卫生间使用情况		
	管道煤气	罐装液化气	无	个人	合用	无	个人	合用	无
桃花坞	0	94.0%	6.0%	45.2%	46.4%	8.4%	42.9%	48.7%	8.4%
三元新村	58.5%	34.2%	7.3%	63.4%	31.7%	4.9%	63.4%	31.7%	4.9%
今日家园	86.7%	13.3%	0	100%	0	0	100%	0	0

厨卫条件能在一定程度上直观地反映居民的居住条件，桃花坞目前未设置管道煤气，所以居民以使用罐装液化气为主，为94.0%；在厨卫使用情况上，与别人合用的比例基本达到半数，分别为厨房（46.4%）和卫生间（48.7%），从一个侧面反映出住房条件较差。三元新村虽设置了管道煤气，但由于经济原因，真正使用的人并不占主体，只有58.5%；厨卫使用情况上，与别人合用率也较高，均为31.7%。今日家园厨卫条件相对较好，使用管道煤气的人占86.7%，没有发现与别人合用厨卫的情况，居民满意度较高。

3.2.2 非物质环境

非物质环境包括被调查对象的历史环境、文化环境与社会环境等。由于所有城市建筑都是其所在地文化现象的物质载体，都是不可能孤立于文化和社会之外存在的。较之于物质环境，城市与建筑的非物质环境，更能体现规划设计中广泛的系统性特质。

3.2.2.1 历史文化环境

从广义来说，文化是指人类社会历史实践过程中所创造的物质财富和精神财富的总和。从狭义来说，文化是指社会的意识形态，以及与之相适应的制度和组织机构。一方面，文化是一定社会的政治与经济的反映；另一方面，它又对社会的政治和经济等造成巨大影响。

文化环境与地方的历史有着十分密切的联系。杰拉尔德·迪克斯曾指出，"一个城市，尤其是一个古老的大城市，是思想和艺术品的宝库，其中包括建筑、空间和各种场所。它们表达了演变的需要、时势和建造者那个时代的风尚。"[①]《华盛顿宪章》亦宣称："历史城区，不论大小，其中包括城市、城镇以及历史中心或居住区，这些地区体现着传统城市的文化价值，必须予以保护。"[②]

历史文化环境是城市发展的精神源泉，并为社会发展提供支撑动力。在建筑与规划学科的调查研究中，为了追溯特定场所、场所感及其场所精神的成因，调查者往往需要了解被调查对象在历史背景下的文化环境。为了揭示社会发展本质，调查者也常常需要了解社会现象的历史背景等相关情况，才能由表及里地理解社会现象的根源与本质。

由于场所形成的历史文化背景往往很复杂，因此，对文化历史环境的调查范围必须紧密围绕研究课题的目的展开。例如，在对广州市居住小区架空层的调查[③]中，调查者的关注点是骑楼式建筑形态在住宅区规划设计手法应用中的优势与不足。为此，研究者首先调查了从传统干栏式房屋到骑楼式建筑文化的发展历程；随后，介绍了广州居住小区中，骑楼与现代架空层式建筑的发展与应用情况。在这里，研究所关注的是对这种传统广州建筑文化形式在发展本土文化意义方面的探寻。研究者依照时间的发展顺序，对20世纪80年代以后具有代表性的骑楼与架空层形式建筑的布局特色、设计目标与使用现状等分别作了比较深入的调研(表3-9、表3-10)。

自古以来，接地层架空的干栏式民居就与湿热气候息息相关，曾在东南亚、中国南部、美洲、非洲的湿热气候地区广泛运用。岭南地区由干栏式发展成为骑楼式，骑楼式往进深发展就成了架空层。随时代的发展，架空形式也发生了变化，除了传统的接地层架空模式外，还出现了中空的空中花园、屋顶花园等形式，其在活跃气氛的同时改善了建筑的内环境。

20世纪80年代佛山、中山等地政府资助建设的住宅地下层设置为单车房，原

① 杰拉尔德·迪克斯.建筑·保护和文脉：建筑和城市设计中的传统和演变. 陈寒凝译. 国际建协20届大会论文. 1999.
②《华盛顿宪章》1987.10，ICOMOS第八届会议通过的保护历史城镇与城区宪章.
③ 华南理工大学99级城市规划专业学生. 广州居住小区架空层调研报告[R]. 高等学校城市规划专业指导委员会获奖案例.

因是地下层潮湿，不好卖。随着经济的发展，住宅地下层又改成了停车库，到20世纪90年代，住宅的档次提高了，地下停车库也出现了，架空层就从香港传了过来。架空层发展到现在，已经成为房地产开发的卖点，架空层的形式也不断地变化。

部分小区组团的骑楼（廊道）朝向与用途比较　　　　　　　　　表3-9

小区（组团）名称	骑楼（廊道）的位置与朝向	骑楼（廊道）的空间功能
广州东湖新村	北向、西向	住宅与部分辅助用房
广州五羊新城	北向、西向	住宅与小店铺
广州骏景花园	东向、西向	沿街商铺与辅助用房
深圳万科温馨家园	沿内部周边设置	骑楼与入口门厅结合
深圳万科四季花城	南北向	骑楼宇商铺结合
广州岭南花园	西向	骑楼宇商铺结合

从20世纪90年代开始，广州丽江花园华林居、骏景花园、岭南花园，深圳万科四季花城等小区相继设置了底层骑楼空间。岭南花园将骑楼空间朝西面布置，提供了一个遮阳、遮雨的半室外活动空间，并结合旁边的溪流、绿化、小桥等小品建成一条"岭南食街"，将岭南传统文化与骑楼空间融为一体。而万科四季花城沿假日广场两侧(即杜鹃苑和紫蔚苑的外围)，采用骑楼式的空间处理，将居民活动空间与旁边的配套设施结合在一起。

部分小区的架空层统计　　　　　　　　　表3-10

小区名称	建成时间	架空情况	架空的住宅类型	主要用途
天河名雅苑	1996	部分架空	中心组团多层住宅	托幼与绿化结合
深圳万科温馨家园	2001	入口处与西北角架空	中高层住宅	娱乐、休息空间和绿化结合处理
深圳万科四季花城	2001	首层全部架空	多层、中高层住宅	停车库
翠湖山庄	1997	首层全部架空	高层住宅	绿化与活动空间
骏景花园	1999	首层架空、二层部分架空	中高层住宅	底层部分商铺空间、停车与绿化结合、二层辅助用房
汇景新城	2000	首层架空、首层以下部分架空	中高层住宅	绿化与活动空间、首层以下停车、部分作会所空间
岭南花园	2001	部分架空	多层住宅	入口门厅、绿化与活动空间

架空层作为住宅首层与环境绿化的结合，在20世纪90年代以来的广州住宅小区中，得到了大量的应用。从名雅苑到锦城花园、翠湖山庄、骏景花园、汇景花园，这种处理手法已经成为广州住区规划设计的一大特点。

又如，在对北京东城区新太仓地区进行保护修缮规划[①]之前，为了更有效地延续

---

① 戎安. 北京市东城区新太仓地区保护修缮规划设计方案. 2006.

与保持地方文脉与场所精神,规划者详细查阅了与该地区有关的历史文献记录,理清了该地区城市形态历史变迁的脉络——这些对发掘地区场所精神都是必要的研究资料。

新太仓位于北京市老城内的东北部,东起东直门南小街,西至新太仓胡同,北起东直门内大街,南至东四十三条,占地面积为17.76hm²,它属于北京市25片历史文化保护区的一部分。

新太仓是一块具有悠久历史的城市地段,元朝建新大都后,专门在大都及其周围建造了大量的仓库,以保证京城各种物资的贮存和有效供应。大都"太仓"就是专门贮藏供给统治者享用的日常生活品的仓库。

至明朝,"正统十年五月,以在京居贤、崇教二坊草厂筑仓收粮"(《明英宗实录》),在居贤坊建的粮仓即是位于南居贤的"新太仓",仍地处元大都"太仓"所在地。

清代,由于居民的增加,仓区逐渐被居民自发性修建的住房占据,原新太仓北门和南门通道被穿通,乾隆时称为新太仓胡同,并在原新太仓区域内形成了不规则的曲折多弯的胡同形态。

1949年后,该地区已演变为以居住功能为主的混合型城市街区,居民大多是城市平民。

1976年唐山地震后,独门独户的四合院逐步演变成多户聚居的大杂院。新太仓街区的现状以居住为主,兼有商业、教育和公共服务设施等。

在对南京夫子庙地区历史与现代文化协调情况进行调研[①]时,调查研究的出发点是城市历史文化的保护与发掘问题:如何体现城市的地方特色,丰富城市的精神文化,增加城市文化的底蕴?为此,调查者追溯了夫子庙是从何时开始,以及如何成为我国南方的重要的文化中心的;它又是怎样逐渐发展壮大成为一个集旅游、文化、商业、餐饮、娱乐等多功能的服务中心的。

夫子庙地区是南京市的发祥地。据史料记载,公元前472年,秦淮河沿岸就形成了人烟稠密的市场,自修建"越城"起。秦汉两代皆有所建树,魏晋南北朝时期由于政治、经济中心的南移,尤其是东晋建都之后,夫子庙地区成为中华政治、文化的中心。两千余年的历史沉积,这其间有多少踪迹有待追寻,有多少缺失有待弥补?"历代多少兴亡,尽人渔樵闲话",丰富的历史得天独厚。

……

东晋咸康三年(337年),丞相王导在秦淮河北岸建学宫,这是夫子庙的最早

---

① 天下文枢苑,寻常百姓家——夫子庙地区历史与现代文化协调情况调查[R].高等学校城市规划专业指导委员会获奖案例.

建筑。宋明道元年（1032年）宋仁宗在学宫前建孔庙，称夫子庙。现在的夫子庙是1983年重新修建的，包括孔庙、学宫和贡院三部分。明清时期，数以万计的学子每年来此求取功名，于是书肆、茶馆、客栈应运而生，夫子庙遂成为明清两代中国的繁华之地。各处考生带来的具有地方特色的饮食、手工技艺、戏曲等，使秦淮河两岸的文化习俗南北兼具、各色杂陈，并一直延续下来。

1985年，南京市政府复建了东、西市场、学宫、贡院等古建筑，吸收了我国传统的商业街道的空间形式和尺度，采用明清时代的街市风格，以石板铺地，店铺采用"青砖黛瓦马头墙，回廊挂落花格窗"，店、庙、市、街合一，富有浓郁的地方特色。在东自平江府路，西至瞻园路的约0.5km^{2}的范围内有商场商店300多家及诸多宾馆及游乐场等，地下还有一个约10000m^{2}的地下商业街。可以说夫子庙是一个集旅游、文化、商业、餐饮、娱乐等多功能的服务中心。节假日的人流量达15万人次以上，逢金陵灯会期间更是盛况空前。

3.2.2.2 社会环境

人类居住环境还可以被划分为自然环境与社会环境。自然环境是社会环境的基础，而社会环境又是自然环境的发展。

社会环境是在自然环境的基础上，人类通过长期有意识的社会劳动，加工和改造了的自然物质、创造的物质生产体系、积累的物质文化等所形成的环境体系，是与自然环境相对的概念。社会环境一方面是人类精神文明和物质文明发展的标志，另一方面又随着人类文明的演进而不断地丰富和发展。社会环境按照所包含的要素性质分类，可分为社会的物理环境、生物环境、心理环境等。如果按照功能分类也可以将社会环境划分为农业环境、工业环境、后工业环境等人居环境。

对社会环境的调查往往需要从观察社会现象入手，通过对大量社会人群的调查，发现、分析和研究社会问题。

(1) 人口结构调查

城镇规划设计的根本目的是了解人与社会、环境的关系。因此，在城市与建筑学科的社会调查中，对人口现状的调查是最重要的调查内容之一。人口结构的内容包括人口构成和人口迁移情况等。

1) 人口构成

人口构成情况包括人口的年龄构成、男女比例、生育情况、出生率和死亡率、受教育情况等方面的内容。

调查者往往需要根据调查目的，取舍选择与调查内容相关的调查项目。例如，在对苏州中心城区居民居住意向的调查[①]中，调查者分别对三个被调查小区的人口

---

① 苏州中心主城居民居住意向调查报告——以桃花坞、三元新村、今日家园为例[R]. 高等学校城市规划专业指导委员会推荐案例.

构成情况进行了比较全面的调查，了解到三个地区居民在年龄构成上的分异（分属于老、中、青三代）；在职业构成上的分异（以商业服务人员为主）；在文化程度上的分异（具有高等学历比重的大小）；在收入上的分异（收入水平分级）等，令调查的社会背景逐渐明晰（图3-18～图3-21，表3-11～表3-14）。在此基础上，引出了与调查目的有关的设问：不同的人对住区的评价是什么样的？他们的理想住区是什么样的？

A.年龄构成

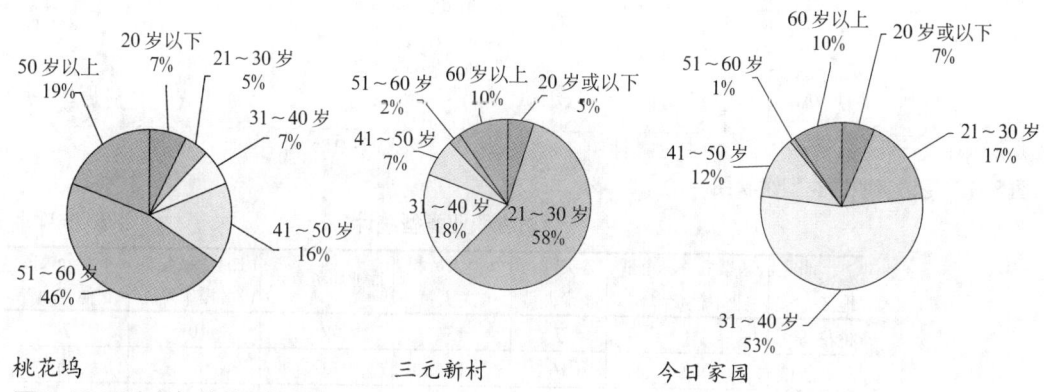

桃花坞　　　　　　三元新村　　　　　　今日家园

图3-18 受访者年龄状况饼状图

受访者年龄状况统计（人）　　　　　　　　　　表3-11

年龄段 地区	20岁或以下	21～30岁	31～40岁	41～50岁	51～60岁	60岁以上
桃花坞	6	4	6	13	39	16
三元新村	4	47	15	6	2	8
今日家园	6	15	48	11	1	9

桃花坞年龄段最大的是51～60岁（46%），其次是60岁或以上（19%），二者合计65%，反映桃花坞年龄层次偏高；三元新村则主要集中在21～30岁年龄段（58%），以青年为主；而今日家园年龄段集中在31～40岁（53%），年龄构成主体是中年。三个地区在年龄构成上有很明显的分异，分属老、中、青三代。

B.职业构成

桃花坞以商业服务人员为主是一个明显特征，比例为55%；国家机关、企事业单位负责人（1%）和专业技术人员（8%）比例非常低。三元新村职业分布基本均衡，说明这是一个相对复杂的人群。今日家园国家机关、企事业单位负责人（18%）和专业技术人员（27%）的比例明显高于前两个地区，表明此住区居民职业层次较高，具体访谈发现其中尤其以由外地迁往新区的迁居户职业层次较高。

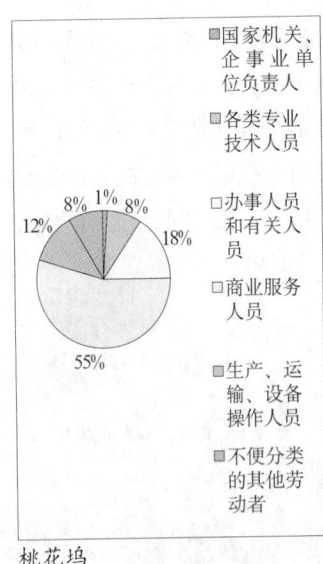 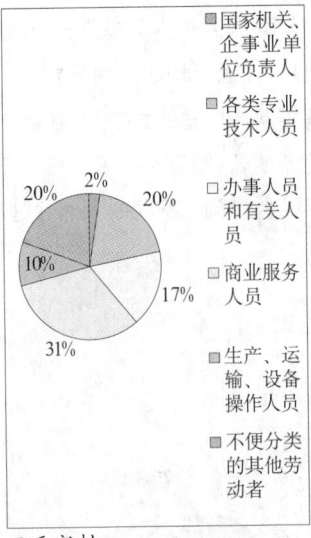 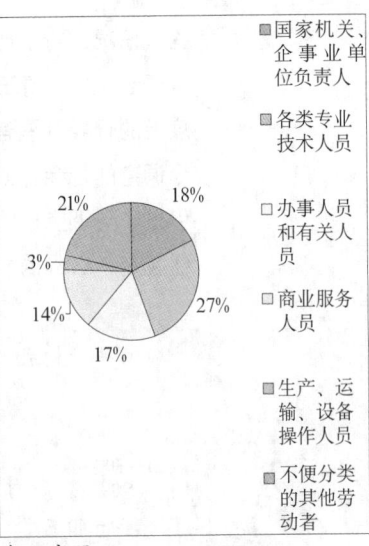

桃花坞　　　　　　三元新村　　　　　　今日家园

图3-19 受访者职业类型饼状图

受访者职业类型统计（人）　　　　表3-12

职业 地区	国家机关、企事 业单位负责人	各类专业 技术人员	办事人员和 有关人员	商业服务人员	生产、运输、 设备操作人员	不便分类的 其他劳动者
桃花坞	1	7	13	46	10	7
三元新村	2	16	14	26	8	16
今日家园	16	24	15	13	3	19

C.文化程度

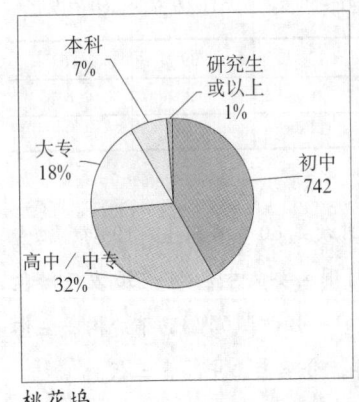 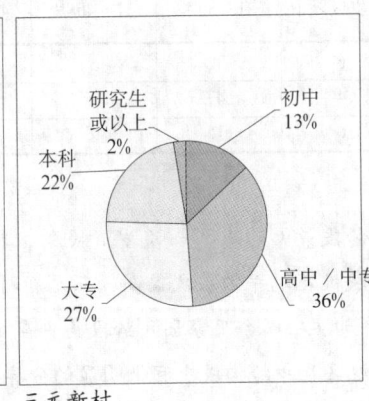 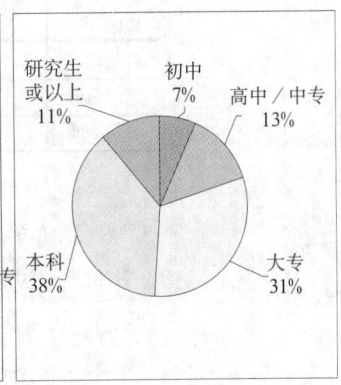

桃花坞　　　　　　三元新村　　　　　　今日家园

图3-20 受访者文化程度状况饼状图

受访者文化程度状况统计（人）　　　　表3-13

学历 地区	初中	高中／中专	大专	本科	研究生或以上
桃花坞	35	27	15	6	1
三元新村	11	29	22	18	2
今日家园	6	12	28	34	10

居民文化程度普遍较低是桃花坞的一个明显特征，具有高等学历的比重很低。今日家园与桃花坞的反差较大，具有大专及大专以上学历的居民高达80%。而在建造时间和地域上均位于桃花坞和今日家园之间的三元新村，文化程度并不是也介于这两者之间，具有高中和大专以上学历的仍占绝大多数（51%），这与住区人口的年龄分布似乎存在某种联系。

上述情况反映了苏州古城区和新区居民在文化程度上差异十分明显，而相对处在古城区和新区交接区的三元新村文化层次相对均衡，结合此地区年龄构成和住房权属状况，经分析可能的原因是有大量年轻人在此租房居住。

D.收入状况

以调查区居民平均每月收入作为收入状况依据。

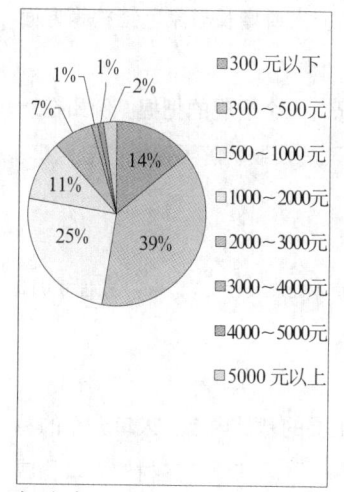
桃花坞

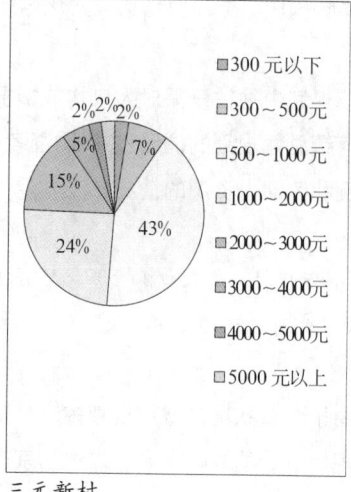
三元新村

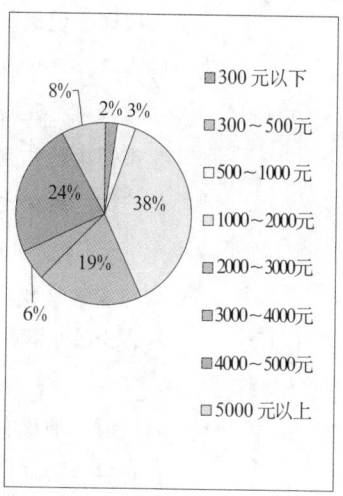
今日家园

图3-21 受访者月收入状况饼状图

受访者月收入状况统计（人）　　　　　表3-14

地区 \ 月收入	300元以下	300~500元	500~1000元	1000~2000元	2000~3000元	3000~4000元	4000~5000元	5000元以上
桃花坞	12	32	21	9	6	1	1	2
三元新村	2	6	34	20	12	4	2	2
今日家园	2	0	3	33	17	5	21	7

图表数据表明，三元新村月收入水平主要集中在500~1000元（43%），今日家园主要集中在1000~2000元（38%）和4000~5000元（24%）的水平上。而桃花坞的个人收入状况远低于前两个住区，低于1000元收入共占64%，其中300~500元比例占了39%。

总体说来，掌握所选调查区基本属性是我们得出一切结论的基础。通过对收集的基本属性信息的整理分析，得出以下结论：桃花坞居民整体收入较低，文化层次较低。年龄构成以老年人为主，老龄化现象已有雏形，区内有大量外来人员，租赁房屋居住，他们大多从事商业服务行业。三元新村是20世纪80年代建设的示范小区，随着居民对住区物质和精神方面要求的提高，其原先优良的居住条件和配套设施已经不能满足人们的需求。目前其人口构成以青年人为主，租房率较高，人员混杂，人口流动性大，总体趋于一种动态平衡。今日家园为新建小区，内部服务设施齐备，环境优美，管理科学，能很好地满足人们的物质需求，其居民年龄构成以中年为主，文化程度较高，并具有高等学历，收入状况不错。由此，我们明显可以看到，不同住区由于特征不同，内部居民的基本情况也不同。

在对北京市昌平区北七家镇东沙各庄村进行调研的时候，根据村镇规划的设计深度要求，设计者对该村人口构成现状进行了较为详细的分项调查研究，包括人口规模现状、年龄构成、劳动力结构、文化结构、人口增长与家庭结构等方面的内容。

通常，在城镇规划中往往只需对人口构成情况有一个宏观的把握，例如在北京市怀柔区九渡河镇总体规划的调研[①]中，调查者只是大致了解了镇域的总人口、总户数、男女比例和劳动力资源的情况。

全镇现有18个行政村，总人口17 592人，总户数5 795户，其中：男性9 019人，女性8 573人，共有劳动力3 580人。

另一方面，由于人口状况是城市规划中十分重要的基础内容，人口分布的特点往往会影响到规划设计的战略布局。如对北京市昌平区东沙各庄村的人口构成调查[②]（图3-22、图3-23）：

1.5.1.1　人口规模现状

全村户籍人口1333人多为汉族，共366户。其中农业人口760人，非农业人口573人。居住半年以上的外来人口约1000人，多为外来务工、经商人员。村域人口共计2333人。

以户籍人口计算，村庄男女比例基本平衡，为0.96:1（男655人，女678人）。

1.5.1.2　年龄构成

16岁以下占11%；16～60岁占72%；60岁以上占17%。

1.5.1.3　劳动力结构统计

全村劳动力约600人。

---

① 戎安. 北京市怀柔区九渡河镇总体规划. 2006.
② 中央美术学院建筑学院. 北京市昌平区北七家镇东沙各庄村村庄规划. 2007.

■16岁以下　　■16~60岁　　■60岁以上　　■一产劳动力　　■二产劳动力　　■三产劳动力

图3-22 东沙各庄村各年龄段人口比例饼状图　　图3-23 东沙各庄村各产业劳动力比例饼状图

　　其中从事第一产业的劳动力16人，占 2.6%；从事第二产业的劳动力301人，占50%；从事第三产业的劳动力283 人，占47%。劳动力就业率为100%。

1.5.1.4　文化结构统计

　　目前东沙各庄村大部分居民为初中教育水平，没有失学儿童。

　　初中以下学历占20%；初中学历占50%；高中、中专学历占26%；大专、大本学历占 4%。

1.5.1.5　人口增长与家庭结构

　　村里的人口近3年来的自然增长率为 −0.47%。

　　通过对该村的人口构成调查，规划设计者发现这个位于城市化边缘区的村庄面临着许多发展问题：虽然三年来村里人口的自然增长率出现了负增长，但是村庄里外来人口总数竟占村域人口的40%以上，这些外来人口的集聚，对村庄建设性用地需求、建设用地的集约利用、村落村容村貌的整治改造、市政设施的新修与改建工程等都带来了新的问题。

2）人口迁移情况

　　与人口的自然增长不同，较大规模的、集中的人口迁移会令当地的物质空间形态与结构产生急剧变化，而导致人口大量迁移的原因往往与社会或经济环境的剧烈变化有关。因此，作为一个巨大的变数，人口迁移情况的调查及分析成为规划前期调研的重要组成部分。

　　例如，在调查居住区现代商业化背景下的变迁时[1]，研究者首先明确了住区变迁的根源（商业化）。为了进一步探索现代商业化背景下城市住区发展的内在动力和趋势，调查者沿珠江路科技街选定了两个调查区域。通过各自的房屋外来使用者比率的经年变化，勾画出被调查住区在 1996~2005 年间人口迁移的大致脉络；并结合了外来人口获得住房方式的变化趋势，以及外来人口租住时间差异等方面的调查成果进行分析，为以后对住区变迁情况的剖析与规律的总结勾勒出清晰的社会背景（图3-24~图3-27）。

---

① 靖梅，张佳，张强，宋若蔚．商业化背景下的住区变迁——以珠江路科技街的兴起为例[R]．//2005全国大学生城市规划社会调查获奖作品．高等学校城市规划专业指导委员会等编．北京：中国建筑工业出版社，2006：19.

1. 原居民与房屋外来使用者的比例变化。

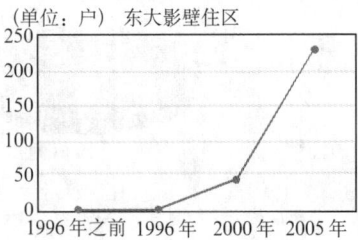

从图3-24和图3-25中可看出, 在1996年原居民获得房屋产权之前, 能够通过租房方式侵入珠江路两侧住区的外来者寥寥无几。而1996年之后房屋外来使用者的人数呈明显增长趋势。到2000年, 东大影壁住区内就有43户房屋更替了使用者, 小纱帽巷住区也有12户房屋更替了使用者。到2005年, 东大影壁住区内共有232户房屋更替了使用者, 所占比例上升到35%; 小纱帽巷住区则有72户房屋更替了使用者, 比例也升为31%。

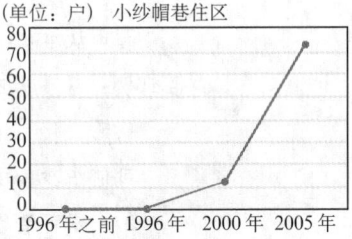

图3-24 房屋外来使用者人数的变化

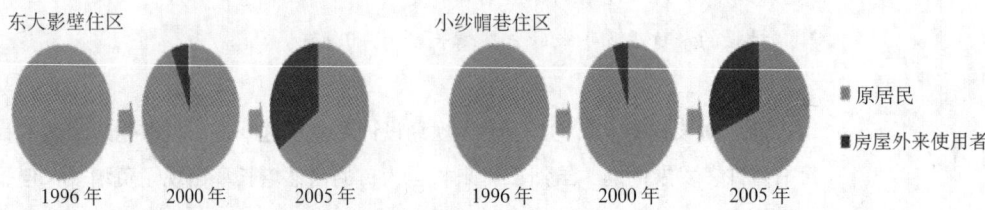

图3-25 原居民与外来使用者的比例变化

2. 房屋外来使用者住房功能的比例变化, 如图3-26所示。

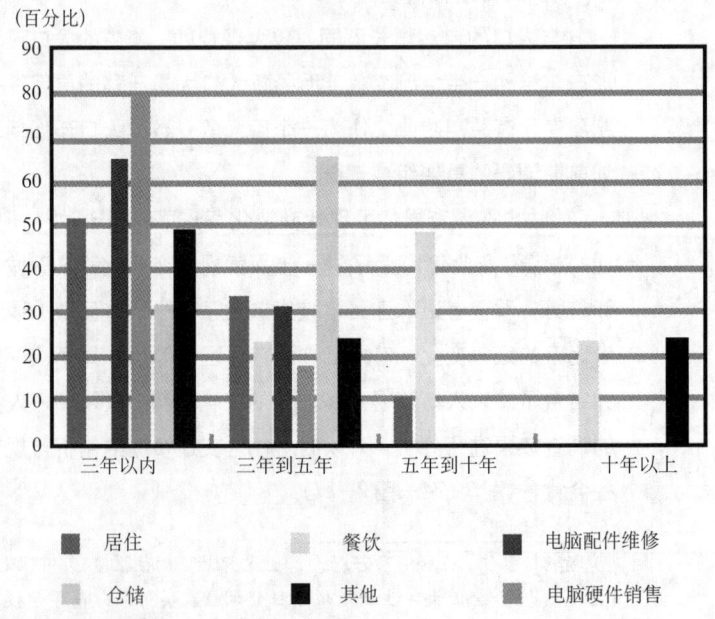

图3-26 房屋外来使用者住房功能的比例变化

3. 房屋外来使用者租住时间的分异，如图3-28所示。

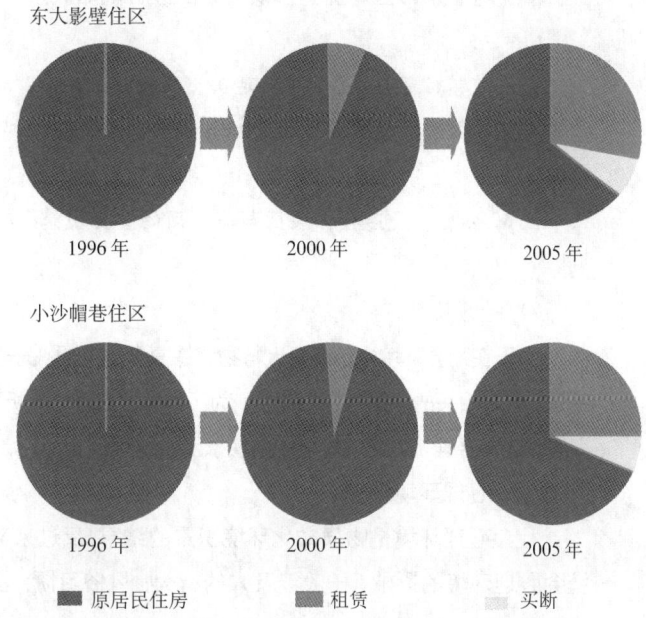

图3-27 房屋外来使用者租住时间的变化

（2）社会结构调查

1）行政区划

目前，各级城镇规划的范围一般都是以行政区划为边界的。在对行政区划的调查中，一方面，调查者需要了解被调查区域的行政划分，明确其边界四至情况；另一方面，往往还需要根据规划性质和影响范围，了解被调查区域与邻近行政中心、周边环境等的区位关系。

例如，在北京市昌平区南口镇龙潭村村庄规划[①]中，由于被调查对象并不大，所以研究人员在调查了规划区域的四至情况与坐标定位后，只分析了该村与镇级行政中心（南口镇人民政府）的区位关系。

龙潭村地处北纬40°21′～40°30′，东经116°16′～116°21′。位于北京市昌平区南口镇西北方向，距南口镇人民政府5.3km。南北长约5.67km，东西宽约3.16km，面积9.62km²。龙潭村下辖有三个自然村，龙潭村为村委会所在地，冯家湾村在东南1.3km处，药材峪村位于龙潭村西部1.1km。

而在北京市怀柔区九渡河镇总体规划[②]中，由于调查区域面积和影响力大，研

---

① 中央美术学院建筑学院. 北京市昌平区南口镇龙潭村村庄规划. 2007.
② 戎安. 北京市怀柔区九渡河镇总体规划. 2006.

究者不但调查了九渡河镇的四至情况，明确了该镇与邻近的怀柔新城的关系，还分析了它与北京市区等重要行政中心的区位战略关系。

九渡河镇位于怀柔、昌平、延庆交界的过渡地带，北部与怀柔区渤海镇相邻，东南与怀柔区桥梓镇交界，西南部与昌平区长陵镇比邻，西北部与延庆县大庄科乡接壤。九渡河镇行政区划归属于怀柔区行政辖区，它距怀柔新城20公里，距北京市区60公里，是连接怀柔区与昌平区的重要城镇。

2）社区关系

由于在社会环境中，众多人与物错综复杂地交织在一起，形成了千头万绪的社会关系，与之相关的问题也层出不穷。为了科学、深入地分析现实问题，调查者必须学会取舍，选择合理切入点，才可能由现象及本质地剖析问题，挖掘研究对象的本质内涵。

（3）心理环境调查

社会心理环境是物质文化环境积累的结果，反过来又会影响社会的物质环境。社会心理环境的影响，一般涉及人的行为、风俗习惯、法律和语言等方面的内容。

案例介绍三：社会关系与交往空间调查，以苏州中心城区居民居住意向调查①为例：

对苏州中心城区居民居住意向调查的本质就是对居民心理环境的调查。调查者通过对不同居住区居民居住意向的调查，发现不同社会背景，如年龄、文化程度方面的差异、现有居住条件不尽人意的方面（活动场地、物业等），都会大大影响到居民的居住意向；此外，人们在居住方面也有一些共同的期望，如考虑邻里交往的需要等（图3-28～图3-33，表3-15～表3-23）。

l. 地域居住意向

问题：如果您再搬迁，在苏州您会选择何处居住？

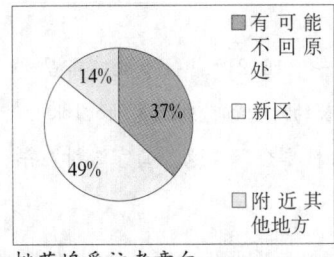
桃花坞受访者意向

三元新村受访者意向

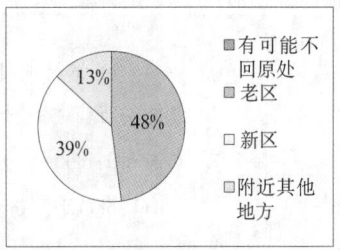
今日家园受访者意向

图3-28 受访者居住意向选择饼状图

① 苏州中心主城居民居住意向调查报告——以桃花坞、三元新村、今日家园为例[R]. 高等学校城市规划专业指导委员会推荐案例.

受访者居住意向统计(人)   表 3-15

搬迁意向 地域	有可能返回原处	老城区	新区	附近其他地方
桃花坞	31	0	41	12
三元新村	16	8	51	7
今日家园	0	43	35	12

总体居住意向: 桃花坞有49%居民愿意搬往新区, 有37%仍希望留在原地; 三元新村62%的居民愿意去新区, 而只有10%的人向往古城; 今日家园愿意在古城居住的人达48%, 愿留在新区的只有39%。

A. 桃花坞居民搬迁意向选择【不同年龄段】

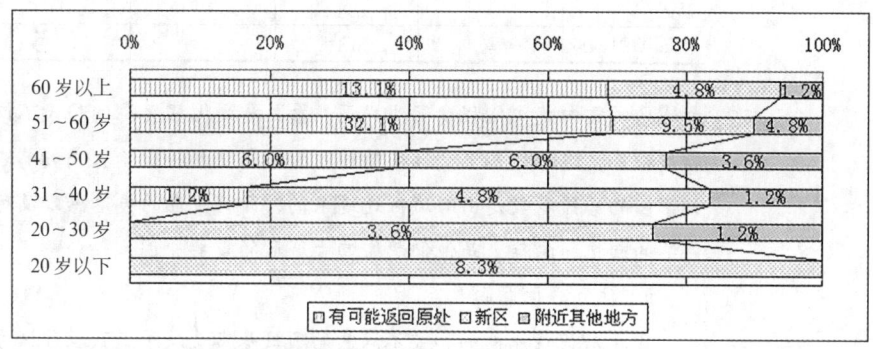

图 3-29 桃花坞居民搬迁意向选择

桃花坞居民搬迁意向选择统计(人)   表 3-16

年龄段 搬迁意向	20岁以下	20～30岁	31～40岁	41～50岁	51～60岁	60岁以上
有可能返回原处	0	0	1	5	27	11
新区	7	3	4	5	8	4
附近其他地方	0	1	1	3	4	1

经过一系列比较分析,我们认为年龄是影响桃花坞居民居住意向的主要原因。桃花坞40岁以下的人追求时尚、舒适的现代生活,所以都倾向于搬迁到居住条件优良、相关配套基础设施齐全的新区居住; 50岁以上的人表现趋向于居住已久的古城区,原因是其不愿放弃稳定的社会网络与熟悉的物质网络。可见,对于这部分群体,邻里交往环境对其居住意向有着重要的影响,物质方面的因素并非是决定他们居住意向的根本因素。

B. 今日家园居民搬迁意向选择【不同文化程度段】

经过一系列比较分析,我们认为今日家园居民的文化程度是影响居民居住意向的主要原因。随文化程度的提高,其居住意向有明显的变化,体现为愿意搬到

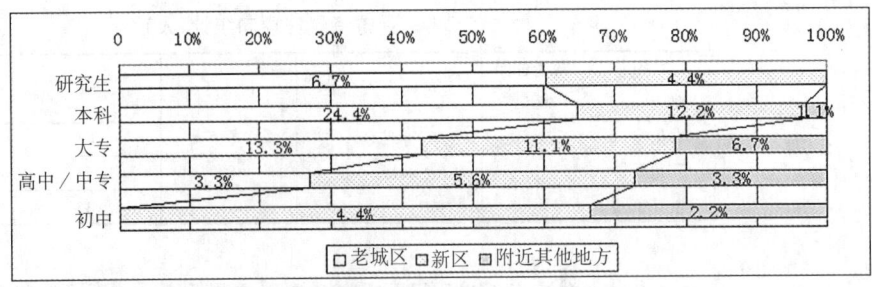

图 3-30 今日家园居民搬迁意向选择

今日家园居民搬迁意向选择统计（人）　　　　表 3-17

地区 ＼ 学历	初中	高中/中专	大专	本科	研究生
老城区	0	3	12	22	6
新区	4	5	10	11	4
附近其他地方	2	3	6	1	0

古城区的意向随文化程度同步提高。原因是文化程度高的居民不仅仅满足完善的物质条件，同时对邻里交往等精神方面的条件也提出了较高的要求。据了解，今日家园的居民多数是由旧城区迁过来的，目前存在的失落感以及对原有住区精神网络的回忆和向往，是他们想搬回古城区的重要原因。

Ⅱ. 住区居住意向

由于居民最满意的和最不满意的项目基本反映了居民在住区方面最关注的需求，故选择其满意度与平均值的绝对差值最大的前五个项目（至少保证一个满意度最高和最低的选项）进行分析总结。

桃花坞受访者意向	表 3-18
项　目	满意度
11. 邻里交往	4.62
6. 安全防卫	3.76
12. 道路照明	2.37
9. 内部景观设计	2.44
15. 机动车停放	2.48

三元新村受访者意向	表 3-19
项　目	满意度
6. 安全防卫	1.93
3. 便捷度	4.04
9. 内部景观设计	2.07
11. 邻里交往	3.89
10. 环境整洁度	2.21

今日家园受访者意向	表 3-20
项　目	满意度
6. 安全防卫	4.82
2. 服务配套设施	4.69
9. 内部景观设计	4.61
15. 机动车停放	4.53
11. 邻里交往	2.83

通过表 3-18～表 3-20 可以看出：

目前，桃花坞居民理想住区的条件包括邻里关系亲近，安全防卫好，有完善的道路照明系统和机动车停放场，内部景观优美等；

三元新村居民理想的住区条件必须具备：安全、便捷、环境整洁优美、邻里交往好等；

而今日家园居民心目中理想的住区就是今日家园，但还需要完善的是小区内部邻里交往所需的空间场所。

Ⅲ. 住所居住意向

此项目选择标准与前面住区居住意向选择标准一致。

桃花坞受访者意向	表3-21
项 目	满意度
13. 日照时间	4.51
12. 居住面积	1.96
1. 自然环境与人文环境	3.44
3. 室内装修	2.05
4. 物业管理	2.08

三元新村受访者意向	表3-22
项 目	满意度
5. 配套设施	4.35
14. 噪声环境	2.13
2. 建筑质量	3.85
13. 日照时间	3.78
7. 智能信息化水平	2.27

今日家园受访者意向	表3-23
项 目	满意度
7. 智能与信息化水平	4.96
8. 整体户型结构	4.90
12. 居住面积	4.78
2. 建筑质量	4.64
4. 物业管理	4.50

通过调查总结（表3-21~表3-23）可以看出：

桃花坞居民对住所的主要要求是具有充足的日照时间，有宽敞的居住空间，同时住宅本身要体现区域特色，具有一定的文化传统和自然要素，另外，希望住所能有室内装修和配置的物业管理服务设施；

三元新村居民目前倾向于有完善的小区配套服务设施，环境良好，无噪声污染，同时又能拥有充足日照时间，并配备智能与信息化设施的住所；

今日家园基本上完善地考虑了居民对住所的各项需求，目前已经成为居民的理想住所。

图3-31 桃花坞居民休憩场所

图3-32 三元新村居民休憩场所

图3-33 今日家园小区公共场所

总体说来，桃花坞、三元新村和今日家园居民依据其不同的基本属性，有着不同的居住需求，从而可以从很多方面总结和归纳苏州居民不同的居住意向（图3-31~图3-33）。以年龄构成举例来说，桃花坞年纪大一点的人的居住需求是邻里交往好、安全防卫有保障、道路照明系统完善及能体现区域特色，并具有充足日照、居住面积和配套的物业管理服务设施的住区。故可以推测苏州年纪大一些的人，他们的居住意向是去这样的小区。

小结

依照被调查对象的不同，调查研究可划分为物质环境与非物质环境调查两大部分。其中，物质环境调查主要包括自然环境、人工环境与经济结构环境调查等三方面的内容；非物质环境调查主要包括历史文化环境和社会环境两方面的调查内容。由于物质与非物质环境的内涵与外延都非常丰富，内容亦错综复杂，因此调研者往往需要根据调研的目的、内容和影响深度对调查范围有所选择与限定。此外，对物质与非物质环境等的划分仅是从研究需要出发进行的理想化的划分，在实际操作中，各类别的环境往往是互为表里，同时出现，没有明显界限。

本章思考题

1. 开展调查研究活动时必须坚持的价值观是什么？
2. 进行调查研究活动时必须符合哪些标准？
3. 在建筑与规划学科的调查研究中，对物质环境的调查一般包括哪些方面的内容？
4. 在建筑与规划学科的调查研究中，对非物质环境的调查一般包括哪些方面的内容？

本章参考读物

1. 法国华夏建筑研究学会．圆明园遗址的保护和利用 [M]．北京：中国林业出版社，2002．
2. (美)克莱尔·库珀·马库斯(Clair Cooper Marcus)等．人性场所：城市开放空间设计导则[M]．俞孔坚等译．北京：中国建筑工业出版社，2001．
3. 王军．城记[M]．北京：三联书店，2003．

Chapter4 Procedures of Investigation

第4章　调查研究的操作
##　　　程序与方法

第4章   调查研究的操作程序与方法

    城市与建筑规划设计调研的顺利、有效开展需要借助科学的操作方法来实现。调查研究的操作方法（Method）是指调查研究的主要步骤和手段，包括对调研过程、调研类型和调研方法的设计。在开始调研之前，研究者需要制定周密而精细的调研计划，这是调查研究得以顺利实施的重要保证。在制定调查研究方案时，研究者要通盘考虑调研的程序、具体方法，以及实施过程中可能遇到的各种问题，从而制定出切实可行的总体计划和调查大纲，明确操作程序。

    城市与建筑规划设计学科的调查研究虽然各有不同的研究对象与目的，会采取不同的研究方法，但是其中都有一个共通的基本程序。大致说来，这个基本程序可以分为三个阶段，各阶段对应着不同的任务，可概括为图4-1。

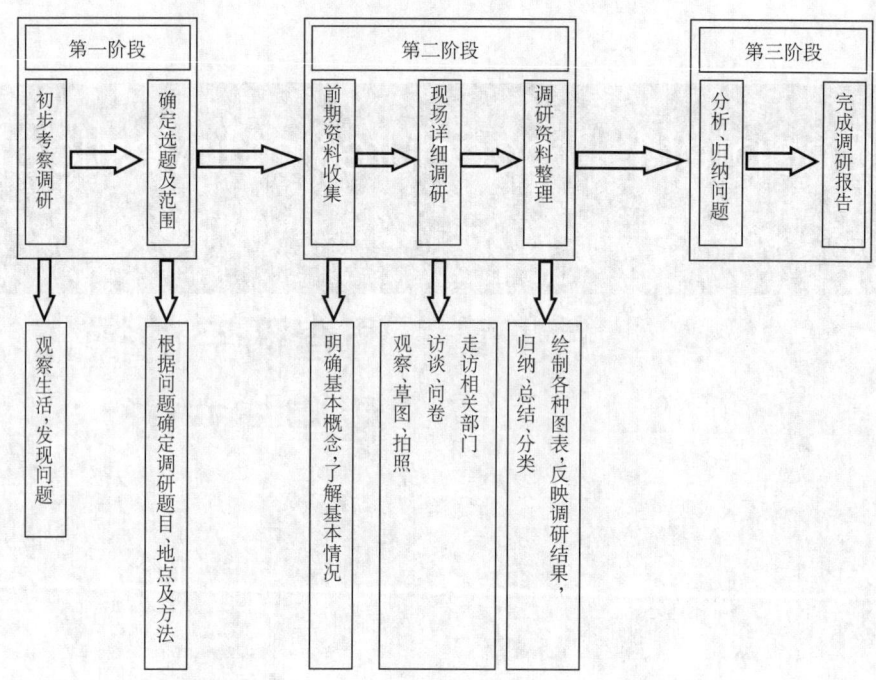

图4-1 调查研究流程图

4.1   调研课题的明确化

    调研课题的明确化是调查研究的第一阶段，包括初步考察调研和确定选题及范围。

4.1.1　初步考察调研

初步考察调研阶段有两个主要目的：一是初步熟悉调研对象，初步观察环境、观察生活、发现问题，并获得一定的感性认识，对调研对象有一个宏观把握，在前期工作的基础上，编制下阶段的工作计划，以利于下一阶段现场调研工作的展开；二是预备与课题相关的历史与背景资料，以及基本概念、理论等，并针对问题确立正确的评价标准。在基地的初步考察中，我们往往采用的是实地观察和实录的方法。实地考察是初步探索的最基本程序。我们要通过细微的观察和环境体验，观察和发现事物的关系并发现问题，从容易忽视的问题中发现新的线索和机遇。歌德指出："当一个人亲眼看见某种现象在他面前展现出来时，他的思路往往会跑到这种现象的前头；然而，当他只是听到别人谈到一种现象时，他却决不会有什么思想。"[①]

例如，在进行周口店遗址公园与古人类博物馆方案设计的调研中，当调查者来到周口店村时，看到了一幅机遇与挑战并存的场景。虽然没有特别大的景观亮点，但是有许多赋予生活情趣的小景点（例如中国历史上第一条铁路的周口店火车站的旧址，宅院中的大树，近代工业遗址，历史悠久的小煤窑等）；当地村容村貌比较和谐，建筑风貌主要以中等风貌为主，质量较好的住宅还保持了原来的传统建筑空间布局和建筑形式（图4-2～图4-7）。

案例介绍四：初步踏勘中的景观风貌调查，以周口店环境整治规划调查为例：[②]

(1)建筑高度现状

该地块的建筑高度主要以一层为主，只有极少数二层建筑。二层建筑主要是归属铁路部门的办公用房和职工宿舍。因为二层用房都在用地的边界位置，所以并没有表现出与大面积一层建筑的不协调感。

(2)建筑质量分布

本地块的建筑以中等质量为主，质量好的建筑和质量差的建筑所占的比例相当，但是后两种质量的建筑相对不集中，比较分散。质量好的建筑主要表现为建筑主体结构完好，围护部件完整，内部装修良好，建筑建成时间一般都较短。建筑主体结构一般，装修一般的，质量为中。建筑主体结构很差，维护使用很差的，质量为差，这种建筑的建成时间一般比较久远。

在将来的整治中，建议可以对质量差但风貌较好建筑的内部结构进行加固，外面仍然可以保持原状。

---

① 程代熙等译. 歌德的格言和感想集[C]. 北京：中国社会科学出版社，1982：102.
② 戎安. 周口店遗址公园与古人类博物馆方案设计. 2004.

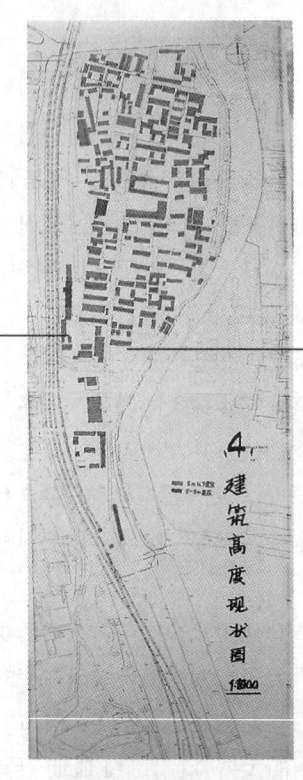

建筑高度主要以一层为主，
只有极少数二层建筑。

图4-2 周口店村建筑高度现状

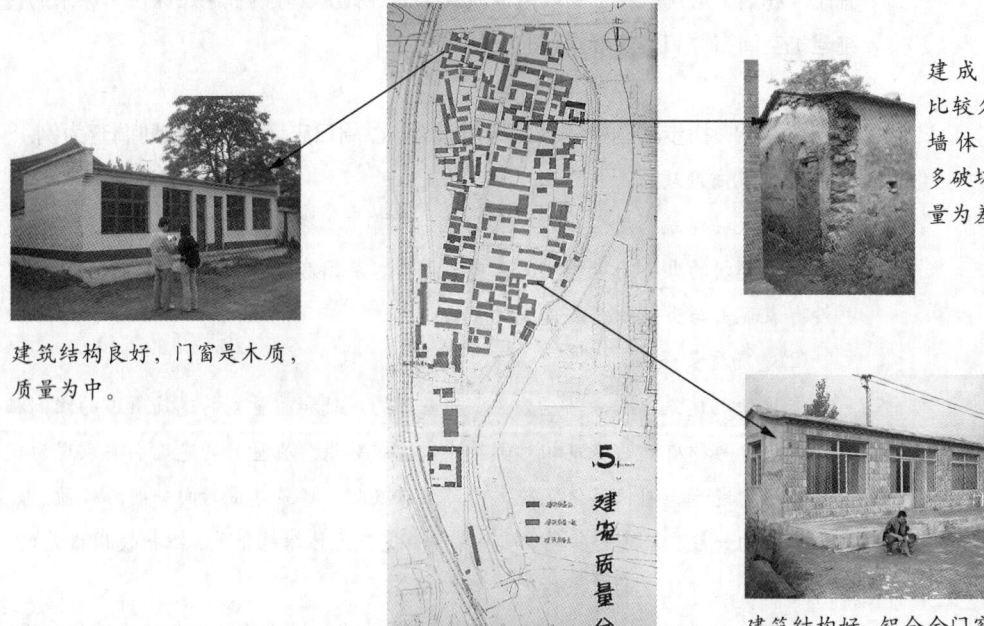

建成时间
比较久远，
墙体有好
多破坏。质
量为差。

建筑结构良好，门窗是木质，
质量为中。

建筑结构好，铝合金门窗。建
成时间比较短。质量为好。

图4-3 周口店村建筑质量分布

(3)建筑风貌分布

本地块建筑风貌主要以中等风貌为主，也有大量风貌差的建筑，风貌较好的建筑数量很少，且分布不集中。风貌较好的建筑一般具有清晰的典型传统建筑空间布局形态和建筑形式的建筑，保持了原来的青砖墙。风貌中等的建筑一般都是采用红砖墙，修建时间较近的现代建筑，其与周围环境还可以相互协调。风貌较差者都与传统风貌很不协调，例如，将铝合金窗加蓝色玻璃；大门周围贴大白瓷砖等。

在将来整治的过程中，建议将风貌好又相对比较完整的住宅院落适当保留下来，可作为景点，也可以在将来改造以后作为旅店等之用。对于风貌较差或者一般的建筑可以考虑拆除，或根据具体规划再作调整。

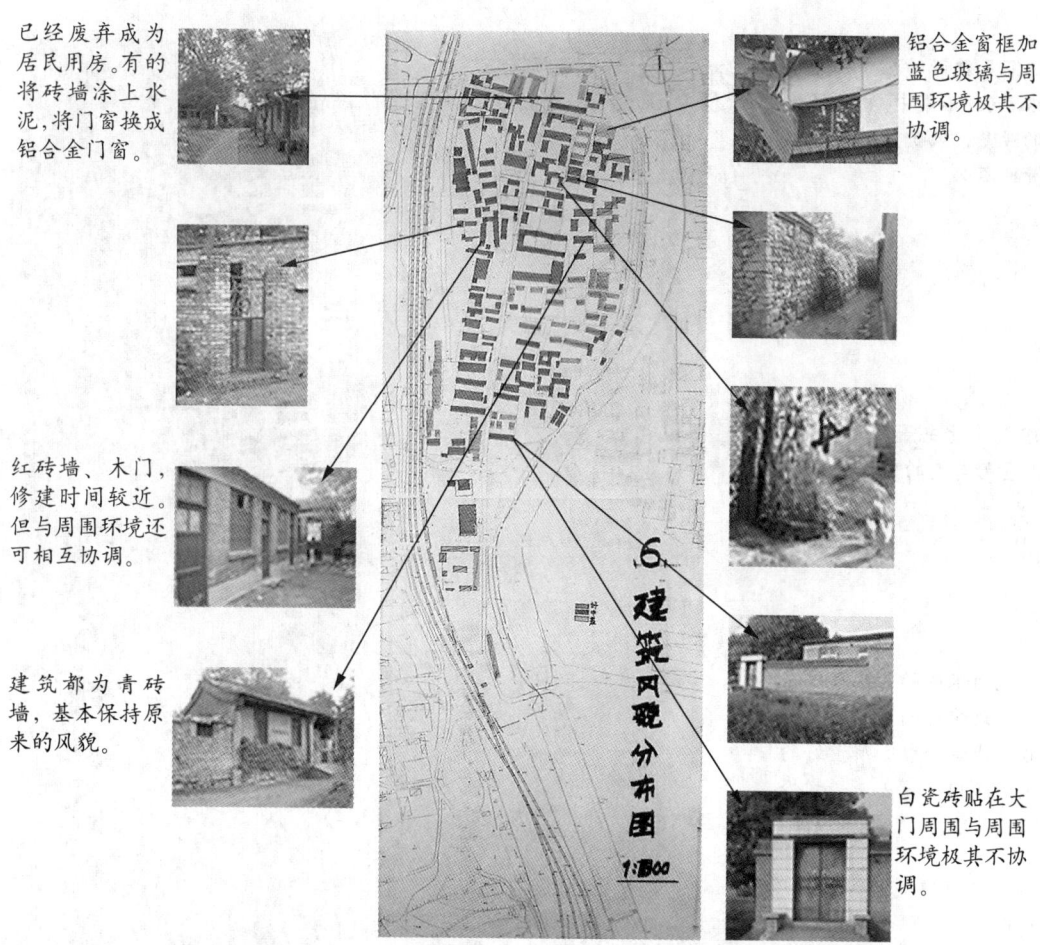

已经废弃成为居民用房。有的将砖墙涂上水泥，将门窗换成铝合金门窗。

铝合金窗框加蓝色玻璃与周围环境极其不协调。

红砖墙、木门，修建时间较近。但与周围环境还可相互协调。

建筑都为青砖墙，基本保持原来的风貌。

白瓷砖贴在大门周围与周围环境极其不协调。

图4-4 周口店村建筑风貌分布

(4)建筑风貌与质量比较图

从对比中可以看出，风貌好的建筑质量都较差或者一般，质量好的风貌又相对较差，二者恰好成反比。

在将来的整治中要协调好建筑质量与风貌的关系。因为需要进行历史遗址的保护整治，所以建议主要以建筑风貌为主，同时兼顾质量。

(5)景观点分布

本地块主要以居住建筑为主，特别大的景观点没有，但是有许多小而赋有生活情趣的景观。其中最重要的是周口店火车站的旧址。这里可以在整治后与一部分铁路作为一个重要的景观点存在。另外，居民自己布置的一些小院落也有许多颇吸引人之处。

(6)树木景观图

本地块中挂牌保护的树木没有，但各个住家的院中有许多枝叶茂盛的大树，看上去也很有情趣。

建议将来整治中可以结合绿化适当保留它们，充分利用现有资源。

建筑风貌好的极少且分布很零散，不集中。中等风貌的最多，风貌差的建筑数量也不少。

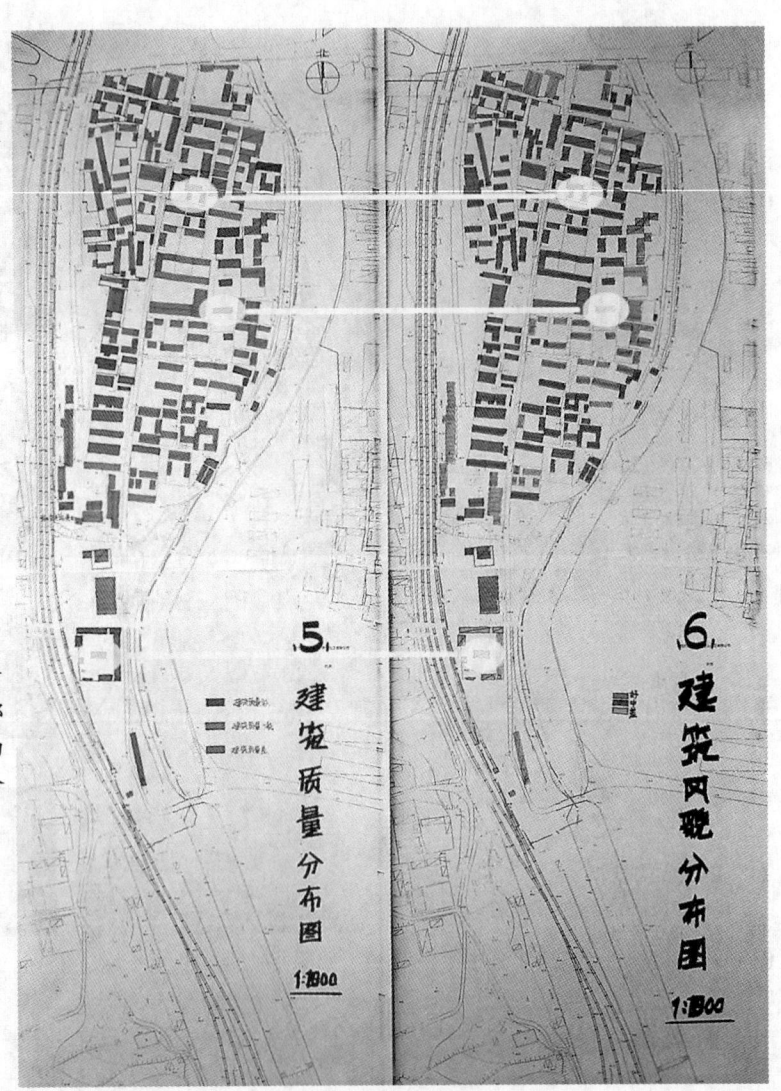

建筑质量中等质量居多，质量好与差的数量较少。

从这两张图的对比可以看出，风貌好的建筑质量都较差或者一般，质量好的风貌又相对较差，二者恰好成反比。

图4-5 周口店村建筑风貌与质量比较图

图 4-6 周口店村景观点分布图

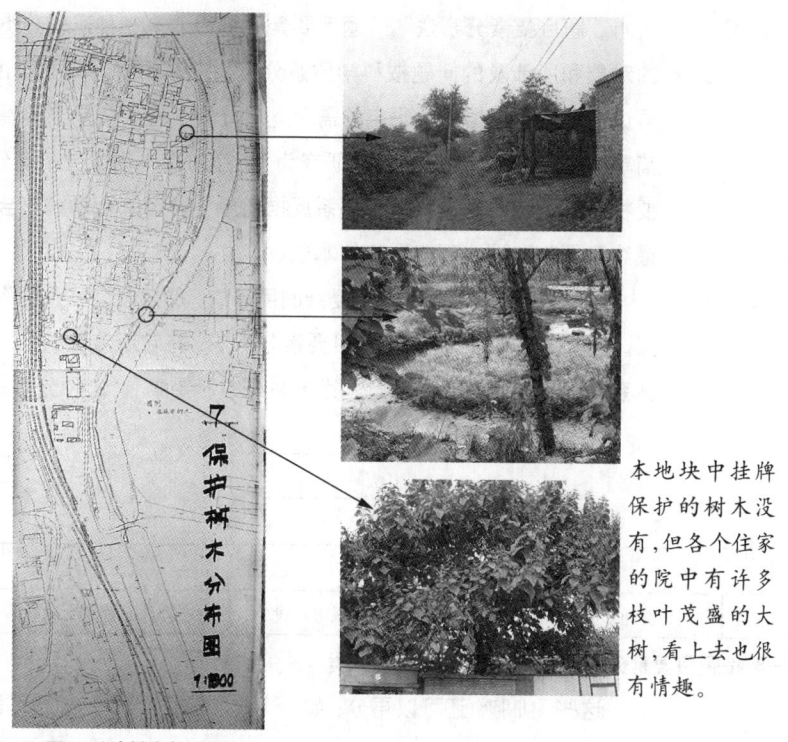

本地块中挂牌保护的树木没有,但各个住家的院中有许多枝叶茂盛的大树,看上去也很有情趣。

图 4-7 周口店村树木景观图

4.1.2 确定选题及范围

4.1.2.1 确定选题

在进行城市与建筑的规划设计调研时，被调研对象所处的物质与非物质环境相互交融，特别是其中的社会现象与人的行为活动错综复杂，致使被调查对象很难显现出清晰的轮廓，许多与主题相关的现象交织在一起，呈现出模糊不清的现象特征。如何从这种状态中剥离表象，去粗取精，去伪存真，由表及里切入本质，是我们在调查研究开始时，都要面对的首要问题。对于被调查对象及其周围环境中大量亟待解决的问题，如何科学地选择切入点，从中选出有价值、有新意的研究主题，同样是我们的研究是否能够事半功倍，取得良好科研成果的基础。同时，通过被调查对象的一般性现象，从司空见惯、视而不见、听而不闻的习惯经验中敏锐地洞察和发现不为人们关注的现象，从新的角度提出问题，也是初步调查中十分重要的内容。爱因斯坦认为：提出一个问题比解决问题更为重要。因为解决问题仅仅是一个技能，而提出新的问题、新的可能性，从新的角度看待旧的问题，却需要有创造性的想象力。诺贝尔物理学金奖获得者艾伯特·詹奥吉也相信：发明就是和别人看到同样的东西，却能想出不同的事情。

4.1.2.2 题目要素分析法

面对纷繁复杂的基地现状，城市与建筑的规划设计者常常采用的一种选题方法叫"题目要素分析法"。"题目要素分析法"是一种逻辑分类方法，它将所研究的对象和所涉及的问题按科学体系分类，并在每种逻辑分类的下一个逻辑层面，再进行细分，根据问题研究的需要逐层分解，直到将复杂的现象被逐层分解成最简单的单一现象，便于分析与研究为止；在对单一现象分析与研究得出结论后，还要将子结论按照系统的逻辑关系反推还原，通过综合系统整合得出整体结论，并最终还原为被调研环境现象的本质。

如果把"城市"作为一个复杂的巨系统，那么这个巨系统将由许多子系统所构成。在调研城市时，运用"题目要素分析法"将它所涉及的各个子系统问题按科学体系分类，然后再逐层分解，得出系统的"要素"，这种分解方法如下(图4-8)。

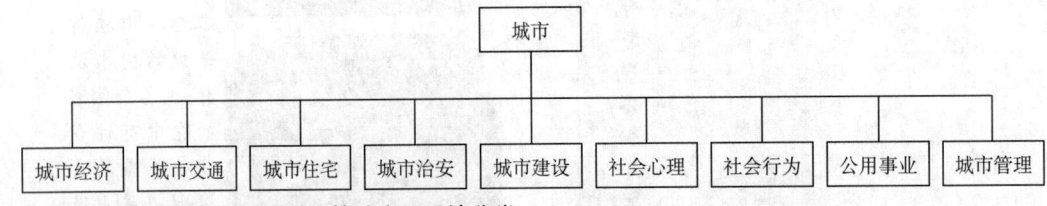

图4-8 按题目要素分析法进行的城市子系统分类

这些"细胞"还可以再分，如 "城市交通"这个大细胞可以进一步细分为(图4-9)：

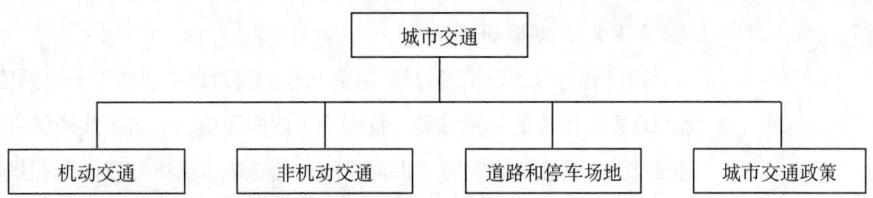

图4-9 按题目要素法对城市交通进行的分类

再进一步针对"机动交通问题"细分提出(图4-10):

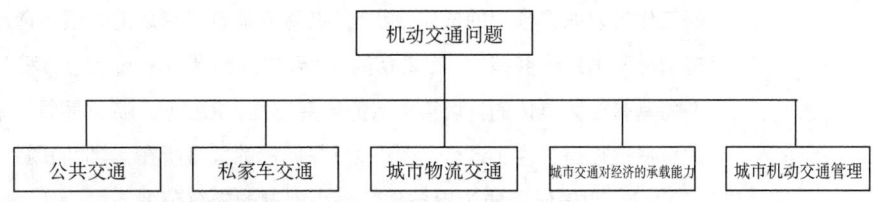

图4-10 按题目要素法对机动交通问题进行的分类

或针对"非机动交通"问题进一步细分提出(图4-11):

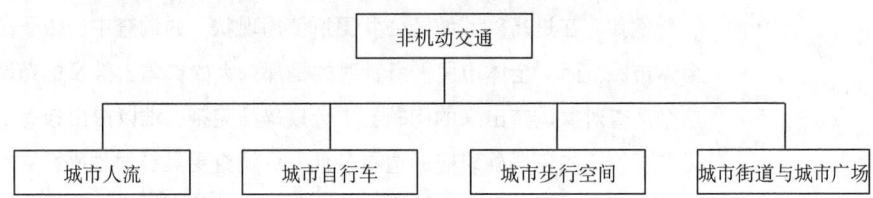

图4-11 按题目要素法对非机动交通进行的分类

同理,如果对社区形态规划进行研究,可将社区作为一个大系统并可将它细分为多个"要素",这种分解方法如下(图4-12):

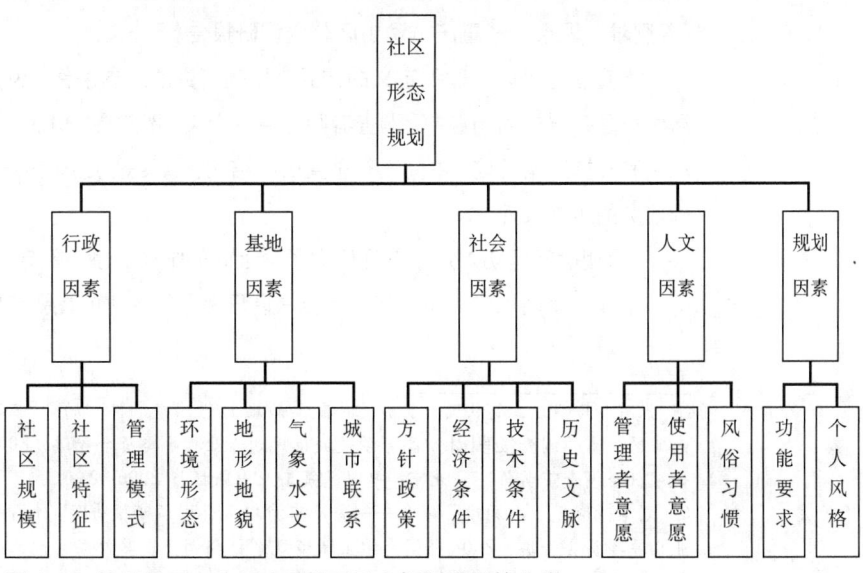

图4-12 按题目要素分析法对社区形态规划进行的分类

4.1.2.3 明确研究范围

调查者通过确定选题过程，将会从被调查对象中寻找到一系列值得研究的问题。面对众多有价值的研究课题，我们不可能面面俱到。如果选择研究课题过多、研究范围过大，往往使研究者有捉襟见肘的窘迫感。虽然许多问题都是值得研究的，但是在每一个时期，每一个团队都有限制条件，只能对其中一部分主要与重要的问题展开研究，否则将会在非重要的问题上花费大量时间与精力，而许多重要问题所涉及的内容、资料等的收集又未能集中所有人力物力，做深入全面的调查研究，使调研工作难以取得预期的成果。因此，在深入调查研究之前必须精选选题并要精确研究领域和确定研究范围，在最初的、大致的踏勘调研基础上，提炼出关键性的问题，并将其转变为具体的、切实可行的研究方案。俗话说，提纲挈领，纲举目张，矛盾的解决往往是抓住了这个"纲"，也就是问题的关键所在，其他问题就会迎刃而解了。

(1) 明确研究的边界条件，缩小问题的内容范围

缩小问题涉及的范围是指研究者可以根据调查对象的具体情况，先将宽泛的问题转化为具体的问题，或将一般性问题转化为特定的问题。

例如，在进行对"城区公共厕所使用现状"的调查中，由于公厕服务对象是全体市民，而"全体市民"所针对的是那么大的群体，涉及的范围也很大，面对这个调查对象调查出来的问题会十分琐碎而芜杂，难以提出较有针对性的规划意见与建议。如何明确研究的边界条件而令调查更具针对性呢？

针对这种状况，在对济南市公共厕所现状的调查中，研究者选择了市民群体的一个分支——工作时段的出租车司机，来进行专项调查，形成《如此规范，"急"坏"的哥""的姐"——关于济南城区公厕的调查报告》[①]一文。

而在对重庆城区公共厕所现状的调研中，调查者则采取了另一种界定范围的办法。他们通过选取空间的一个片断——渝中区，来进行专项调查，形成《透视"入厕难"现象——重庆市渝中区公厕调研报告》[②]一文。

调查者也可以通过下定义的方式来明确研究的边界条件。例如，在对广州市居住小区架空层的调查中，调查者则是通过定义"架空层"概念："架空层由顶层、地层和支撑结构组成，中间没有垂直围护结构，骑楼是架空层的一种形式"，来明确研究的边界条件。

(2) 明确问题切入点，梳理研究子项之间的结构关系，制定研究方案

清楚、明确地陈述研究问题，也是调研课题明确化的重要步骤，这种陈述在

---

① 张蕊，马学政，赵秋璐，黄放，孙霞. 如此规范，"急"坏"的哥""的姐"——关于济南城区公厕的调查报告[R]//高等学校城市规划专业指导委员会等编. 2004全国大学生城市规划社会调查获奖作品. 北京：中国建筑工业出版社，2006：2—10.
② 刘华. 透视"入厕难"现象——重庆市渝中区公厕调研报告[R]//高等学校城市规划专业指导委员会等编. 2004全国大学生城市规划社会调查获奖作品. 北京：中国建筑工业出版社，2006：169—182.

一定程度上还能帮助研究者选择并确定研究方法。例如，在对广州市居住小区架空层的调查[1]中，调查者在明确了"架空层"的含义后，随即通过架空层相关要素的罗列，限定了调查涉及范围，包括尺度、材质、植物、公共活动设施和其他功能等共计六个方面，明确了研究方案的内容。

● 架空层相关要素：

(1) 建筑构件——建筑构件的比例与尺度；

(2) 架空层内的明暗度与色彩效果；

(3) 架空层绿化配置与对架空层的景观设计；

(4) 架空层公共活动设施的设置；

(5) 架空层铺地的形式与界面的设计；

(6) 架空层的其他使用功能。

又如在苏州中心区，对城市居民进行居住意向调查[2]的时候，为了使有限的调查成果具有更广泛的代表性，调查者首先就选定了三个在时间与空间上都比较典型的调查地区——苏州桃花坞街区、三元新村、今日家园(图4-13)。由于需要在三个调查区域中同时平行进行内容相同的调查，调查数据将会有很强的可比性，比较分析的研究方案因此也就初具雏形了。

此次在调查区的选择上以时间和空间为立足点，力求使选择区域在时间和空间上都有典型性、可比性和发展的连续性，从而保证整体样本的全面性；同时，利用所选区域的可比性，结合我们的调查目的，挖掘出各住区的特征并了解不同地区居民居住意向，为今后房地产开发、居民选择住区等提供依据。

桃花坞是苏州三大历史街区之一，有着浓郁的江南水乡特色，在苏州城市发展史上也曾经盛极一时；三元新村位于苏州古城区与新区之间，是我国在20世纪80年代兴建的示范性小区之一，其硬件设施在当时是首屈一指的，为改善当时苏州市居民的居住条件发挥了重要作用；今日家园则是在2000年，由房地产开发商开发，在苏州新区内依照现代居住模式和理念兴建起来的居住小区，同时也是国家建设行业智能化试点示范小区。这三个区域在时间和空间上延续着"苏州古城区—古城区与新区之间—新区"这一发展过程，保证了这三个区域在时间和空间上的典型性、连续性与可比性，从而保证了调查的深度、广度和全面性，所得的结论适用性强，能为了解苏州居民的居住意向提供具体依据。

---

① 华南理工大学99级城市规划专业学生. 广州居住小区架空层调研报告[R]. 高等学校城市规划专业指导委员会获奖案例.
② 苏州中心主城居民居住意向调查报告—— 以桃花坞、三元新村、今日家园为例[R]. 高等学校城市规划专业指导委员会推荐案例.

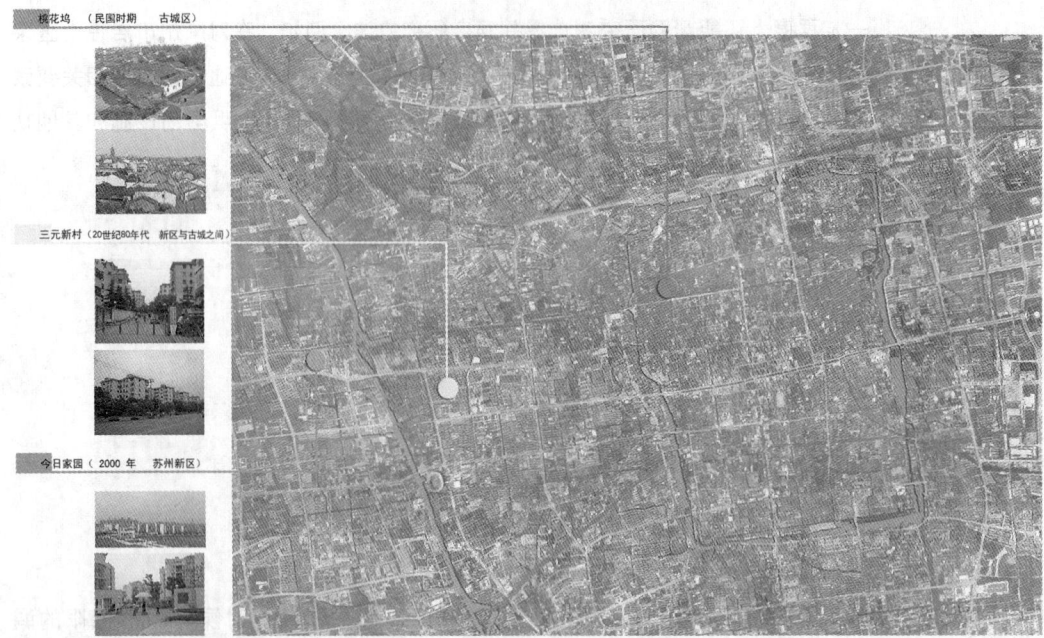

图4-13 苏州中心主城居民居住意向调查中的被调查地区区位分析

小结

明确调研课题是调查研究第一个阶段的工作内容。在这个阶段，首先，调查者应该开展初步考察调研。它的内容包括，一方面，调查者需要初步熟悉调研对象，获得一定的感性认识；另一方面，预备与课题相关的历史与背景资料。在此基础上，调查者还需要确定选题与范围。即在被调查对象及其周围环境大量亟待解决的问题中，科学地选择切入点，从中选出有价值的研究主题；然后，缩小问题的内容范围，梳理研究子项之间的结构关系，制定研究方案。

4.2 资料收集、实地调查与资料整理

调查研究的第二阶段的工作包括资料收集、实地调查和资料整理三大部分内容。

4.2.1 资料收集

调查研究的前期准备阶段的主要工作包括四个方面的内容。一是资料收集，二是人员组织，三是技术设备准备，四是编制工作计划。

4.2.1.1 资料收集

资料准备包括收集资料的内容与手段。需要收集的资料主要包括两大类，一大类是形象类资料，踏勘性资料，与基地有关的地形图、地貌现状图、GIS、GPS、

航拍图、红外线测温图、历史环境沿革的图像与图片等资料。另一大类是文史类资料，包括与调研对象有关的特定命题的背景资料，如在历史保护地段，就需要对当地历史事件与相关遗迹、水文资料、灾害资料、地方志和历史沿革文献、理论参考书籍、相关文学影视资料等予以特别重视。

例如，在对南京夫子庙地区的调查[①]中，调研的出发点是城市历史文化的保护与发掘问题：如何协调地区的历史与现代文化，增加城市文化的底蕴？为此，调查者对夫子庙地区的历史沿革文献进行了重点调查，追溯了夫子庙是如何成为我国南方的重要的文化中心，又是怎样发展为集旅游、文化、商业、餐饮、娱乐等多功能中心的过程。

夫子庙地区是南京市的发祥地。据史料记载，公元前472年，秦淮河沿岸就形成了人烟稠密的市场，自修建"越城"起。秦汉两代皆有所建树，魏晋南北朝时期由于政治、经济中心的南移，尤其是东晋建都之后，夫子庙地区成为中华政治、文化的中心。两千余年的历史沉积，这其间有多少踪迹有待追寻，有多少缺失有待弥补？"历代多少兴亡，尽入渔樵闲话"，丰富的历史得天独厚。

……

东晋咸康三年，（337年）丞相王导在秦淮河北岸建学宫，这是夫子庙的最早建筑。宋明道元年（1032年）宋仁宗在学宫前建孔庙，称夫子庙。现在的夫子庙是1983年重新修建的，包括孔庙、学宫和贡院三部分。明清时期，数以万计的学子每年来此求取功名，于是书肆、茶馆、客栈应运而生，夫子庙遂成为明清两代中国的繁华之地。各处考生带来的具有地方特色的饮食、手工技艺、戏曲等，使秦淮河两岸的文化习俗南北兼具、各色杂陈，并一直延续下来。

1985年，南京市政府复建了东、西市场、学宫、贡院等古建筑，吸收了我国传统的商业街道的空间形式和尺度，采用明清时代的街市风格，以石板铺地，店铺采用"青砖黛瓦马头墙，回廊挂落花格窗"，店、庙、市、街合一，富有浓郁的地方特色。在东起平江府路，西至瞻园路的约0.5km²的范围内有商场商店300多家及诸多宾馆及游乐场等，地下还有一个约10000m²的地下商业街。可以说夫子庙是一个包含旅游、文化、商业、餐饮、娱乐等多功能的服务中心。节假日的人流量达15万人次以上，逢金陵灯会期间更是盛况空前。

又如，在对昌平区果庄进行规划[②]的时候，调查者则重点收集了村落的地形资料（图4-14）。这是由于该行政村地处山区，又是由邻近的几条山谷中的7个自然

---

① 天下文枢范，寻常百姓家——夫子庙地区历史与现代文化协调情况调查[R]. 高等学校城市规划专业指导委员会获奖案例.
② 戎安. 中央美术学院建筑学院. 北京市昌平区十三陵镇果庄村村庄规划. 2006.

村组成，村民住宅沿地势较平缓的山沟延伸，比较分散；其次，基础设施和房屋的建设受地形、地貌影响都比较大。因此，在资料准备阶段，调查者重点收集了该区域的航拍图，对基地的山脉、河流走向，以及自然村落聚居情况有了一个比较全面而直观的初步印象（图4-15）。

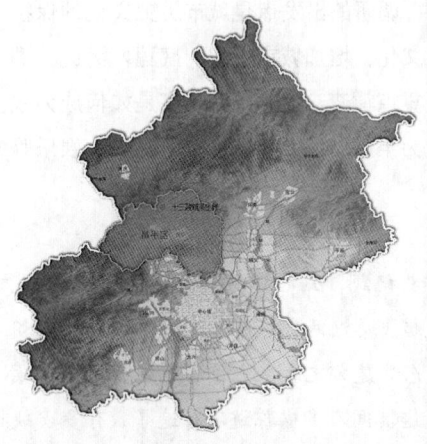 

图4-14 北京市昌平区果庄的行政区位图　图4-15 北京市昌平区果庄航拍图

　　而在进行北京市东城区新太仓地区规划①前，为了达到保护修缮规划设计的要求，调查者对街区的历史环境沿革，以及人工环境现状等都比较关注。为此，调查者首先查明了该地区街巷的历史演变情况，以便进一步探索该地区原本的街巷结构（图4-16）；

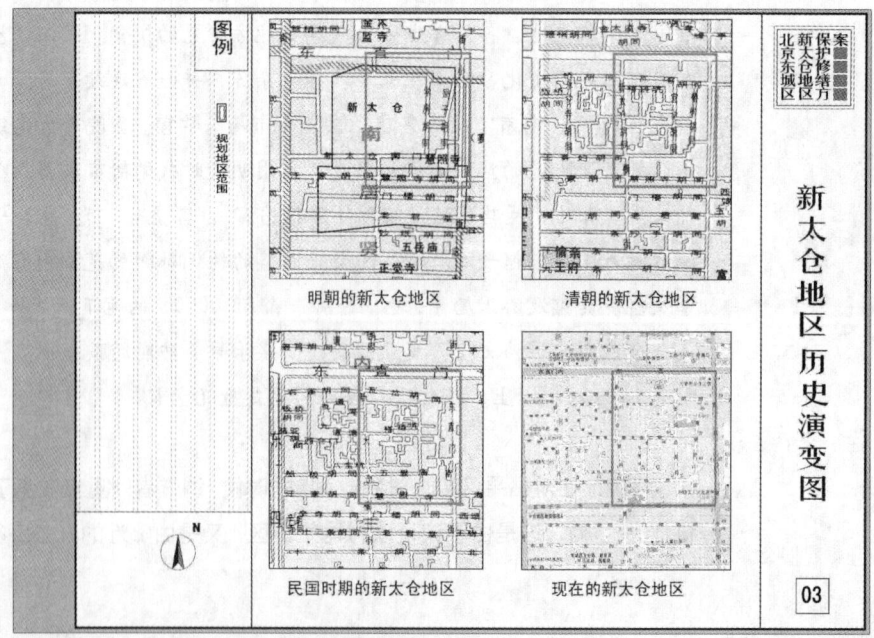

图4-16 北京东城区新太仓地区历史演变图

① 戎安. 北京市东城区新太仓地区保护修缮规划设计方案. 2006.

然后，调查者通过航空影像图的收集，了解了目前街区的城市肌理(图4-17)。

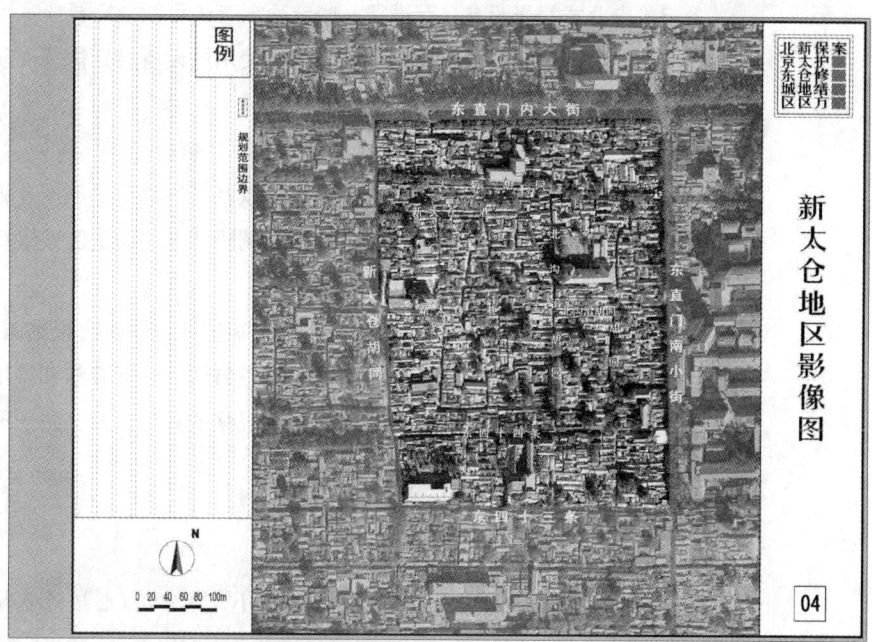

图4-17 北京东城区新太仓地区影像图

4.2.1.2 人员组织

在开始调查前，要针对深入调研工作的具体要求，组织调研小组，计划编组规模和数量，明确参与调查工作人员的构成关系以及各自的分工角色。

例如，在进行长安街行为空间现状调研的时候，调查的内容复杂、对象众多。在编组人员规模和调查时间都受限的条件下，如何最合理地组织人员高效地完成调查？为此，调查组织者设计了用角色扮演的方法来进行调查，收集资料。由有限的调查人员分别扮演成老、弱、病、残等弱势群体，本地与外地的游客，途经被调查地段的本地通勤人群等。他们从被扮演角色出发，分别设身处地地体验街道公共服务设施设置的合理性和使用适应性，从环境行为学的角度来研究被调查的环境空间。根据深入调查的需要，调查组织者还设计了调查时间分段——由于周内工作日与周末，一天的清晨、中午、傍晚的人员流量与人员构成都不同——相应制定了各类时间段的分组调查计划。这样，通过分别对不同体验调查者，在不同时间段、不同地段的体验的记录，有效地完成了诸多限制条件下人员的组织，使调查成果的覆盖面更广，可信性更强，并使调查者尽量全面地掌握了现状。[1]

4.2.1.3 设备与技术条件的准备

在调查准备阶段，调查者还需要对开展调查所需的基本设备做到心中有数，以便设备及时到位，避免贻误调查时机。例如，在做访谈的时候要注意准备纸、笔

---

[1] 戎安. 长安街整治环境行为规划调查研究.2002.

和录音、录像设备，有时还需要准备好专用记录表格等；实地观察的时候需要准备记录卡片或摄影设备。而进行一些专项调查还可能会需要GPS、罗盘、标高仪、水文、温度计等测量仪器，这类不会经常使用的设备特别需要提前计划，否则可能延误调查的期限。

4.2.1.4 调研计划的制定

调研计划包括调查内容、技术路线，以及开展调查的时间计划、调查成果所需达到的要求和表达手段等方面的内容。调研计划的制定应该以每个调研小组为单位。

例如，在对广州市居住小区架空层的调查[①]中，调查者根据调查目的和内容，在明确选题范围之后，据此范围选择了调查方法——问卷法和实地观察法，随后确定了问卷发放的地点、对象，以及实地观察的具体内容，终于形成了较为系统的调研方案（图4-18）。

1.3 调研范围

调研的范围主要是针对广州市内居住小区架空层(包括骑楼街)设计特点突出的几个楼盘进行调研。

1.4 调研目的

希望通过对广州居住小区内居民的调查访问，了解居民对居住小区架空层的使用情况及看法，以及架空层的不同形式对架空层功能和使用者活动的影响。从中引出一些对小区规划方面的思考，为掌握小区规划方法提供一些借鉴。

1.5 调研方法

调研工作以实地踏勘为主、调查问卷为辅的形式展开。

1.5.1 调查问卷

访问地点：调查问卷的采样主要在各个居住小区进行，调研小组主要在小区的会所、可进行活动的架空层进行采访。

访问对象：被访者男女比例基本为1:1，遍布各年龄段，其中以20~40岁的年龄段为主。被访者大部分为小区居民。

调查问卷设计思路：问卷形式采取不记名访问，但记录了被访者的年龄、工作。问卷内容首先提出关于小区内总体印象的问题，然后从三个方面提出问题，分别针对空间感受、绿化配置、活动情况进行调查。

1.5.2 实地观察

调查小组先后实地观察了骏景花园、保利花园、金碧华庭、翠湖山庄、五山花园、东方新世界等广州架空层设计有代表性的居住小区。从架空层的规模与尺

---

① 华南理工大学99级城市规划专业学生. 广州居住小区架空层调研报告[R]. 高等学校城市规划专业指导委员会获奖案例.

度、功能特点、绿化配置、设施配置、空间效果、设计手法与特点、人群的活动情况等方面进行调研。通过拍摄照片、绘制草图、文字记录等形式对实地观察结果进行记录。

1.6 工作思路

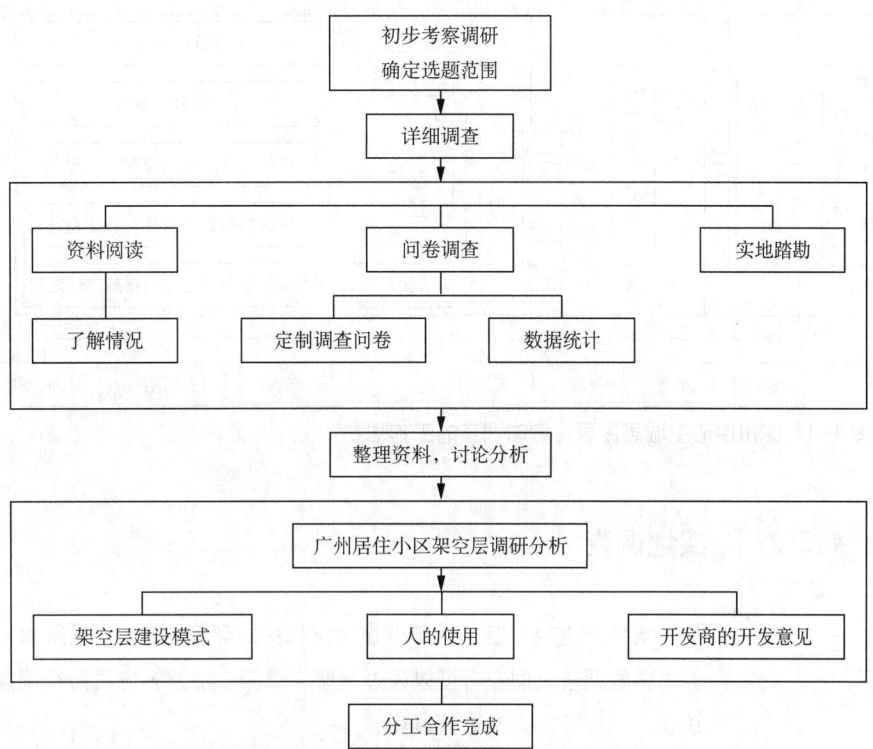

图4-18 广州居住小区架空层调研的工作思路

而在对苏州中心主城居民居住意向调查①中，调查者在选定了三个调查区域、确定了比较分析的研究方案之后，制定了较为详细的调研计划，明确了调查地区、调查对象、调查方法、调查思路和调查时间（图4-19）。

Ⅰ. 调查地区　苏州桃花坞街区、三元新村、今日家园

Ⅱ. 调查对象　调查区内居民(每个地区随机抽样男女共100名，合计300名)

Ⅲ. 调查方法　（1）问卷法 （2）访谈法 （3）观察法 （4）文献资料检索法

Ⅳ. 调查思路

在此次调查中，调查者围绕调查目的，分别对苏州三个地区居民及住所的各项基本属性、居民对目前住区的满意度和居住意向进行调查，并通过对所得资料

---

① 苏州中心主城居民居住意向调查报告—— 以桃花坞、三元新村、今日家园为例[R]. 高等学校城市规划专业指导委员会推荐案例.

进行整理、比较、分析，将其定量化，以期分析结果有利于全面了解苏州居民的居住意向。图4-19为这次调查研究的基本进程与思路：

Ⅴ． 实地调查时间　2003年4月9日至2003年4月23日

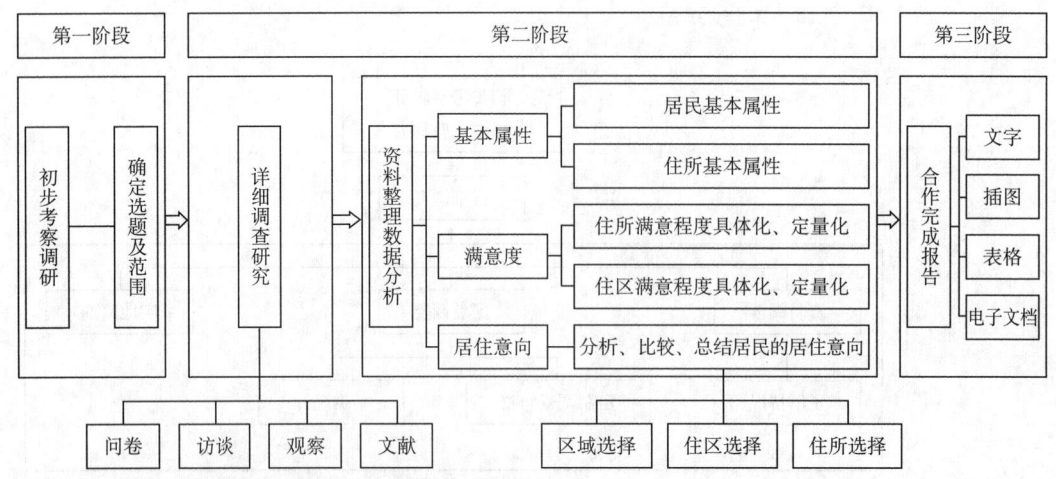

图4-19 苏州中心主城居民居住意向调查的工作思路

4.2.2 　实地调查

实地调查的内容包括与调查对象相关的环境、空间、场所和人的活动与行为等内容的调查。调查者可以通过观察、草图、拍照等方法自行调查，还可以通过访谈、问卷等方式来进行调查。

4.2.2.1 实地观察

实地观察法是观察者有目的、有计划的自觉认识活动，这是一个积极的、能动的反映过程。为了最大效率地发挥实地观察的效率，调查者必须有计划地对观察成果进行记录。

在实地观察过程中，如果仅仅凭借人的感觉器官和大脑的印象，观察到的信息很快就可能因调查者的主观影响而失真或淡化。因此，认真地做好记录是实地考察过程中的重要工作环节。调查者在科学记录时一定要注明观察的时间、地点等相关背景资料，以保证数据科学性；对计划观察内容的记录应该详细具体；记录的表述应该条理化、数量化，以方便之后的资料整理与分析；调查者还需要在记录表或卡片上签名，以便在深入研究时查询。

城市与建筑的规划设计调研中常用的记录方法有草图记录法、照片记录法和表格记录法等。

(1) 草图记录法

草图记录是指采用草图或速写的形式直观地记录所观察到现象的记录方式。由于观察是带着思考的观察，因此，草图中有时还会包含对所观察现象的初步分

析工作，即分析性草图。

草图记录是建筑与规划学科在调研中所运用的较为独特的调查、记录方法。由于被调查对象往往与空间、场所以及其间人的行为模式等有关，因此这些内容都是非常难以用较少的文字语言予以准确描述的；而草图简洁直观，对于增强说服力，丰富最终的调研成果等，都具有重要意义。

例如，在进行广州市居住小区架空层的调查[①]时，通过对骏景花园的观察，调查者发现局部架空的手法可以通过对一栋楼房的不同组织使其获得更高的独立性，于是，调查者以草图的方式记录下了这些局部架空的布局方式。此外，调查者还观察到架空层的功能与其层高有直接关系。在对不同高度的架空层的活动功能进行观察记录、总结分类之后，调查者用草图的方式记录了几种较为常见的架空层活动功能及其对应的典型层高（图4-20，图4-21）。

在骏景花园中，某些组团为获得独立性，通常采用局部架空方式。通过局部架空，除了使组团有了更高的独立性外，建筑群体两侧面向组团绿地内向架空，从而也使组团绿地增加，并使得内院获得更开阔的视野；另外，此种架空方式同时为首层地面创造了更为积极的灰空间，增加了地面层的趣味性，使得地面层环境更为宜人。

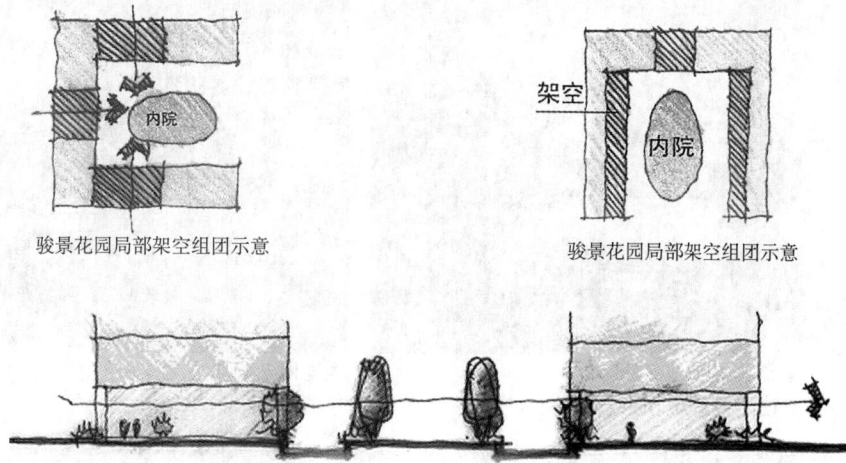

骏景花园局部架空组团示意　　　　　　骏景花园局部架空组团示意

骏景花园组团架空层剖面示意

图4-20 骏景花园局部架空组团示意图

架空层层高直接影响到人们对架空层的使用，是架空层性质和效果的直接体现。

架空层层高与活动功能之间的关系

图4-21 架空层高度分析草图

① 华南理工大学99级城市规划专业学生. 广州居住小区架空层调研报告[R]. 高等学校城市规划专业指导委员会获奖案例.

(2) 照片记录法

实地观察的记录还可以运用现代化的技术手段，如拍照、摄影等方法，对实地观察到的城市社会事物和社会现象的真实状况进行真实记录和再现。例如，在对住区停车问题进行调查的时候，调查者用照片实录的方式记录了几种节点上常常出现的较为典型的乱停车类型：宅前绿地停车、路边大量停车、宅前大量停车影响居民出入、路边停车引起交通不畅（图4-22）。

宅前绿地停车

路边大量停车

宅前大量停车影响居民出入

路边停车引起交通不畅

图4-22 住区停车现状实录照片

(3) 仪器测试法

现代化科学技术的发展，为调查研究的观察与记录提供了许多技术手段和仪器设备，如水平仪、测绘仪、红外线测试仪、定位定向仪等等。每种仪器都能为调查研究提供客观的数据，为理性的量化分析提供科学依据，但同时每种仪器又都有其特殊的技术要求和使用程序。在开展调查研究前，研究者应该对所要使用的仪器有所了解，能够掌握其基本功能和操作规程。

4.2.2.2 问卷调查

问卷法就是调查者使用统一设计的问卷，向被选择的调查对象了解对设定问题意见的征询方法。问卷调查法由于省时、省力、效率高等优势，是应用最广泛的调查方法之一。

调查问卷往往需要精心的设计，包括对问题与提问方式的设计和回答方式的设计。一方面，调查问卷应该紧密围绕调查的目的和内容，根据被调查对象的身份以及问卷的使用方式进行设计，提问要求简单明确以增强其自身的被理解程度，或辅以简单图示来加以说明。另一方面，问题通常采用选择题与判断题的形式，这种形式有利于减少歧义，保证答案的标准化。问卷设计是否科学会对问卷有效回复率和调查成果的有效率产生重大影响，问卷设计的主要技巧就在于保证调查者与被调查者的良好沟通。调查者需要通过正确和清晰的设问，反映调查问题的实质，并便于被调查者理解和回答。同时，对问卷回答方式的设计也要考虑到对信息反馈、归类、分析、整理、统计的方便，以及对现代化技术手段，如计算机统计技术等运用的方便，便于对成果的加工与汇编等后期工作。

（1）卷首语和填表说明的设计

卷首语是写给被调查者的短信，一般印在问卷表的封面或封二，以两百字左右为宜。调查者是否能将调查目的表达明确并调动被调查者配合调查，在一定程度上取决于卷首语的质量。因此，卷首语要求语气诚恳通俗，用语亲切，文笔简练，切忌罗嗦和文牍气。在结尾处，一定要真诚感谢被调查者的合作与帮助等。卷首语一般应包括四个方面的内容：调查单位与调查人员身份；调查目的与内容；调查对象选取方法与资料保密措施；致谢与署名。

调查说明一般是对如何填写问卷的简要说明。填表说明一般出现在卷首语之后、正式调查的问题之前。其作用是对填表的方法、要求、注意事项等作一个总的说明。

居住区居住状况调查问卷卷首语和填表说明[1]
尊敬的住户：

您好，我们是城市规划专业的学生，为了更好地了解您在此居住的实际情况，为城市土地的规划与管理提供依据，我们进行本次针对小区内居民的调查。

此次调查所有问卷均为匿名，调查结果将用于更好的进行城市规划以及管理。感谢您的大力支持和配合。（本资料"属于私人单项调查资料，非经本人同意不得泄漏。"《统计法》第三章14条）

说明：请在"□"中打勾，在"＿＿＿＿＿＿"中填入相关内容。

新农村居民居住状况及意愿调查问卷的卷首语与填表说明[2]
居民朋友：您好！

---

① 赵虎，宁辉，王祯，刘晓辉，寻宝花. 想念那白鹭相伴的日子——青龙山下土地利用情况[R]. 高等学校城市规划专业指导委员会获奖案例.
② 中央美术院建筑学院. 北京昌平区新农村规划. 2006.

我们是XXX新农村改造规划居民状况调查组。为了配合XXX政府顺利开展即将在本村实施的新农村改造规划，改善当地居住环境，帮助广大居民设计建设舒适宜人的住宅新村，本次调查旨在通过了解各村居民的居住状况及改造意愿，为新农村改造规划设计提供决策依据。

本调查为农村居民抽样调查。我们诚恳地希望得到您的支持与合作，您的意见和建议将作为我们下一步工作的重要参考依据。请您根据自己的真实情况填答问卷。本问卷不记姓名，我们将严格按照《统计法》为您的回答保密，请您不必有任何顾虑。

占用了您的宝贵时间，向您表示衷心的感谢！

组织单位：新农村改造规划居民状况调查组　　　单位地址：XXXXXXX

邮政编码：XXXXXX　　　　　　　　　　　　　单位电话：XXXXXXX

填表说明：

请在每一个问题适合自己情况的答案序号前划"√"，或在_____处填上适当的内容。

除特殊要求外，每个题只允许选一个答案。有特殊要求的项目，请按照特殊要求填写。

（2）问题与提问方式设计

问题的设计要围绕调查目的，循序渐进地展开，问题表述要通俗准确。

1）问卷设计目的明确

调查目的是问卷设计的灵魂，它决定着问卷的内容和形式，问卷所提出的问题要紧密围绕调查目的设计。如果调查目的只是为了描述一般性状况，问题就应该针对"怎么样（where，when，what，how）"来设问。如果调查目的是解释和说明现状，问题就不仅仅是"怎么样"，还需要问"为什么（why）"了。

例如，在对广州市居住小区架空层的调查研究[1]中，调查者探索的是架空这种设计手法的合理应用模式，因此，调查者从多个角度展开了对"怎么样"的追问。调查者将问卷问题集中在居民对不同类型架空层的使用感受上，包括空间感受（大小、高度等）、环境感受（绿化）、活动状况（方式、频率、感受等）。

---

① 华南理工大学99级城市规划专业学生. 广州居住小区架空层调研报告[R]. 高等学校城市规划专业指导委员会获奖案例.

广州居住小区架空层调研分析调查问卷

一.基本情况

性别	来自何处	年龄	职业	受访地点
□男 □女				

二.居民对该居住小区架空层总体评价概述

1.谈谈您对您居住的小区的架空层的评价:

项目 \ 评价	很好	较好	一般	较差	糟糕
空间					
环境					
设施					

2.如1题环境选"较好"及后面答案的,您认为应改善哪些方面?

□ 空间 □绿化配置 □活动设施

三. 居民对该居住小区架空层空间使用的评价

1.您对您居住的小区的架空层的高度是否满意?

□ 很满意 □ 较满意 □ 完全不满意

2.您使用您居住的小区的架空层的频率?

□每天 □经常 □偶尔 □很少

3.您在架空层活动的方式:

□聊天 □散步 □停车 □其他_____

4.您居住的小区的架空层是否有足够的休闲空间?

□ 足够 □ 不太够 □ 缺乏 □ 完全不足

四. 居民对该居住小区架空层绿化配置的评价

1.您对您居住的小区的架空层的绿化配置是否满意?

□ 很满意 □ 较满意 □ 完全不满意

2.您最喜欢您居住的小区的架空层那种绿化配置?

□小灌木 □乔木 □多年生草本植物 □其他_____

五. 居住小区架空层人群的活动情况的调查

1.您一般什么时候在小区架空层活动?

□早上 □ 中午 □傍晚 □ 其他_____

2.您一般和什么人一起在小区架空层活动?

□家人 □邻居 □其他_____

3.您在小区架空层活动的感受是什么?

□ 舒适 □ 热闹 □拥挤 □其他_____

衷心感谢您
其诚的参与
华南理工大学
99城市规划专业学生
2003年3月

  又如,在对南京市珠江路科技街进行住区变迁调查①时,针对三种不同类型的被调查对象,调查关注的重点都有所区别。因此,调查者围绕调查目的,分别编

---

① 吴靖梅,张佳,张强,宋若蔚.商业化背景下的住区变迁——以珠江路科技街的兴起为例[R]//高等学校城市规划专业指导委员会等编.2005全国大学生城市规划社会调查获奖作品.北京:中国建筑工业出版社,2006:18—21.

制了三种调查问卷：在对原住民的调查中，问题集中在他们对生活与环境状况感受的今昔对比上；在对住房外来使用者的调查中，问卷关注他们对环境中的哪些方面存在不满；在对经营者的问卷中，问卷详细询问了他们对库房紧缺问题的应对之策。这样，每份问卷都目的明确，短小精悍。

本问卷是不记名的，请放心填写。感谢您对南京城市建设和研究做出的贡献。
（本资料"属于私人单项调查资料，非经本人同意不得泄露"《统计法》第三章十四条）

商业化背景下的住区变迁调研问卷——原住民问卷

您的性别_____   年龄_____   职业_____

1. 您的职业是否发生过变化
A. 无变化   B. 变化过，以前的职业是_____   C. 经常变化

2. 您是否有其他的收入来源（多项选择）
A. 没有   B. 出租房屋   C. 合股分红   D. 餐饮服务   E. 运输服务   F. 维修服务   G. 其他_____

3. 您认为住区存在哪些交通问题（多项选择）
A. 来往车辆频   B. 车辆乱停乱放   C. 出行与货流冲突   D. 车辆的噪音，废气带来环境污染   E. 没有什么问题

4. 您的出行是否会与货流产生冲突
A. 经常产生冲突   B. 偶尔产生冲突   C. 没有冲突

5. 您对住区安全秩序的看法（多项选择）
A. 挺好的   B. 管理制度不完善   C. 人员混杂   D. 需增强自我安全意识

6. 您对住区环境不满意的有（多项选择）
A. 卫生环境差   B. 活动设施不齐全   C. 日常生活不方便   D. 噪音，气味污染严重   E. 没有什么不满意的

7. 您感觉住区公共活动空间和以前相比有什么变化（多项选择）
A. 没有什么变化   B. 违章搭建挤占空间   C. 停车场地挤占空间   D. 货物挤占空间

8. 您是否经常参加居委会组织的活动
A. 经常参加   B. 偶尔参加   C. 从不参加   D. 不知道有活动

9. 您或您的家庭与邻居交往的频率和以前相比有什么变化
A. 没有什么变化   B. 减少   C. 增加   D. 没有交往

本问卷是不记名的，请放心填写，感谢您对南京城市建设和研究做出的贡献。
（本资料"属于私人单项调查资料，非经本人同意不得泄露"《统计法》第三章十四条）

商业化背景下的住区变迁调研问卷——住房的外来使用者问卷

您的性别_____   年龄_____   职业_____

1. 您在此住区的居住时间为
A. 三年以内   B. 三年到五年   C. 五年到十年   D. 十年以上

2. 您从什么地方来到此住区
A. 南京本市   B. 南京市周边地区   C. 周边省   D. 其他

3. 您的住房获得形式为
A. 租赁，每月租金大约为_____   B. 买断

4. 您获得住房做何种使用（多项选择）
A. 居住   B. 餐饮服务   C. 维修服务   D. 仓储   E. 个体经营   F. 其他_____

5. 您认为住区存在哪些交通问题（多项选择）
A. 来往车辆频繁   B. 车辆乱停乱放   C. 出行与货流冲突   D. 车辆的噪声，废气带来环境污染   E. 没有什么问题

6. 您对住区安全秩序的看法（多项选择）
A. 挺好的   B. 管理制度不完善   C. 人员混杂   D. 需增强自我安全意识

7. 您对住区环境不满意的有（多项选择）
A. 卫生环境差   B. 活动设施不齐全   C. 日常生活不方便   D. 噪声，气味污染严重   E. 没有什么不满意的

8. 您是否经常参加居委会组织的活动
A. 经常参加   B. 偶尔参加   C. 从不参加   D. 不知道有活动

商业化背景下住区变迁调研问卷 —— 珠江路科技街经营者问卷

您的性别　　　　　　　　　　年齡

1. 您的职业　　　　　A 雇主　　　　B 雇员

2. 您是外地人吗？　　A 是　　　　　B 否
　　若您是外地人，您居住在_____

3. 您每月的租金大概为

4. 您的货物仓库在哪里？
A　货物存放于店内　　　　　　　　B　在附近居民区租房作为仓库，在　　　小区　　　　C　其它

5. 您主要通过什么方式将货物从仓库运到经营区？
A　雇员搬运　　B　运货板车　　C　三轮车　　D　货车　　E　其它

6. 您的车（特指机动车）主要停放在哪里？
A　没有车　　　　B　停车场　　　C　珠江路科技街支路上的停车位　　　D　住区内部道路上　　E　其它

7. 您通常在什么时段进货？
A　凌晨　　　　　　　B　上午　　　　　　C　中午　　　　　D　下午　　　　E　夜间

8. 您一般在哪里吃午饭？
A　回家　　　　　　B　附近品牌店　　　C　附近一般饭店　　　　　D　流动摊位　　　E　其它

9. 您在此开店有多久了？
A　三年以内　　　　B　三年到五年　　　C　五年到十年　　　　D　十年以上

10. 您对珠江路沿街小区的治安有何看法？
A　很好　　　B　好　　　C　一般　　　D　差　　　E　很差

2）问卷设计结构清晰

结合调查目的和内容，设问的顺序应该顺应被调查者的思维方式进行设计，问题由浅入深，通过循序渐进、逐级深入的提问带动被调查者逐步深入思考问题、回答问题。提问方式可以采取答案选择、是非判断等对已有选项的判断回答方式。在此基础上，为了使被调查者发挥主观能动性，在答卷最后也可以设计开放式的提问方式，即提出问题，自由发挥回答问题。

问卷结构有多种排序方式，可以按照时间顺序排列；也可以按照问题的性质或类别排列：先问行为，再问态度、意见、看法等。例如，在上面对广州居住小区架空层的调查问卷中，调查者先问居住者的总体评价；再问对具体方面的感受：包括空间感受、绿化配置和日常活动情况。而在对济南青龙山下居民居住现状的调研中①，调查者先问事实情况：个人资料、顾客构成；再问行为：是否查顾客身份证、其他个人安全保护措施、集体安全保护措施；最后问感受：烦心事、对其他问题的看法。

调查问卷（居民篇）

1. 您的职业是_____ A当地农民　B公司职工　C其他　　　D学生
2. 您主要经济来源是_____ A农林牧　　B房屋租凭　C小本生意　D其他（多选）
3. 您的顾客主要为：_____（若二题选C项的回答）
　　A济大师生　　B外来民工　C附近居民　　D其他（可多选）
4. 您是否严查租房者的身份、目的_____
　　A不管　　B简单问一下　C对学生要学校、家长开证明同学担保
5. 您这里租房对象是_____ A学生　　B外来打工人员　　C其他
6. 您认为租房给大学生首先要考虑的是什么_____

_____

① 赵虎，宁辉，王祯，刘晓辉，寻宝花. 想念那白鹭相伴的日子——青龙山下土地利用情况[R]. 高等学校城市规划专业指导委员会获奖案例.

A 防人身侵犯安全　　B 电器、煤气环境安全　　C 其他
7. 您作了哪些安全措施保障 _____
　　A 您只租部分房间，租房者和您的安全程度相同　　B 和治安部门联防　　C 有坚固的门窗　　D 电器，煤气环境应该是安全　　E 其他
8. 村委会或当地政府有没有对租房进行过管理或提出相关措施？ _____　　A 有　　B 没有
9. 租房对村中不利，现在较头疼的事是什么，是否和学生有关 _____
　　A 治安　　B 休息　　C 老的和睦邻里关系被打破　　D 其他
10. 您的年龄是 _____；您的文化程度是 _____
11. 在此居住，您最担心的是 _____（此题多选）
　　A 出行是否便利　　B 安全问题　　C 市政设施是否完美　　D 其他
12. 您觉得村里基础设施的建设是否影响到您对外租房的收 _____　　　　A 不影响　　　　B 影响
13. 您是否反对大学生异性同居 _____　　　　A 不反对　　　　B 反对　　　　C 无所谓
14. 您所出租的房屋是否有因为租赁而加盖的 _____　　　　A 有　　　　B 没有

3）问卷用语通俗、具体、准确、公正

因为考虑到被调查者的多样性特征，并使不同类型的被调查者都能够理解提问，所以问题表述应该通俗易懂。"通俗"意味着每个问题不要太长，少用专业术语和抽象概念，简单明了；"具体"就是要将复杂问题事先分解成为若干简单问题，逐一设问；"准确"是要求所提出的问题直截了当，明确清晰，避免语言含糊或带有双重含义的设问方式；"公正"的含义是提出的问题不带有暗示与倾向性，以便回答能够真实地反映被调查者的内心世界。

问卷用语常见的错误有：

例 1：问题有双重含义

问题：您对本村的建设还有什么意见和建议，请写在下面（例如需要增加哪些公共服务设施等）。

这是某农村居民居住现状调查的开放式问题。调查者的本意是希望了解村民对村里公共建筑新建方面的意见，结果不少村民提了关于村庄管理制度方面的问题，说明问题表述不够准确。

例 2：问题抽象

问题：您为何选择此处的房子？

这是某小区生活现状调查的开放式问题。对此问题，被调研者的主观、客观方面的可能原因非常丰富，往往造成他们无从下手的情况。

例 3：问题概念抽象、术语过于专业

问题：您认为校园中哪个地方最具有场所感？

这是某校区场所调查的开放式问题。对于我们建筑专业所特指的"场所"，非专业人士未必有相同的理解。

例 4：问题带倾向性

问题：如果将您的住宅发展成农家乐，您对住宅会有什么要求？

这是某农村居民居住现状调查的开放式问题。对于新农村建设的多种发展可能性，本问题有明显的倾向性。

在实际调查中，为了保证调查问卷的简明扼要与通俗易懂，有时问卷措辞与内容等还需要根据被调查对象而予以相应调整。

4）控制问卷的题量

调查者在设计问卷时，应该注意对于提问总量的把握，控制问卷长度。一般对被调查者的问题回答控制在20分钟内完成为宜，最长不宜超过30分钟。否则，容易造成被调查者心理上的厌烦情绪，影响调查质量和回复率。

在开展涉及内容比较复杂的问卷调查时，可以将需要调查的问题分割为几份相对完整的调查问卷，使被调查者便于理解调查目的，理清答题思路，提高答题准确率。例如，在对苏州的残疾人无障碍设施建设的调查中，调研者为了将问题简单化，就把被调查对象的个人情况调查和行为问题调查分成了"残疾人个人情况调查问卷"和"残疾人出行及满意度调查问卷"两部分问卷。[1]

调查问卷一：残疾人个人情况调查问卷

时间：____月____日____（时）

地点：_____

天气：_____

您好！我们是城市规划专业的学生，为了更好的了解苏州市无障碍建设，我们进行本次问卷调查。本问卷为不记名填写。衷心感谢您的支持！

（备注：视力障碍者由调查成员代为填写）

1．您的性别：

A．男　　　　　　　　B．女

2．您是本地人吗？

A．是　　　　B．不是（您来自_____，在苏州居住_____年）

3．您的残疾情况：

A．肢残　　　B．精神　　　C．智力　　　D．视力　　　E．听力、语言
F．多重（含两种以上）

4．您的年龄：

A．25~35岁　　B．35~45岁　　C．45~50岁　　D．50岁以上

---

① 薛艳蓉，孙菲，朱思琪，高俊. 无障碍·障碍·无障碍——苏州市无障碍建设调查[R].
高等学校城市规划专业指导委员会获奖案例.

5. 您的婚姻状况：

A. 已婚，且已自立门户   B. 已婚，但未自立门户   C. 未 婚

6. 您的受教育程度：

A. 未受过教育   B. 小学   C. 初中   D. 高中   E. 高中以上

7. 您目前的职业情况：

A. 盲人推拿、针灸   B. 商业服务业   C. 企事业单位   D. 个体私营、家电维修业   E. 由家里支撑

8. 您的收入情况：

A. 300 元以下   B. 300~500 元   C. 500~800 元   D. 800~1000 元

E. 1000 元以上

——谢谢您的配合！

调查问卷二：残疾人出行及满意度调查问卷

时间：____月____日____ (时)

地点：._____

天气：_____

您好！我们是城市规划专业的学生，为了更好的了解苏州市无障碍建设，我们进行本次问卷调查。本问卷为不记名填写。衷心感谢您的支持！

（备注：视力障碍者由调查成员代为填写）

● 出行问题：

1. 您一周内的出行频率？

A. 经常   B. 一般   C. 偶尔   D. 基本不出行

选择D请简述理由！_____

2. 您一般出行的目的是什么？

A. 工作   B. 购物   C. 学习（包括购书、阅览）   D. 娱乐、休闲

E. 就医就诊   F. 其他__

3. 您最喜欢去的地方是哪里？

A. 工作单位   B. 商场、超市   C. 图书馆   D. 影剧院

E. 医院   F. 银行   G. 旅游景点   H. 公园、广场   I. 活动中心

请按照喜欢程度排列顺序_____

4. 您通常选择怎样的出行方式?

A. 步行　　　　B. 自行车或电动车　　　C. 公交车　　　　D. 出租车

E. 残疾人专用车

5. 您喜欢结伴出行还是独自出行?

A. 结伴出行　　　　B. 独自出行　　　　C. 不清楚

选择C请简述理由!_____

6. 您认为在出行过程中最不方便的地方是:

A. 盲道被占用　　B. 交叉口无语音提示　　C. 室内电梯

D. 商场、超市无导购　　　　E. 上、下公交车无辅助设施

F. 建筑入口坡化率不够　　　G. 无专用停车位　　H. 公共厕所

I. 其他

请按照不方便程度大小排序_____

7. 您对未来3、5年的出行规模的预测?

A. 会增加　　　B. 会减少　　　C. 变化不大　　　D. 不清楚

● 满意度调查:

8. 您对目前的生活状况是否满意?

A. 比较满意　　　　B. 不满意　　　　C. 说不清楚

9. 您对目前的工作是否满意?

A. 比较满意　　　　B. 不满意　　　　C. 说不清楚

10. 您对目前的无障碍设施是否满意?

A. 居住区　　B. 公园　　C. 商业街(或中心区)　　D. 交通状况

E. 公共建筑　　F. 市政设施

请按照满意程度高低排序_____

11. 与前几年相比,城市对无障碍设施的建设有何变化?

A. 变好了　　　　B. 变坏了　　　　C. 说不清楚

12. 与前几年相比,城市市民对残疾人的态度有何变化?

A．变好了　　　　　B．变坏了　　　　　C．说不清楚

13．与前几年相比，城市管理人员对残疾人的态度有何变化？

A．变好了　　　　　B．变坏了　　　　　C．说不清楚

最后，请简述您理想中的"无障碍"应该是怎样的？

——谢谢您的配合！

（3）问卷回答方式的设计

由于社会调查中的大多数问卷往往由选择题或判断题构成，因此答案设计的好坏就直接影响到问卷调查成果的科学性。设定选择答案的设计基本原则有等级性原则、互斥性原则、穷尽性原则。

1）等级性原则

等级性原则指同一题目的选项必须是同一层次的，避免越级划分的逻辑错误。

例如，在对某公园入口前的广场上行人的行为进行调查时，选择答案为"穿行者"、"逗留者"、"闲逛者"、"闲坐者"。这就是一种越级划分的逻辑错误。按级别应该先分为"穿行者"和"逗留者"；然后"逗留者"才能进一步划分为"闲逛者"和"闲坐者"。

2）互斥性原则

互斥性是指在设定选择答案中，每个被调查者只能归属为一类，避免分类重叠。

例如，依然是对某公园入口前的广场上行人的行为进行调查，选择答案为"穿行者"、"逗留者"、"聊天者"、"观景者"。这样，边走边聊的人既可选择"穿行者"，又可选择"聊天者"，出现了分类重叠问题。

3）穷尽性原则

穷尽性原则指选项对每一种调查可能的情况都要有所顾及，将所有的可能都要列出来，避免分类过窄的问题。

例如，进一步观察某公园入口前广场上坐着的人群的行为的时候，如选择答案为"坐着观看"、"坐着谈话"、"坐着吃东西"、"坐着阅读"几类时，就违反了穷尽性原则，因为坐着抽烟、发呆或其他个别行为的人将无类可归；正确的设问答案应该是"坐着的休闲者"，它概括了"坐着的"这类人的各种不同活动，避免分类过细而产生的难以囊括各种细节而使回答者要回答的问题无类可归的现象。

问卷调查所取得的调研成果是否科学可信，与问卷中问题的设问方式、问卷的发放总量和问卷的有效回复率有直接关系。因此，在完成问卷调查后，调查者往往需要附录问卷的样卷并标明调查问卷发放的方式、日期，问卷发放总量和回

收总量，并统计出问卷回复率（%），作为调研有效率的佐证。

4.2.2.3 访谈调查

访谈法与问卷法在准备阶段有许多相似之处，如访谈问卷的结构、问题表述应该注意的问题等。它们的主要区别在于，问卷调查的客观题部分都提供相应的参考答案，而访谈提纲中不提供参考选项。可见，访谈是一种更为开放与直观的提问方式，调查者可以面对面地接触到被调查对象，根据具体情况在调研的过程中进行随机控制与调整，能够得到许多意外的新发现。

为了做好访谈，调查者往往需要针对所研究的问题，做好"家庭作业"、"备好课"。调查者应该熟悉访问背景及过程，以及与调查内容有关的各种知识。

(1) 访谈提纲

访谈提纲需要根据被调查者选择谈话方式，选择访谈时间、地点，以提高访谈兴趣和被访谈者的积极性。提纲还包括对访谈时间进度的安排，对访谈中可能的有利和不利情况的预测，以及必要的应对措施等。访谈提纲之所以被称为"提纲"，其关键在于它是访谈的"提纲"而不是"问题"，在访谈时，依据"提纲"，"问题"往往是随着提问者与回答者交谈中的互动而逐步展开的过程。问题的提出随机性很强，往往也受到特定场景与情绪等的影响。访谈的技巧就在于提问者不但能够利用场所的随机性，深入挖掘问题的本质，又能始终把握提纲的脉络，不跑题。

访谈提纲是调研方案设计的一种。例如，凯文·林奇在组织城市意象研究[①]时，需要针对城市人群的心理图示现象进行调研，在深思熟虑的基础上，他制定了访谈提纲。访谈过程中，一方面，采访者根据提纲提出问题，提问高效、全面；另一方面，"几乎所有的被访者都兴致高昂，经常会动感情"，配合积极，调研进行得很顺利，取得了良好的效果。调研获得的大量珍贵一手资料，也为凯文·林奇城市意象理论的建构奠定了科学基础。

该访谈通常需要一个半小时左右，办公室的访谈包含以下问题：

1. 当提到"波士顿"时，你首先想到的是什么？对你来说，什么可以象征这三个字？从实际意义上，你将怎样概括地描述波士顿？

2. 我们希望你能快速地画出波士顿中心地区的地图，从马萨诸塞大街向里，向市中心方向的那部分。就假设你正在向一个从没来过这里的人快速描绘这个城市。要争取尽量包括所有的主要特征。我们并不需要一张准确的地图，一张大致的草图就够了(采访者需要同时记录地图绘制的次序)。

3.(a)请告诉我，你通常从家到办公室所走路线完整、明确的方向。想象你正在走这条路线，按顺序描述你将沿路看到、听到和闻到的东西，包括那些对你来

---

① (美)凯文·林奇. 城市意象[M]. 方益萍等译. 北京：华夏出版社，2001：107-109.

说十分重要的路标，对外地人可能非常必要的线索。我们感兴趣的是街道和场所的物质形象，假如想不起来它们的名字也不要紧。(在叙述行程时，采访者应仔细查问，必要时可以要求被访者作更详细的描述)

(b)在行程中的不同部分，你是否有特别的感觉?这一段会持续多长时间?在行程中是否有些部分让你感到位置无法确定?

(问题3还将针对其他一条或多条标准化的行程，向被访者重复提问，诸如"步行从马萨诸塞综合医院到南站"或者"乘车从范纽尔大厅到交响音乐厅")

4. 现在我们想知道，你认为什么是波士顿中心最有特色的元素，它们可大可小，不过要告诉我哪些对你来说最容易辨认和记忆的东西。

(对于被访者回答问题4所列出的每个元素，分别要求他们回答下面的问题5)

5.(a)你能为我描述一下××××吗，如果你被蒙住眼睛带到那里，当取下蒙布时，你将运用什么线索来正确识别你的位置?

(b)关于××××，你是否有什么特别的情感体验?

(c)你能在你画的地图中指出××××在哪儿吗? 如果准确，什么是它的边界?

6. 你能在你的地图上标出正北的方向吗?

7. 访谈到此结束，不过最好还能有几分钟自由交谈的时间。余下的问题将随意在谈话中插入:

(a)你认为我们在试图寻找什么?

(b)对人们来说，城市元素的方位和识别它的重要性在哪里?

(c)如果知道所处的位置或是要去的目的地，你会感到快乐吗?反之，会感到不快吗?

(d)你认为波士顿是一座方便穿行、各部分容易识别的城市吗?

(e)你了解的城市中哪一座有良好的方位感?为什么?

(2) 访谈技巧

为了更好地发挥访谈法的优势，在充分准备好访谈提纲的基础上，访问者还应该掌握相应的访谈技巧，提高对访谈过程进行控制的能力。

为了协助被调查者克服心理障碍，针对不同的问题，应该对不同的被调查者采取不同的提问方式。一般性问题可大胆、正面提出;但对于比较尖锐、复杂、敏感和有威胁性的问题，应该采取谨慎、迂回的方式提出。对于一些敏感性问题，被调查者常常不愿用语言来表达时，可以用卡片、图画等辅助方式来引导他们回答。例如，问及年收入，可以编制一套卡片:500元及以下;501~1000元;1001~2000元;2001元以上，提问后，请他在卡片中选择一张。在访谈时调查者还应该根据调查的目的，围绕访谈的内容，用自己所熟悉的语言方式提问，使被调查者感到亲切自然;否则，被调查者就会因为形式主义的提问方式而感到不适，进而失去交谈的兴趣。

4.2.3　调研资料整理

对于调查研究来说，仅仅能够收集到大量的第一手资料还是不够的。现场调查完成后，对原始资料的整理至关重要，它是调查工作的延续，是承前启后的关键环节。调查者在调查中收集到的原始资料，只是社会调查工作的开始。如果说对资料的调查属于认识的感性阶段，对资料的研究是认识的理性阶段的话，那么，对资料的整理则是从"调查"过渡到"研究"阶段，由"感性认识"上升到"理性认识"的一个必经的重要的中间环节，它将促成思想认识的飞跃。

通过对调查所得的繁杂的原始数据进行明晰提炼的加工，去粗取精、去伪存真后，原始资料素材才能变成科学研究基础信息，调查成果才能在研究工作中发挥客观价值。达尔文说过："科学就是整理事实，以便从中得出普遍的规律和结论。"由于调查的原始资料往往是分散、零碎、反映个别或特殊情况的，难以从总体上把握事件的整体关系和本质。所以，需要对原始资料进行类别化、系统化的处理，需要运用科学方法进行筛选、归类、归纳、总结的整理加工。之后，再进行定性分析、定量分析、系统分析和建立空间模型等科学加工。通过对这些原始资料的加工工作，进而使调查所获得的现象性素材转变成研究型素材，作为科学研究工作基础。

在城市与建筑的规划设计领域，针对不同的空间尺度的环境有不同的调查内容，例如，宏观尺度（比例尺为 1∶X00 000 到 1∶X000 000）的调查，中观尺度（比例尺为 1∶X00 到 1∶X000）的调查，微观尺度（比例尺为 1∶X0 到 1∶X00）的调查。对于不同尺度的调研，观察与研究方法是不同的。

4.2.3.1　调查资料检验

资料检验就是仔细推究和详尽考察调查资料是否真实、完整、合格。如果发现调查结果明显违反实践经验或逻辑，应对其进行检查与核实。此外，在引用文献资料或他人调查成果时，特别是对不同历史时期的不同记录，也需要注意对资料的真实性检验。

（1）真实性

真实性就是检查资料是否真实地反映了调查对象的客观情况。一般可以从三方面来检验：不同调查者同时调查同一调查对象所得结果是否一致；同一调查者在不同时间地点调查同一类事物所得结果是否稳定；不同调查者在不同时间不同地点调查同一事物所得结果是否吻合。

（2）完整性

检查调查资料是否能够全面地反映被调查对象实际状况。如在对调查问卷的检验时，检验者需要检查所收集的问卷、表格等调查数据是否满足覆盖率和回收率，调查问卷的填写是否齐全，有无漏填误填情况等。

（3）合格性

检验者还要对调查的程序、技术手段等是否符合调查的设计要求进行验证。

在一般情况下，资料检验工作是在资料收集完毕后集中进行的。但是在比较大规模的调查工作中，资料的检验工作往往需要在收集资料的过程中进行，边收集边审核，方便及时地发现错误和遗漏，及时补充。

4.2.3.2 调查资料的加工与研究

（1）类型化方法

类型化方法是指调查者对观察到的事物加以归类，提取出一些共同的特征，找到原型，并根据原型对调查对象进行分类的方法。

例如，在对学生宿舍的设计模式的调查中，在对宿舍户型进行资料整理时，调查者根据室内空间的相对私密与相对公共空间的关系，总结出A~F等六种形式；在对宿舍单元组合方式进行资料整理时，调查者根据宿舍寝室空间与盥洗空间的组合关系，总结出a~e等五种结构原型（图4-23）。

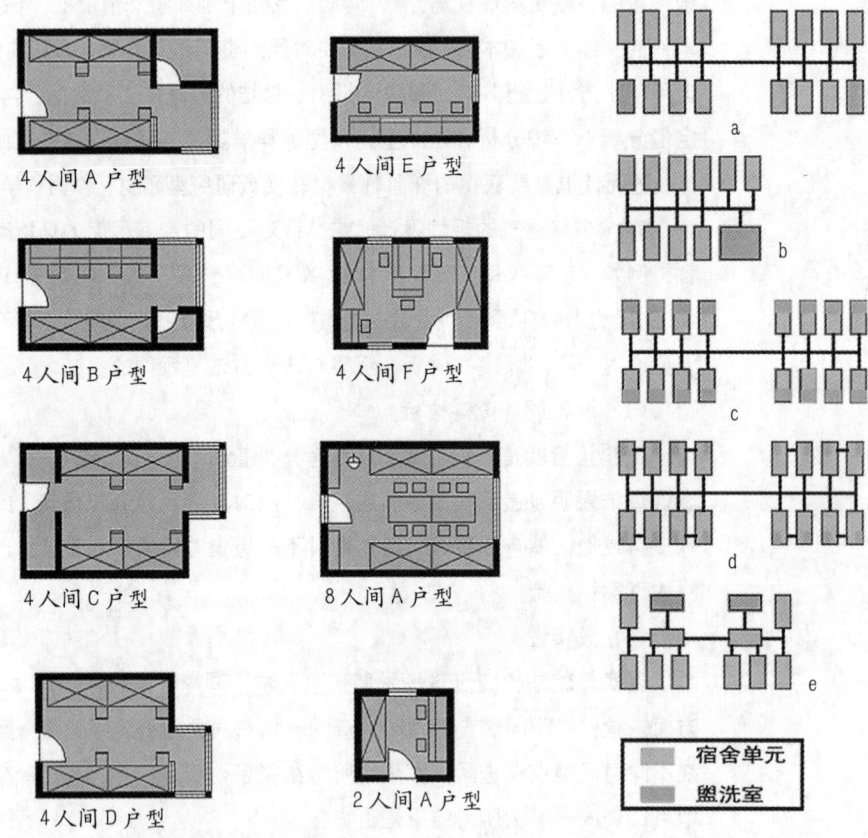

4人间A户型　　4人间E户型
4人间B户型　　4人间F户型
4人间C户型　　8人间A户型
4人间D户型　　2人间A户型

□ 宿舍单元
■ 盥洗室

图4-23 宿舍户型图与单元组合方式

又如，在对城市夜景照明的调查中，面对五光十色的街景照明，研究者如何才能透过这"五光十色"的现象抓住"街景照明"体系这一研究本质？如何对其进行定性分析并建立定量分析模型呢？为此，调查者运用了类型化的图示分析方法，根据光源形式、照明类型、空间关系和造型特点等，将夜间人工照明形式大致划分为六个类型，提炼出可供设计使用的调研成果（图4-24）。

泛光照明

轮廓照明

声光照明

图案照明

激光照明

内透光

图4-24 夜间照明类型

（2）图示化方法

图示化方法是指调查者把调查到的资料数据，或对事物的认识、感受等通过分析图、速写等表现技法转化为直观的图像语言的方法。这是城市与建筑的规划设计调研中调研资料表达最为常见的表示方法。

为了表达被调查对象的空间与形体，研究者常常会采用透视或轴侧图等图示化表达方式。例如，在对广州市居住小区架空层进行调查时，在对骏景花园的局部架空形式观察中，调查者观察到了两种典型的局部架空形式，这些设计手法都使小区的景观更加丰富、空间更加活跃。为了记录这些设计手法的成功效果，调查者采用了最为直观的透视图示化方法对它们进行了定性的描绘（图4-25）。

而在对夜间人工照明形式的研究中，为了明确调查区域内人工照明形式的大致分布情况，调查者选择了平面图的表达方式。调查者首先根据人工光源的分类将夜景照明分为七大类型，以不同的颜色代表不同的类型，将它们按照调查所确定的位置在平面图上予以标示（图4-26）。

骏景花园局部架空模式示意一

骏景花园局部架空模式示意二

图4-25 骏景花园局部架空模式示意图

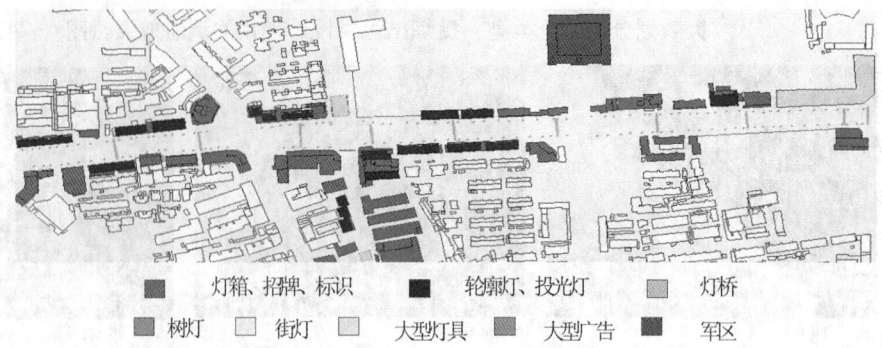

| 灯箱、招牌、标识 | 轮廓灯、投光灯 | 灯桥 |
| 树灯 | 街灯 | 大型灯具 | 大型广告 | 军区 |

图4-26 街景照明类型分布

(3) 数字化方法

数字化方法是指调查者将问卷和访谈的结果统计、汇总、整理成数学化的研究成果，并根据需要，绘制各类分项图表的方法。数字化方法首先需要概括的整理调查资料，然后再根据研究需要抽象成数学模型，再绘制各类分项数学化表达的数字图表，如统计表与统计图。为了确保突出重点，调查者应该根据目的和资料特征选取适合的表现形式（函数图、笛卡尔坐标图、柱图、饼图、周期图、数字表格等），最直观、最有效地将成果表现出来。

1) 将问卷、访谈结果汇总、统计、整理

例如，在对苏州居民居住意向的调查中，调查者以问卷的形式对桃花坞街区、三元新村、今日家园的每个小区随机抽样男女共100名，合计300名的居民发放了问卷，以了解他们对自己住所以及居住小区的满意程度：很满意、满意、一般、不满意、很不满意。为了将这些信息量巨大的资料整理汇编，为下一步的比较研究做好准备，调查者采用了表格的形式，分别对居民对他们住所、居住小区的满意程度进行了统计（表4-1、表4-2）。

对住所满意度调查的统计表（人） 表4-1

地区 项 目	桃花坞					三元新村					今日家园				
	很满意	满意	一般	不满意	很不满意	很满意	满意	一般	不满意	很不满意	很满意	满意	一般	很满意	很不满意
1.自然环境与人文环境(含价格因素)	4	44	21	15	0	0	17	32	22	11	47	28	8	7	0
2.建筑质量	0	3	8	57	16	21	40	11	8	2	62	24	4	0	0
3.室内装修	0	2	16	49	17	8	25	36	11	2	51	30	6	3	0
4.物业管理	0	3	16	50	15	0	19	34	17	12	54	28	7	1	0
5.配套设施	0	3	18	45	18	49	20	6	7	2	50	32	5	3	0
6.开发商和销售商的信誉与诚信	—	—	—	—	—	6	26	37	9	4	49	31	9	1	0
7.智能与信息化水平	—	—	—	—	—	1	33	16	26	—	86	4	0	0	0
8.整体户型结构	1	2	23	38	20	4	43	22	9	0	81	9	0	0	0
9.房间与厅的布局	3	6	36	16	26	5	20	42	11	4	45	25	11	9	0
10.厨房与卫生间的设计	0	2	13	50	19	6	26	34	12	4	41	27	13	9	0
11.室内管线布局	0	21	32	19	12	2	30	25	15	10	44	26	10	10	0
12.居住面积	0	2	13	49	20	11	42	20	8	1	70	20	0	0	0
13.日照时间	55	20	6	3	0	17	41	15	7	2	48	27	9	6	0
14.噪声环境	18	39	18	8	1	0	3	22	40	17	41	28	13	8	0
15.个性化	0	17	30	21	16	0	11	32	23	16	41	25	12	12	0

对居住小区满意度调查的统计表（人）　　　　表4-2

地区 项目	桃花坞					三元新村					今日家园				
	很满意	满意	一般	不满意	很不满意	很满意	满意	一般	不满意	很不满意	很满意	满意	一般	很满意	很不满意
1.交通	0	15	31	20	18	0	16	30	20	16	50	30	8	2	0
2.服务配套设施	0	19	33	18	14	26	14	24	11	7	62	28	0	0	0
3.便捷度	5	29	22	16	12	35	29	8	6	4	45	31	8	6	0
4.无障碍设计	—	—	—	—	—	—	—	—	—	—	48	36	4	2	0
5.防灾、消防体系	10	30	21	15	8	28	23	14	11	6	48	31	7	4	0
6.安全防卫	24	33	14	9	4	0	3	16	32	30	74	16	0	0	0
7.生活道路	8	34	19	14	9	23	20	15	16	8	38	26	15	8	3
8.公园绿地	4	23	29	18	10	22	13	21	17	9	51	30	9	0	0
9.内部景观设计	0	14	29	21	20	0	9	15	31	27	55	35	0	0	0
10.环境整洁度	18	33	14	12	7	0	11	8	30	23	54	28	8	0	0
11.邻里交往	59	20	3	2	0	31	27	12	8	4	3	19	24	18	16
12.道路照明	0	11	26	30	17	0	10	24	34	14	42	29	10	6	3
13.物业管理亲和力	—	—	—	—	—	0	8	22	36	16	39	28	12	9	2
14.物业管理收费	—	—	—	—	—	0	20	36	16	12	39	26	14	7	4
15.机动车停放	0	16	27	22	19	0	14	32	18	18	52	34	4	0	0

2）根据需要绘制各类分项图表

在将问卷、访谈结果进行汇总、统计、整理以后，有时为了更直观地表现统计数据之间的比例关系或相关性，研究者还会考虑比较或研究需要，根据统计表格的数据绘制各类分项图表。

例如，为了了解欧共体12国动力机车辆的增长情况，调查者以时间（从1970年到2010年）为横坐标，以动力机车辆的千人占有量为纵坐标，直观地描述了40年来欧共体12国动力机车辆人均占有量的增长趋势（图4-27）：20世纪70年代增长速度最快，千人占有量从不足200辆到400辆只花费了10年（1970~1980）；20世纪80年代后的增长速度趋于平稳，从400辆到600辆则估计需要30年（1980~2010）。

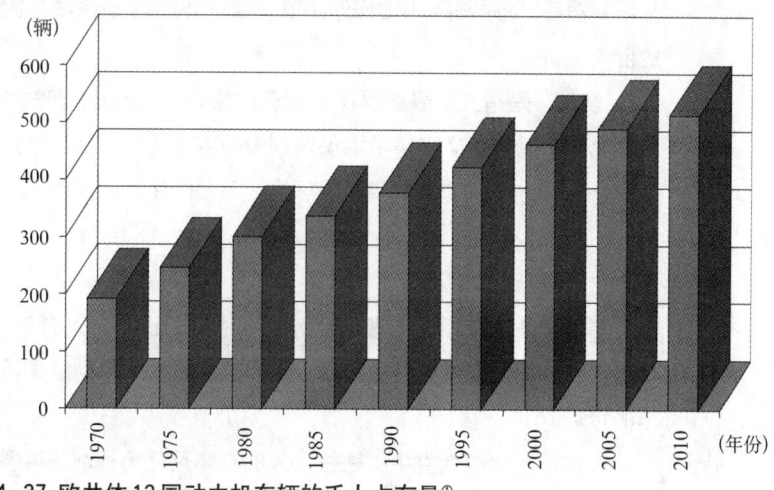

图4-27 欧共体12国动力机车辆的千人占有量①

---

① Energy in Europe：Major Themes in Energy. DG for Energy, Sept. 1989. (litver3830,S.16)

又如，在对柏林城市交通工具组成状况进行调查之后，研究者通过图表将三大城区（西柏林、东柏林和郊区）的主要交通工具（人力、私人动力机车和公共交通）组成比例分别予以图示，直观地反映了各城区的道路交通特点（图4-28）：西柏林交通工具以私人动力机车为主；东柏林交通工具以公共交通为主，步行或骑自行车出行的比例最低；而在郊区也是以私人动力机车为主，但是步行或骑自行车出行的比例大幅上升。

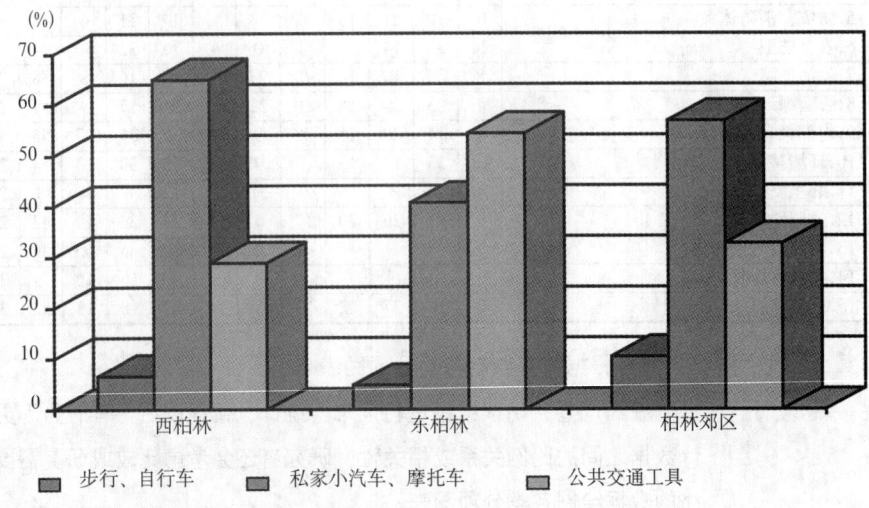

图4-28 柏林城市交通工具组成状况

4.2.3.3 整理资料的表达方法

系统、集中、简明扼要是整理资料表达的基本要求。

"系统"是指层次分明、结构清晰，能完整地反映调查对象的全貌。为此，研究者首先应该根据调查目的，确定合理的逻辑结构，大类小类要井井有条，层次分明；然后，将所有可用的资料都汇编到一起，才能系统、完整地反映调查对象的全貌。

"集中"是指文字表述要尽可能抓住核心问题展开、简短明了。调查者应该以尽可能简明扼要的文字集中地说明调查的客观情况，并详细注明资料出处。如有必要，还可对资料的价值和作用等作些简短的述评，以供进一步研究参考。

（1）图像表达

1）草图表达

草图表达法是指调查者以绘制草图的方式记录场景，通过对调查场景的分析、整理得到形象化成果资料的方法，运用这种方法所得到的调研成果具有直观、简单的特点。

在微观尺度的调查中，往往以人的身体尺度为标准，再调查分析人的行为与心理感受。例如，在研究令人舒适的人体尺度的时候，为了解释调查数据的含义，调查者采用了草图这种最为直观、有效的方式来表达调查成果（图4-29）。

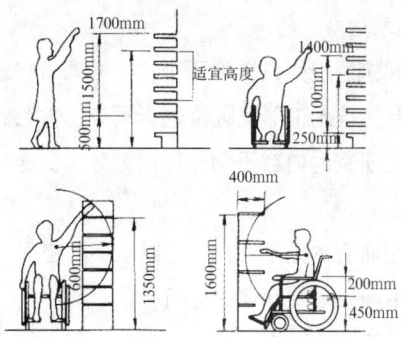

图4-29 人体尺度研究

对于中观尺度的环境调查，调查者也可以通过草图描绘的方式来记录、表达所观察到的现象。例如，在对广州市居住小区架空层的建设模式进行调研时，调查者在总结了架空层的典型模式后，还列举了一种特殊模式，即局部架空，其前身是岭南的骑楼。那么，什么是局部架空，什么是骑楼，它们之间又有怎样的进化关系呢？对于这些问题，调查者以草图描绘的方法进行了直观、明了的回答（图4-30）。[①]

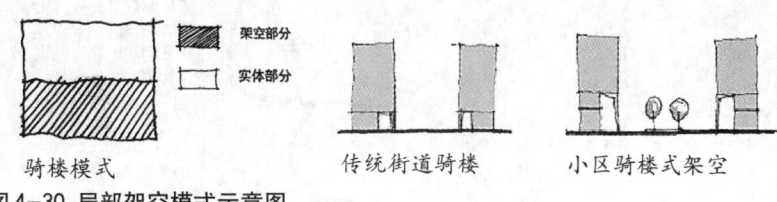

图4-30 局部架空模式示意图

在宏观尺度的调查中，为了表达大范围内的规划布局意向，调查者也常常会采用描绘规划结构的草图表达形式，将复杂的城市或区域空间结构，归纳成点、线、带、面、区等抽象图形，便于人们直观地理解规划意图。例如，北京市2005～2020年总体规划的空间格局总图就被抽象地描述为两轴、两带、多中心的空间格局结构图（图4-31）。

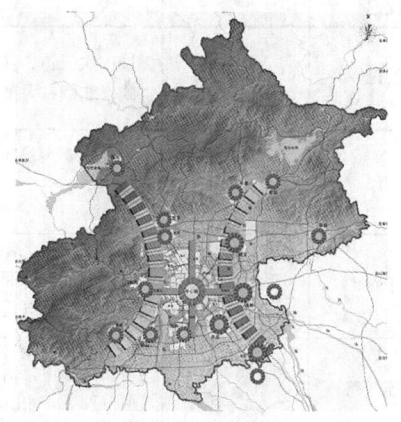

图4-31 北京市总体规划城市空间格局结构图

---

① 华南理工大学99级城市规划专业学生. 广州居住小区架空层调研报告[R]. 高等学校城市规划专业指导委员会获奖案例.

2）分析图表达

在城市与建筑的规划设计调研中，根据调研问题的社会影响面，往往需要对相应范围内的自然与人工环境区位进行调查，并绘制相应图纸予以表达。

根据分析图研究的内容不同，可以划分为交通分析、地形地貌分析、行政区划分析等。

根据分析图研究的范围不同，可以从不同空间环境尺度规模上来划分表达方式，如微观、中观、宏观环境的分析。

在调研问题所涉及的社会影响面比较小的时候，如对某个街区的某项公共服务设施使用现状的调研等，调查者可以只对微观环境区位进行分析与说明。因此，在对四平街道东部政务公告栏使用情况进行调查的时候，调查者只对四平街道在上海的地理位置进行了简要介绍（图4-32）。调研者着重介绍了调查范围内的与调查问题相关的背景问题：道路的结构组织、各街道空间与功能构成的特点等（表4-3）。[1]

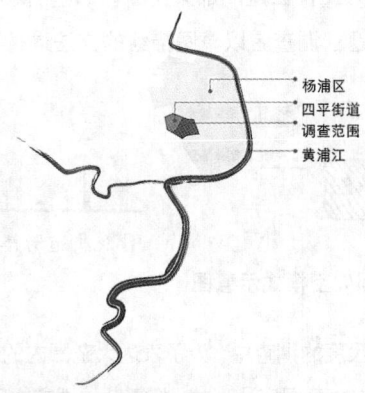
- 杨浦区
- 四平街道
- 调查范围
- 黄浦江

图4-32 政务公告栏现状调研调查区域位置

本区主要公共生活发生场所　　　　　　　　　　　　　　表4-3

路名	位置	特　点
控江路		城市次干道，区级商业街，拥有较多价位较高的商业服务设施，北侧有大量新建高档小区
鞍山路		沿街主要为长期自发形成的小型餐饮、菜市场，并有较多的流动摊贩
四平路		城市主干道，沿路南侧有一中等规模超市（物美超市，占地约41145m²），一商办楼（远洋广场，占地约5849m²，28层），北侧有某大学（正门）和杨浦高级中学（正门）
大连西路		城市主干道，街道西面为和平公园（不开口），东面有莱克大厦（28层）和国中会所（酒店式公寓，2幢，32层）

① 曾悦. 知然后行——四平街道东部政务公告栏使用情况调查暨改进建议[R]// 高等学校城市规划专业指导委员会等编. 2005全国大学生城市规划社会调查获奖作品. 北京：中国建筑工业出版，2006：3.

然而，在进行中观环境区位分析的时候，如对城市中某个地区进行调查，就不需要对整个城市的宏观环境进行分析说明，而只需要根据调研所涉及的社会影响面，对城市的中观环境区位与周边关系进行分析与说明，即将所研究区域与周边的城市环境、重要节点的位置与结构关系交待清楚即可。例如，在对苏州中心主城居民居住意向的调研中，调查者围绕调查目的，在调查区的选择上以时间和空间为立足点，分别对苏州三个修建于不同时期的住区的各项基本属性、住区居民对目前住区的满意度和居住意向进行调查。而在调查报告的最开始，调查者介绍了这三个小区在城市的区位，标示了他们与老城区、新城区的位置关系，作为调查对象的背景资料文字说明的补充（图4-33）。

图4-33 苏州市区三个被调查小区区位图
在苏州中心主城居民居住意向调研中，桃花坞是苏州三大历史街区之一，有着浓郁的江南水乡特色，在苏州城市发展史上也曾经盛极一时；三元新村位于苏州古城区与新区之间，是我国在20世纪80年代兴建的示范性小区之一，其硬件设施在当时是首屈一指的，为改善当时苏州市居民的居住条件发挥了重要作用；今日家园则是在2000年，由房地产开发商开发，在苏州新区内依照现代居住模式和理念兴建起来的居住小区，同时也是国家建设行业智能化试点示范小区。

　　在调研问题所涉及的社会影响面比较大的时候，往往需要进行宏观尺度的环境调查。例如，在北京市怀柔区九渡河镇总体规划中，调查者需要了解大北京的东西部发展战略规划，以及北京市、怀柔区的社会影响力和经济影响力对该镇产生的重要影响，因此在相应的区位分析中包含的范围较广（图4-34、图4-35）[①]。

---

① 戎安. 北京市怀柔区九渡河镇总体规划. 2006.

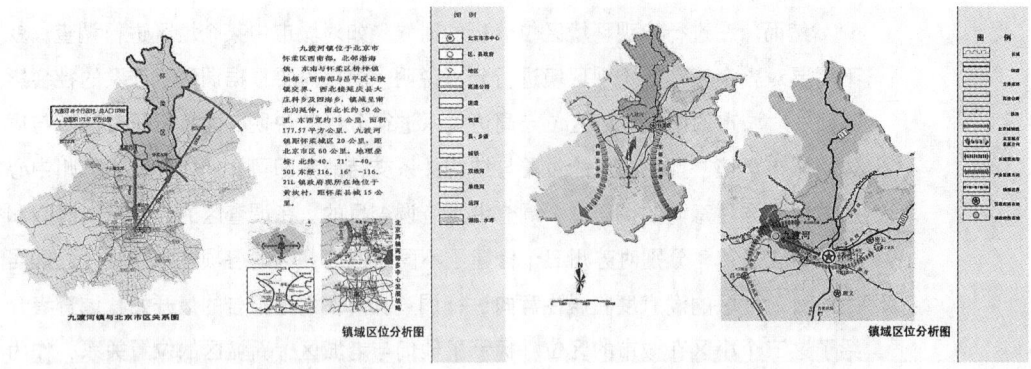

图4-34 九渡河镇与北京市区的关系图　　　　　图4-35 九渡河镇与怀柔区的关系图

3）建筑与场地的三视图表达

①平、立、剖面三视图表达方式

由于城市与建筑的规划设计以环境、空间、场所和人的活动作为研究对象，在专业调研中，为了描绘被调查对象的空间现状以及它与周围环境的关系，调查者常常会借助三视图来记录调查信息。平、立、剖面图表示法最为简单明了，是城市与建筑的规划设计调研中最为常见的记录方法。

例如，在青龙山下土地利用情况的调研中，调研者分别用不同比例的平面图和剖面图，直观地说明了被调查小区与城市环境的关系、小区的内部结构、小区与邻近道路的关系等（图4-36～图4-38）。①

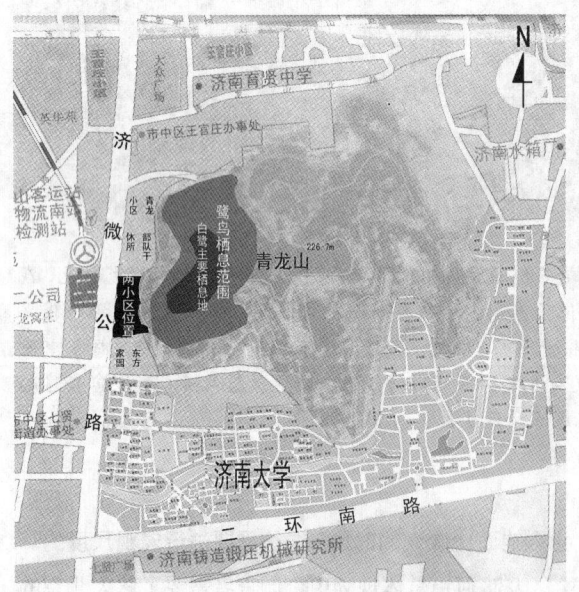

图4-36 济南大学北青龙山西侧鹭鸣苑、鲁贤家苑小区位置

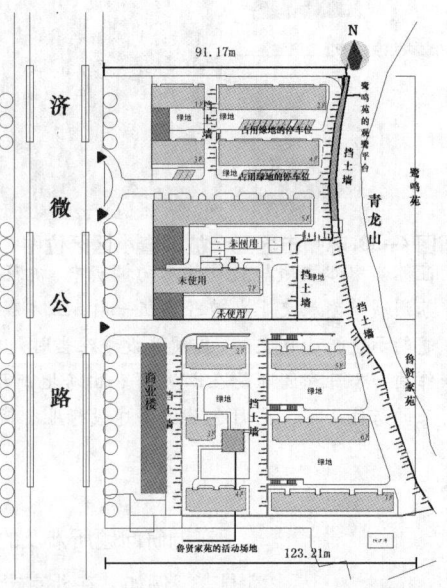

图4-37 鹭鸣苑、鲁贤家苑两居住小区的总平面图

---

① 赵虎，宁辉，王祯，刘晓辉. 寻宝花. 想念那白鹭相伴的日子——青龙山下土地利用情况[R]//高等学校城市规划专业指导委员会等编. 2004全国大学生城市规划社会调查获奖作品.北京：中国建筑工业出版社，2006：12-15.

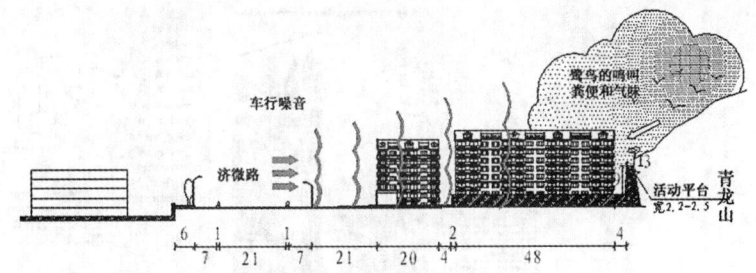

图4-38 周围环境对小区影响：自然景观和城市道路

②图卡法

对于某些需要详细地开展专项调研的内容，照片往往可以比平面图纸等更加细致、完整地记录现实情况，因此常常会配合、补充平面图、文字记录等方式，发挥记录作用。综合利用各种表现手段，以一定的结构、有点有面地收集资料的方法，就被称为图卡法。

例如，在历史遗产保护规划设计的前期调研中，往往需要对历史遗存进行详实的测绘与记录。这些测绘的成果包括建筑及其环境的平面、立面、剖面、重要节点、装潢装饰等都要绘制成图纸，还要对实物和场景进行摄像或摄影的记录，同时还需要配以比较详细的文字描述。这些内容可以统一建立成某一历史遗产的记录卡片，往往称之为历史遗产登录卡，这就是一种应用图卡法表达的典型。在法源寺地区调研中，研究者就采用了历史遗产登录的图卡方式（图4-39）。①

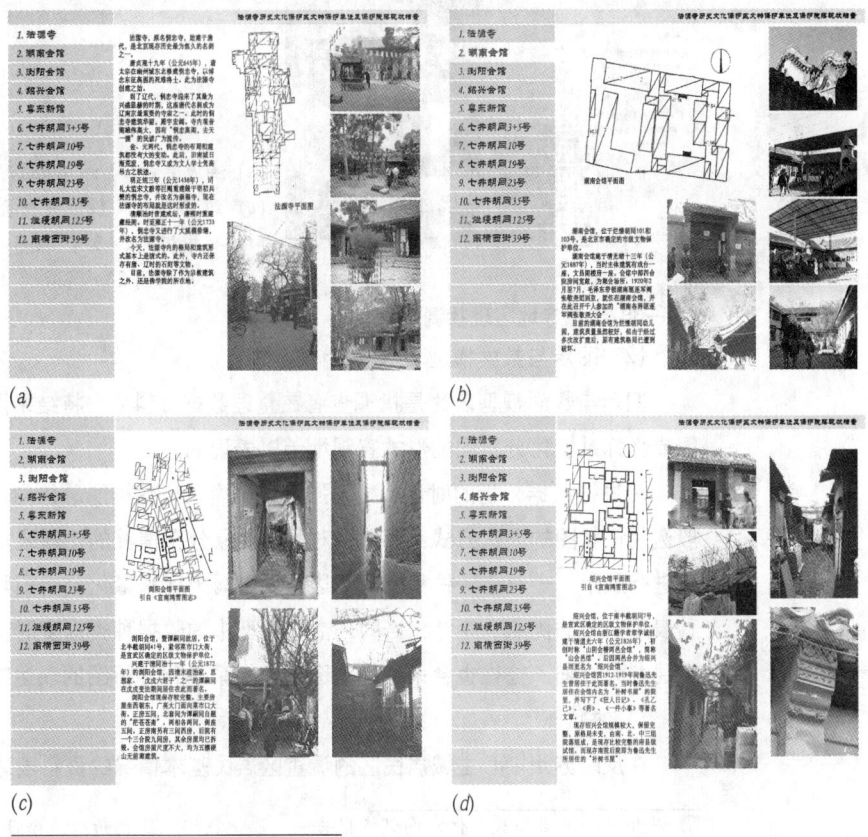

---

① 戎安. 北京市法源寺历史文化保护区规划. 2002.

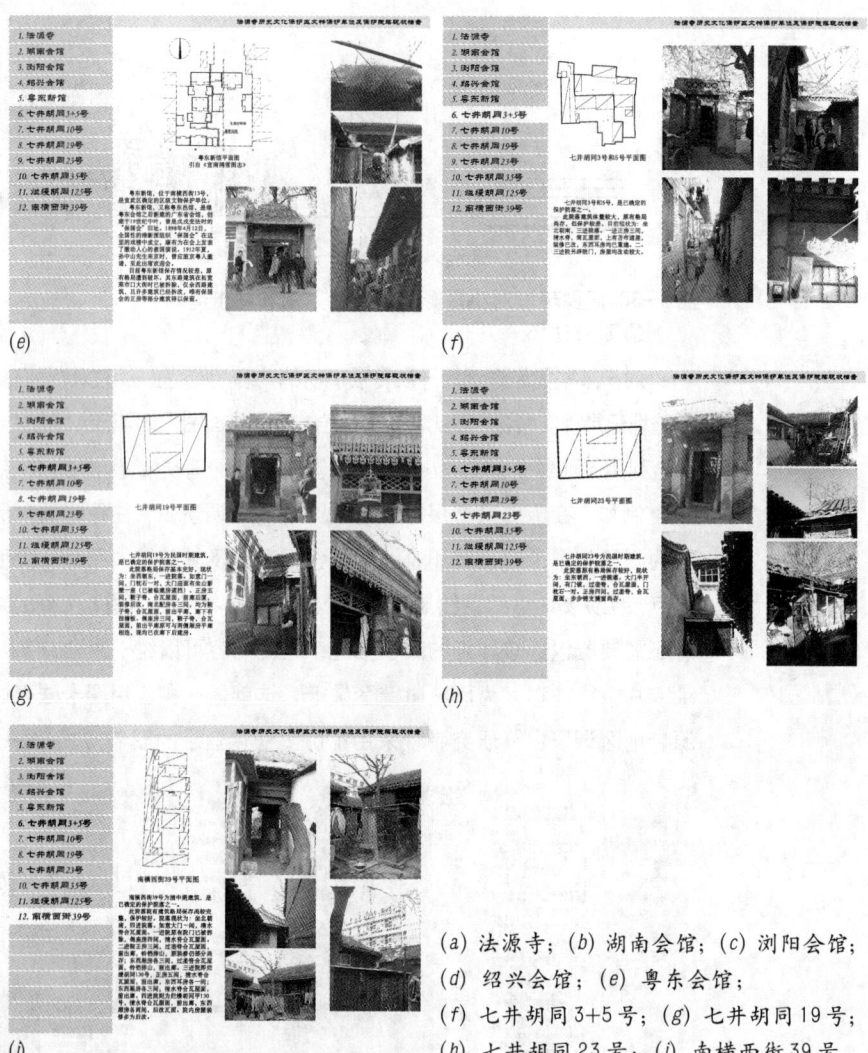

(a) 法源寺；(b) 湖南会馆；(c) 浏阳会馆；
(d) 绍兴会馆；(e) 粤东会馆；
(f) 七井胡同3+5号；(g) 七井胡同19号；
(h) 七井胡同23号；(i) 南横西街39号

图4-39 法源寺地区现状调研

（2）图示与数学模型表达

图示与数学模型表达是指调查者在整理数据资料后，将结果以饼状图、柱状图或坐标系量化分析图的形式直观地予以表现的方法。

在进行数据分析的时候，如果强调数学模型与数据的总体内部构成关系，一般选用饼状图的表达方式；而强调对不同现象分布情况的比较或对现象变化的趋势进行展示，一般选择柱状图的表达方式；而坐标系量化分析图则可兼具上述两种表达方式的优点。此外，当同一数学模型中的数据种类众多时，采用饼状图会出现划分过细，往往也会采用柱状图或坐标系量化分析图的表达方式。

1）饼状图

在反映苏州中心主城居民区的调查区居民基本情况的资料表达部分[①]，调查者

---

① 苏州中心主城居民居住意向调查报告——以桃花坞、三元新村、今日家园为例[R]. 高等学校城市规划专业指导委员会推荐案例.

主要选择了饼状图的表达方式。在反映被调查者文化程度的部分，饼状图很直观地反映了三个被调查区域的人口构成情况：与桃花坞住区居民相比，今日家园住区居民的文化程度明显偏高（图4-40，表4-4）。然而，调查者在反映收入状况的数学模型上也选择了饼状图，由于分类比较细致（达到8大类），致使饼状图的划分显得有一些局促（图4-41，表4-5）。

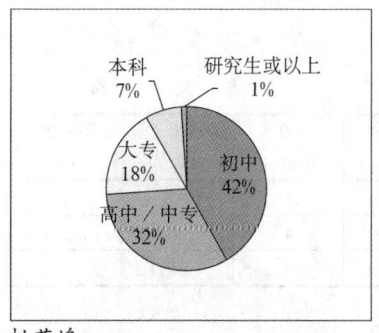
桃花坞

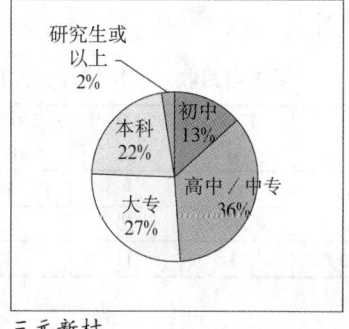
三元新村

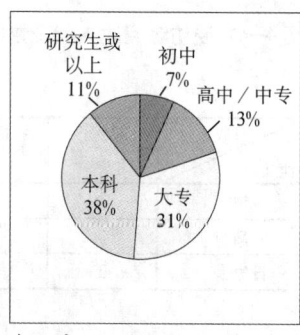
今日家园

图4-40 受访者文化状况饼状图

受访者文化状况统计(人)　　　　　　　　　　　　　　　　　　表4-4

地区 ＼ 学历	初中	高中／中专	大专	本科	研究生或以上
桃花坞	35	27	15	6	1
三元新村	11	29	22	18	2
今日家园	6	12	28	34	10

文化程度：

居民文化程度普遍较低是桃花坞的一个明显特征，具有高等学历居民的比重很低。今日家园与桃花坞的反差较大，具有大专及大专以上学历的居民高达80%。而在建造时间和地域上均位于桃花坞和今日家园之间的三元新村，文化程度并不是也介于这两者之间，具有高中和大专以上学历的居民仍占绝大多数（51%），这与住区人口的年龄分布似乎存在某种联系。

上述情况反映了苏州古城区和新区居民在文化程度差异十分明显，而相对处在古城区和新区交接区的三元新村文化层次相对均衡，结合此地区年龄构成和住房权属状况，经分析可能的原因是有大量年轻人在此租房居住。

收入状况：

以调查区居民平均每月收入作为收入状况依据。

桃花坞受访者月收入状况：

图表数据表明，三元新村月收入水平主要集中在500～1000元（43%），今日家园主要集中在1000～2000元（38%）和4000～5000元（24%）的水平上。而

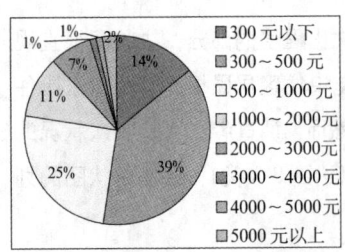
桃花坞

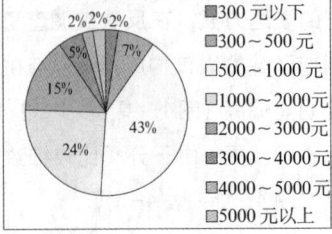
三元新村

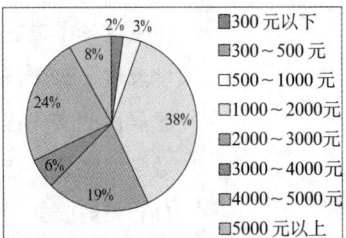
今日家园

图4-41 受访者月收入状况饼状图

受访者月收入状况统计（人）   表4-5

月收入 地区	300元 以下	300~ 500元	500~ 1000元	1000~ 2000元	2000~ 3000元	3000~ 4000元	4000~ 5000元	5000元 以上
桃花坞	12	32	21	9	6	1	1	2
三元新村	2	6	34	20	12	4	2	2
今日家园	2	0	3	33	17	5	21	7

桃花坞的个人收入状况远低于前两个住区，低于1000元收入共占64%，其中300~500元比例占了39%。

2）柱状图

在北京市昌平区百善镇上东廓村村庄规划调研报告①中，调查者主要采用了柱状图的表达方式，由此可以比较快地抓住问题的主要矛盾。例如，村民收入以中低收入为主；现有住宅多为改革开放初期建成；目前房屋中最大的难题是上下水的问题；家庭卫生间依然以旱厕为主等等（图4-42~图4-45）。

家庭户年均净收入：

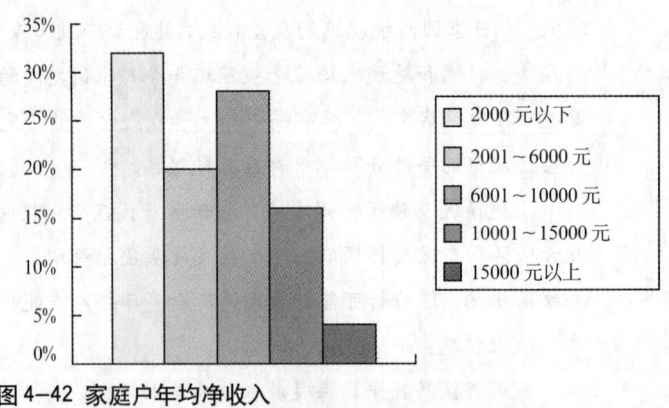

图4-42 家庭户年均净收入

① 中央美术学院建筑学院. 北京市昌平区百善镇上东廓村村庄规划. 2007.

房屋建设年代现状：

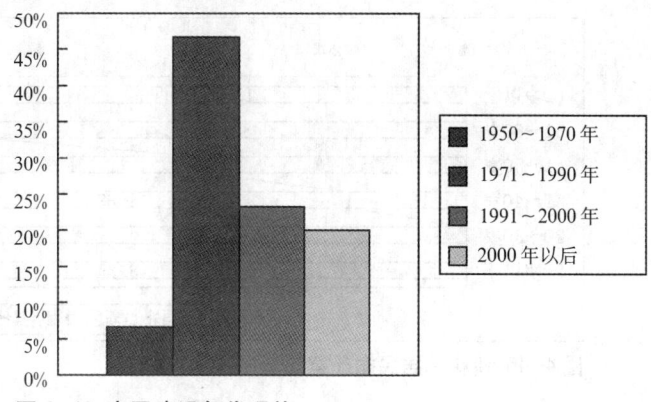

图 4-43 房屋建设年代现状

目前住房中最大的问题：

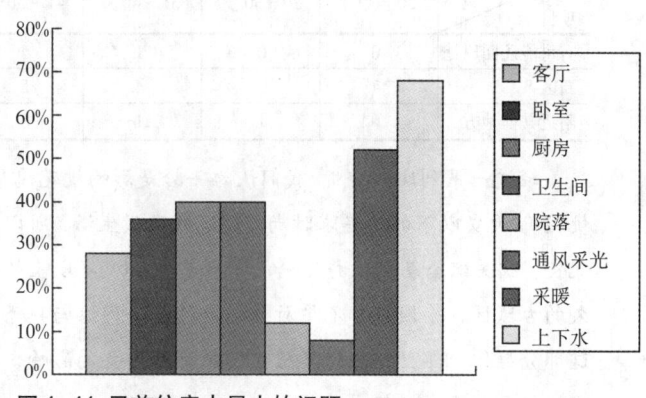

图 4-44 目前住房中最大的问题

户厕现状：

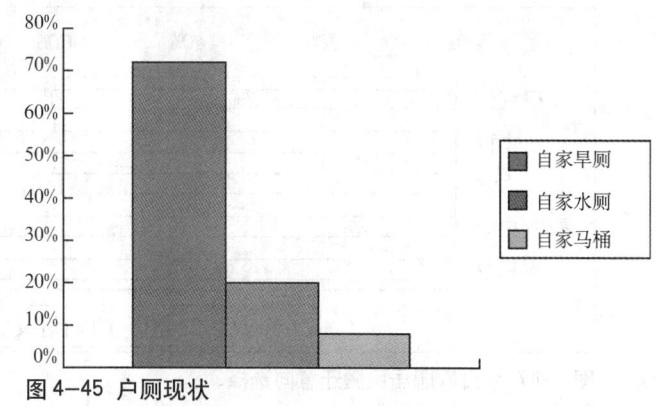

图 4-45 户厕现状

3）坐标系量化分析图

坐标系量化分析图，以苏州中心主城居民居住意向调查的地域居住意向为例（图 4-46、图 4-47，表 4-6、表 4-7）①：

---

① 苏州中心主城居民居住意向调查报告——以桃花坞、三元新村、今日家园为例[R]. 高等学校城市规划专业指导委员会推荐案例.

A. 桃花坞居民搬迁意向选择【不同年龄段】

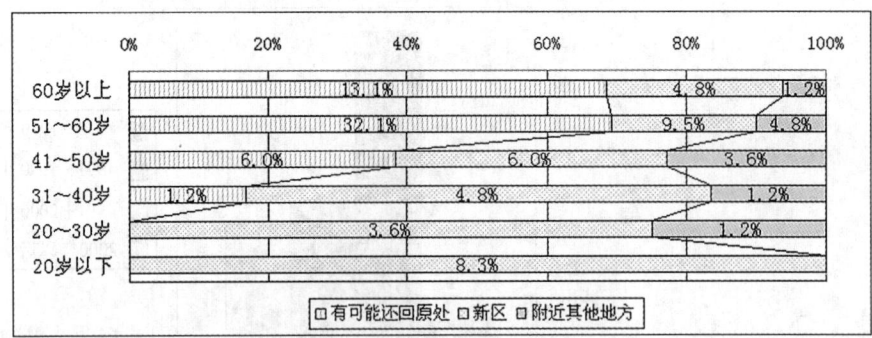

图4-46 桃花坞居民搬迁意向选择

桃花坞居民搬迁意向选择统计（人）   表4-6

年龄段 项目	20岁以下	20~30岁	31~40岁	41~50岁	51~60岁	60岁以上
有可能还回原处	0	0	1	5	27	11
新区	7	3	4	5	8	4
附近其他地方	0	1	1	3	4	1

经过一系列比较分析,我们认为年龄是影响桃花坞居民居住意向的主要原因。桃花坞40岁以下的人追求时尚、舒适的现代生活,所以都倾向于搬迁到居住条件优良、相关配套基础设施齐全的新区居住;50岁以上的人表现趋向于选择居住已久的古城区,原因是其不愿放弃稳定的社会网络与熟悉的物质网络。可见,对于这部分群体,邻里交往对其居住意向有着重要的影响,物质方面的因素并非是决定他们居住意向的根本因素。

B. 今日家园居民搬迁意向选择【不同文化程度段】

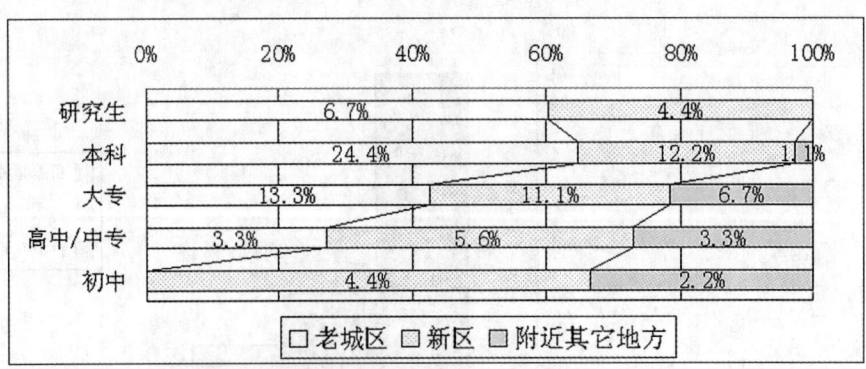

图4-47 今日家园居民搬迁意向选择

今日家园居民搬迁意向选择统计（人）   表4-7

学历 地区	初中	高中/中专	大专	本科	研究生
老城区	0	3	12	22	6
新区	4	5	10	11	4
附近其他地方	2	3	6	1	0

经过一系列比较分析，我们认为今日家园居民的文化程度是影响居民居住意向的主要原因。随文化程度的提高，其居住意向有明显的变化，总体愿意搬到古城区的意向随文化程度同步提高。原因是文化程度高的居民不仅仅希望获得完善的物质条件，同时对邻里交往等精神方面的条件也提出了较高的要求。据了解，今日家园的居民多数是由旧城区迁过来的，目前存在的失落感以及对原有住区精神网络的回忆和向往，是他们想搬回古城区的重要原因。

(3) 表格式表达

表格式表达是指调查者在整理数据资料后，将结果以表格的形式予以表现的方法。这种方法能够帮助调查者用比较的眼光来研究调查对象。

例如，在对广州居住小区的架空层的调查资料进行整理时候，调查者就将居民对架空层空间、环境与活动设施的总体评价情况分别进行了统计，并以表格的形式直观地列了出来（表4-8~表4-10）。

居住小区的架空层的空间的总体评价　　　表4-8

很好	较好	一般	较差	糟糕	总数
30	42	88	24	16	200
15%	21%	44%	12%	8%	100%

居住小区的架空层的环境的总体评价　　　表4-9

很好	较好	一般	较差	糟糕	总数
22	64	76	20	18	200
11%	32%	38%	10%	9%	100%

居住小区的架空层的活动设施的总体评价　　　表4-10

很好	较好	一般	较差	糟糕	总数
20	32	98	24	26	200
10%	16%	49%	12%	13%	100%

案例介绍五：南京夫子庙地区历史与现代文化协调情况调查

在对南京夫子庙地区历史与现代文化协调情况的调查[①]中，调查者对夫子庙地区的建筑与环境进行了分层分类的描述：包括夫子庙的建筑和景观设计、夫子庙的各色市场、夫子庙的小吃文化、夫子庙的传统活动(图4-48~图4-54)。

2.1 夫子庙的建筑和景观设计

在调查中，我们发现人们对"洋建筑"的态度更倾向于认同，有42.7%的人对夫子庙中出现的"洋建筑"表示欢迎，有26.0%的人不希望"洋建筑"进军夫

---

① 天下文枢苑，寻常百姓家——夫子庙地区历史与现代文化协调情况调查[R]. 高等学校城市规划专业指导委员会获奖案例.

子庙。由此看来，人们对西式建筑的态度有较多的争议。

人们对夫子庙建筑的印象还是比较好的，超过半数的人认为夫子庙的建筑和夫子庙协调比较好，体现了夫子庙的人文风格，只有很少一部分人认为夫子庙的建筑与夫子庙格格不入，由此可见，夫子庙地区的建筑管理和控制还是卓有成效的，得到了人们的认可。

为了营造夫子庙的氛围，南京市政府设计了沿秦淮河的仿古景观。59.4%的人对夫子庙的沿河仿古景观表示认可，认为这一景观能很好的代表地方特色，但是也有32.3%的人提出了他们的见解和看法，认为该景观设计应该加入更多的现代都市色彩，新老相结合，这样效果可能更好。

图4-48 仿古建筑

图4-49 古建筑与市场

思考：夫子庙的现状得到了普遍认同，这就引出了一个值得思考的问题——保护需要发展的保护。那种划定一个保护区，封闭地保护起来的做法似乎并不适合这种历史文化街区。多数人对夫子庙有着更高，更深层次的要求，那就是在保护的同时继续发展。这是因为夫子庙代表的文化是一种"市井文化"，是与人民群众最密切相关，也是由人民群众自主表达的文化。任何时代的变迁，观念的更新都会在这里留下一笔色彩，而这些色彩就构成了夫子庙这美丽的风景。所以，我们认为，夫子庙建筑和景观不能单单是仿古，而更要创新。在创新中体现时代的特色，这样夫子庙的文化才能得到延续，才能具有活力。

2.2 夫子庙的各色市场

在夫子庙中，人们对其古玩市场并不是很感兴趣，51.0%的被调查者认为夫

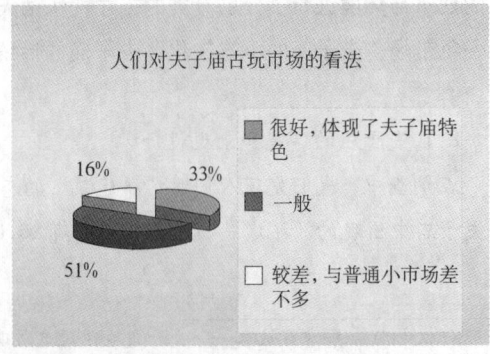
图4-50 人们对夫子庙古玩市场的看法分析

子庙的古玩市场没有什么特色，和其他地方的古玩市场差不多，看来夫子庙的古玩市场并没有给人们留下深刻的印象。

夫子庙的小商品市场最有代表性的是夫子庙大市场、金陵路小商品市场和夫子庙灯光夜市，总营业面积达1.2万平方米。在被调查的人群中，虽然有44.8%的人认为夫子庙地区的小商品市场体现了夫子庙地区的特色，对之表示赞同，但还是有34.4%的人认为夫子庙地区的小商品市场其实和别的地方的差不多，没有什么特色，还有20.8%的人认为夫子庙地区的小商品市场影响了整个夫子庙地区的古文化氛围，破坏了夫子庙地区的风格。

在调查中我们还发现各类市场相互混杂，在花鸟鱼虫市场中就出现了服装商店，这对于市场整体形象的建设是非常不利的。

图4-51 花鸟鱼虫市场中的服装店　　图4-52 市场较乱且不规范

思考：从历史上看，夫子庙一带历来是富贾云集之地，商业自古发达；而今，夫子庙的各色市场更成为夫子庙地区的产业支柱。可以说夫子庙的各色市场是夫子庙最重要的组成部分之一。对于夫子庙市场，我们认为应在空间上进行重新规划，使夫子庙各个市场特色分明，市场内部井然有序。在市场经营上力争提升档次，形成特色。同时，要处理好市场与古建筑群的关系，保护古文化氛围。

2.3 夫子庙的小吃文化

夫子庙饮食文化源远流长，可以远溯到六朝时期，明清两朝尤盛，各派菜系和小吃风味独具。风味小吃多达200多个品种，成为夫子庙旅游经济的重要支柱和

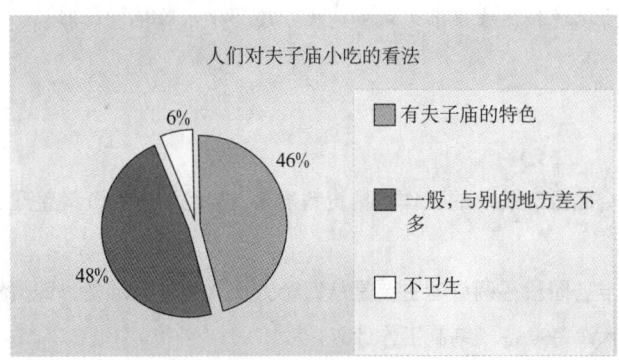

图4-53 人们对夫子庙小吃的看法分析

这一地区的特色文化。在调查中我们发现45.8%的人对夫子庙的风味小吃比较认可，47.9%的人认为夫子庙地区的风味小吃其实很一般，和别的地方的小吃其实差不多。另外，还有6.3%的人认为夫子庙地区的风味小吃不卫生，这是一个值得重视的问题。

思考：夫子庙的小吃一直是夫子庙最有特色的标志之一，但是在夫子庙发展的过程中，夫子庙地区没有更好地保留自己的特色，使小吃渐渐失去了标志的地位，在小吃市场继续生存的过程中，必须对小吃文化进行调整和整合，及时发掘特色产品，这样才能保住特色，保持夫子庙小吃市场的领先地位。

2.4 夫子庙的传统活动

夫子庙地区在每年农历正月初一至十八都会举行夫子庙灯会，热闹非常，并一直是南京人过年的必去之处。如何把传统活动和现代文化联系起来，是我们本次调查的一个要点。在调查过程中，我们发现72.9%的被调查者支持在夫子庙的传统文化活动中加入现代文化的元素，并和现代文化相结合的观点。我们认为在夫子庙的传统活动中，应该紧密结合现代文化，在更好发扬传统文化的同时，积极与现代社会相融合。

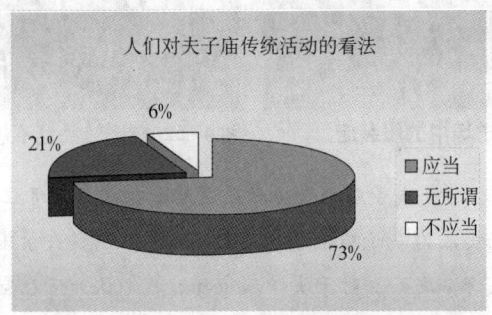

图4-54 人们对夫子庙传统活动的看法分析

思考：夫子庙传统的活动还是很受青睐的，但许多活动形式过于陈旧。在现代娱乐的广博范围里，如果只把娱乐限于观景、小吃、购物的话，这样的想象力恐怕让人怜悯。应将传统活动与现代文化结合，将一些现代娱乐方式引入夫子庙，通过改善娱乐环境和拓展娱乐方式重建夫子庙"娱乐胜地"的形象。

小结

调查研究的第二阶段的工作包括资料准备、实地调查和资料整理三大部分内容。

在资料准备阶段，调查者主要是从四个方面入手进行准备，即资料准备、人员组织、技术设备准备、编制工作计划。

在实地调查阶段，为了了解调查对象的环境、空间、场所和人的活动与行为等方面的资料，调查者可以根据实际情况与调查需要，选择实地观察法、问卷法或访谈来进行资料收集。

在资料整理阶段，调查者需要通过定性分析、系统分析和空间模型分析等科学方法，将相对分散、反映个别情况的原始资料进行归纳整理，为之后的科学研究工作奠定基础。

本章思考题

1. 建筑与规划学科的调研选题应该注意哪些方面的问题？

2. 在开展实地调查研究之前，调查者一般需要准备哪些资料？

3. 在实地调研时，调查者应该如何选择收集资料的方法？

4. 资料整理工作的基本步骤是什么？

本章参考读物

1. 高等学校城市规划专业指导委员会，天津大学建筑学院城市规划系编．全国大学生城市规划社会调查获奖作品：2005 [M]．北京：中国建筑工业出版社，2006．

2. 高等学校城市规划专业指导委员会，北京大学城市与区域规划系编．全国大学生城市规划社会调查获奖作品：2004 [M]．北京：中国建筑工业出版社，2006．

3. 杨青松等．南京乡村调查 [M]．南京：东南大学出版社，2007．

4.（美）伊恩·伦诺克斯·麦克哈格[M]．设计结合自然．芮经纬译．天津：天津大学出版社，2006．

Chapter5 Techniques for Investigation

第 5 章　调查研究的技能与技巧

第5章　调查研究的技能与技巧

调查研究的技能与技巧 (Techniques) 大致可分为城市调查中的认识方法和城市研究中的分析方法两大类。

5.1　调查研究中的认识方法

5.1.1　空间解读法

空间解读法是对城市空间环境的解读和研究方法，它是城市与建筑的规划设计中，规划设计人员或研究者运用专业知识以及对城市空间环境发展一般规律的认识，从专业角度观察和分析某一特定城市空间环境的历史、现状与未来的认识方法。它以城市与建筑的规划设计者和研究者独特的专业视角，通过系统分析对城市空间环境的形态、结构、肌理、意向以及发展过程等，进行全面地解读和解析，以探索城市空间环境的形成、发展与走向规律。

空间解读法通常要将同一调查地段放到历史背景中进行不同历史时期的纵向比较分析，有时还需要将同一类型不同地区的发展过程进行横向比较分析。通过运用比较分析方法，充分认识与掌握城市空间环境的结构特质、环境特点、空间尺度特性与人文环境特征等内容，从而总结出城市空间的环境特质和发展规律。

值得一提的是，城市空间环境的特质不但取决于特定的地形地貌、地质、气候等自然环境条件，同时也来源于历史、文化、风土、人情等人文环境，并且受到城市性质、科技水平与社会经济发展状况的影响。因此对城市空间环境的解读和研究不能停留在对外部现象的简单罗列和描述上，而是应该探讨其深层的内涵和构成规律。通过对环境特质形成的诸多要素的类比分析研究，将帮助我们从比较中发现差异与规律，进而对城市空间特色做出正确的判断，在规划设计中保护城市空间环境特征并强化城市空间特色。

例如，在周口店遗址公园与古人类博物馆规划设计的前期调研中，如何对纷杂的环境要素进行系统的整理与研究，成了解决问题的前提。调查者首先运用分析的方法从周口店猿人遗址公园所在区域的区位环境、地理空间结构、道路系统、用地性质、自然景观（保护树木、河流、山体等）、人文景观（猿人遗址、铁路、工业遗址、村落等）、现状建筑（建筑高度、质量、风貌等）、市政设施等八大方面对基地环境进行了测绘与定性、定量分析，进而运用SWOT分析法分析研究了基地环境所面临的优势、劣势、机遇与挑战，得出了一系列分析表格。通过对每个环境要素的优势和劣势的深入探讨和比较，终于对周口店猿人遗址公园所在区域形成了较为深刻的认识和客观的评价，为下一步的城市设计、景观规划打下了坚实的基础（表5—1～表5—8）。

案例介绍六：空间解读法，以周口店猿人遗址公园环境整治规划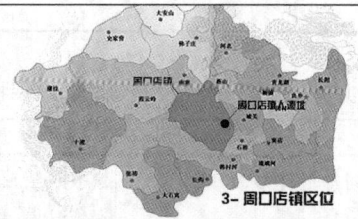①调研为例：

环境要素优劣势分析1——区位环境分析　　　　　　表5—1

区位环境	周口店遗址位于北京西南郊房山区周口店镇，距北京城约50公里。遗址区域大部分分布于周口店镇西北部的山区向平原过渡的丘陵地带，遗址点主要位于其中北部的龙骨山上，其次在其南部的鱼岭、鸡骨山上和东部的太平山南侧。遗址区中心点地理坐标为北纬39°44′，东经115°55′		
	图例		

环境要素优劣势分析2——地理空间结构分析　　　　　　表5—2

	优势	劣势	整治措施	图例
地理空间结构	遗址保护区三面环山，另一面向平原开敞，地理空间结构清晰有序。由北至南4个海拔200米以上的山体形成空间控制点，统率整个区域；龙骨山、鱼岭两个重点遗址群所在山体，背靠高山，面向周口店河，是区域内的次级空间控制点，"背山面水"充分体现出原始人类的择地观	地理空间结构有秩序，但缺乏重心	猿人遗址博物馆作为遗址区域内体量最大的人工建筑物，它的选址应从空间结构上考虑，设置在空间结构的重心上，成为空间结构上的核心控制点，和自然融为一体	

环境要素优劣势分析3——道路系统分析　　　　　　表5—3

	优势	劣势	整治措施	图例
道路系统	道路体系较为完善，交通便利，遗址公园具有良好的可达性	铁路交通引起的振动对遗址不利；周口店大街等过境交通距遗址群太近，引来的大量车流不利于遗址的保护	铁路交通应分段停运，以避免列车经过振动对遗址群产生的不良影响；在规划中应对过境交通进行分流，以减少对遗址的不利影响	

① 戎安. 周口店猿人遗址公园环境整治规划. 2005.

用地性质	区域内，现有铁路用地、工业用地、山坡地、村镇居住用地、果园农田用地、河流用地、滨水用地、仓储用地、商业用地和军事用地等多种用地

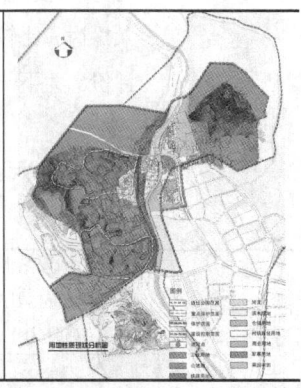

环境要素优劣势分析 5——自然景观分析（保护树木、河流、山体）　　表 5-5

		优势	劣势	整治措施	图例
自然景观	保护树木点状景观点	具有保留价值的树木分布较均匀，且适宜移栽，便于统一规划	树种较为单一	应根据遗址公园需要，对树木进行统一规划，形成多样丰富的植物景观	
	河流线性景观带	河岸线较长，南北贯穿基地，成为基地内难得的水体景观	现河流枯水期较长，河水较少且污染现象较为严重，南段人工河岸处理较为生硬	治理河水，切断污染源，消除污染现象；采用自然式驳岸处理，运用拦坝屯水的方式储水，形成良好的水体景观	
	山体成片景观区	山势连绵起伏，部分山体（如龙骨山）植物覆盖率较高，形成成片绿化景观	长期不合理开采形成大量山体断层，原有地形地貌遭到不同程度的破坏，山体裸露，水体流失严重，直接威胁遗址点的存在	以植树造林为主，还山体以绿色，重点整治水土流失现象，将具有观赏性的独特地质景观纳入到遗址公园的景观组织中	

环境要素优劣势分析 6——人文景观分析（建筑高度、建筑质量、建筑风貌）　表 5-6

		优势	劣势	整治措施	图例
人文景观	猿人遗址景观	猿人遗址点数目较多，且分布较为集中，便于保护和参观	部分遗址点如不采取合理、有效、快速的保护措施，面临因人为破坏而消失的危险，急需抢救	对遗址点进行加固、抢险，恢复其原生状态，同时增强宣传力度，多方面挖掘文化价值	
	铁路景观	周良铁路支线贯穿基地南北，是中国最早铺设的铁路之一，在我国铁路史中具有纪念意义。铁路目前为货	铁路距遗址群核心保护区太近，列车经过振动对遗址群产生不利影响	将铁路分段停运，在遗址公园范围内不作对外交通使用，而用作公园内的一种交通工具，组织轻型电动火车的	

		优势	劣势	整治措施	图例
人文景观	铁路景观	运线路,运行良好,分段停运后可作为遗址公园的景观点之一被开发		游览线路,形成公园内一道独特的景观线	
	工业遗址景观	遗址保护区内工厂现已停产,减少了对遗址群的破坏,且厂房、生产线等保存良好,形成了独特的工业景观和城市肌理	厂区内环境差,建筑杂乱无章,急需整治	全面整治厂区,保存其独特的结构建筑形式,绿化厂区,适当增加体验性参观环节,增加游览的趣味性。三个工业废弃地应根据需要做不同景观处理	
	村落景观	村落成片布置,建筑基本为传统的合院形制,部分老房子自然朴实,与遗址区环境相协调,具有保留价值	厂区内环境差,建筑杂乱无章,急需整治	保存部分风貌较好、具有历史价值的建筑或合院,组织到遗址公园的游览路线中;拆除风貌差的建筑,布置景观绿化	

环境要素优劣势分析 7——现状建筑分析（建筑高度、建筑质量、建筑风貌） 表5-7

		优势	劣势	整治措施	图例
现状建筑	建筑高度	大量居住建筑体量小,便于拆除,少数多层新建建筑,体量大,现仍有一定利用价值	多层建筑体量大,与保护区环境不符	对多层建筑进行改造,降低其高度,既节约资源,又保证了遗址区的整体风貌	
	建筑质量	大量新建建筑结构良好	少数风貌好的老房子建筑质量差	对风貌好的老房子进行维修和加固,使其成为遗址公园景观点之一	

		优势	劣势	整治措施	图例
人文景观	建筑风貌	少量建筑风貌好,值得保留	大量新建建筑风貌差,与环境不符	拆除与遗址保护区环境不符的风貌差的建筑,保留具有一定历史文化价值的风貌好的建筑,使其成为遗址公园的景观点之一	

环境要素优劣势分析8——市政设施分析　　　　表5-8

	优势	劣势	整治措施	图例
市政设施	主要交通干道沿线市政设施配套良好	村内基础设施落后,电线杆布置杂乱无章,生活垃圾和污水随意丢放和排放,环境差	加强基础设施建设,统一规划,布置地下管网,以整治带动建设	

5.1.2　观察法

观察法(Observe Research)是指根据研究课题的需要,研究者深入社会现象发生、发展的现实环境,有组织、有目的、有计划地直接观察[①]处于自然状态下的研究对象,通过直观感知和现实记录的方法,直接获取被事先确定、一切与研究目的和研究对象有关的环境空间现象和社会行为信息的方法。[②]

在城市与建筑的规划设计中,现场踏勘就是一种运用观察法开展工作的实际调研活动。在一定的思想与物质准备基础上,观察者运用绘画、摄影、录音、录像等技术手段,有计划、有目的地对城市环境空间中的街道、广场、建筑、河流、山体、景点、地标以及公众意向、市民对公共空间的使用状况等进行观察,从而

---

① 观察法所指的"观察"与日常所说的观察有所不同,在这里不仅仅是消极的注视,更强调大脑进行积极的思考。通常说:人们认识到的才能观察到,而人们完全没有认识到的也通常会"视而不见"就是这个道理。
② 同上。

直接收集环境空间状况与特色的方法，它强调对第一手资料与原始信息的调研，客观地反映和记录观察对象。

5.1.2.1 观察法的特点和适用范围

实地观察法能够不定期地对正在进行着的事件和现象作直接了解，受观察时间和观察人员数量的限制较小，灵活度大，一般不需要非常复杂的工具，即可直接掌握大量真实可靠的第一手资料。因此，它特别适用于收集正在发生的社会现象；同时，它也使得诸如在对人的行为模式等某些不能够、不需要或不方便进行语言交流问题的调查变得简单易行；此外，由于实地观察需要较多的人力和时间投入，它比较适用于有大量学生参加的调研实践活动。

但是，实地观察到的结果往往具有一定的表面性和偶然性，且很大程度上会受到观察者自身的生活经历、个人素质以及感情色彩的主观影响。因此，观察法不适宜于对历史背景、社会现象等深层次问题的调研，对于无法预料的突发事件、保密和隐私问题的调查运用观察法也有一定的难度。

5.1.2.2 观察法的分类及技能技巧

（1）完全参与观察

完全参与观察是指观察者完全参与到被观察人群与事件之中，作为其中的一个成员共同参与活动的观察方式。

例如，在对北京西长安街行为空间规划调研[①]时，为了调查残疾人对街道空间与服务设施的意见，研究者扮演成残疾人，完全参与到被观察空间之中，亲身体验街道公共服务设施设置的合理性和适用性，收集了许多生动的第一手资料（图5-1）。

(a) 被树枝阻挡的盲道；(b) 被台阶切割的盲道；(c) 无障碍设施调查点分布

(a)

(b)

(c)

图5-1 无障碍设施调查
注：调查者扮演成盲人，设身处地的亲身体验街道公共服务设施设置的合理性和适用性，从而发现了盲道设置的一些问题。

---

① 戎安. 北京西长安街行为空间规划调研. 2002.

（2）非参与观察

非参与观察是指调查者不加入被调查群体，完全以局外人的身份进行观察的观察方式。这种观察方式可以最大限度地减少调查者的观察活动对被调查群体的活动产生的影响，确保观察结果的客观性。

例如，在对北京西长安街的行人引导标识设置情况进行调研[①]时，调查者观察到了一些无效的行人引导标识。由于标识、标志的色彩、大小、位置的合理性将会决定行人的行为，如果引导设施不能够按功能、地段等要素作相应的区分，将使标识、标志形同虚设（图5-2）。

(a)、(b) 无效的行人引导标识；(c) 无效行人引导标识分布

(a) (b)

(c)

图5-2 无效的行人引导标识
注：地下通道封闭的警示牌与通道指示毫无区别，从而导致数人的无效行为。

（3）不完全参与观察

不完全参与观察是观察者以半客半主的身份参与到被观察人群之中，并通过这个群体的正常活动进行观察，它是介于完全参与观察和非参与观察之间的一种观察方法。

例如，在对北京西长安街的绿化和景观环境进行调研[②]时，调查者发现沿街座位的使用率极低。中国人民银行门前的花坛和坐椅设计简单，并置于阳光下，行人不愿靠近；工商银行总行门前草坪旁的矮墙位于树荫之下，即使未设坐椅也积聚了大量的休息人群，但是草坪本身却是以铁栏杆拒人远之；西单文化广场的大草坪较单调，且无树荫，坐椅亦少有利用；西单图书大厦门前同样是这个问题，人们宁肯坐在花坛边，也不愿坐在阳光下的坐椅上（图5-3）。

[①] 戎安. 北京西长安街行为空间规划调研. 2002.
[②] 戎安. 北京西长安街行为空间规划调研. 2002.

(a)、(b)、(c)、(d) 缺
乏人情味的绿化景观;
(e) 调查点分布

图 5-3 景观与绿化配置调查
注:街道绿化和景观缺少人情味,许多座位的位置欠妥,致使座位使用率极低。

5.1.2.3 实地观察的实施要领

实地观察所得的资料难免存在误差,其误差存在的原因是多方面的。为了减少调查成果的误差,一方面,调查者可以通过坚持正确的调研价值观和调研标准、提高自身素质等来尽量予以控制。另一方面,调查者还应该注意运用科学的观察手段,实事求是、认真仔细、循序渐进地展开观察,并通过实践逐步提高工作效率。

(1) 选好观察对象和环境

调查者应该注意选取典型环境中的典型对象作为观察的重点,使观察的结果具有典型意义。明确观察目的,减少无关因素的干扰。

(2) 选准观察时间和场所

一定的社会现象总是在一定的时间和空间内发生。因此,调查者应该尽量选择有代表性的社会现象和发生率高的地方,在典型时段内进行集中观察。

(3) 减少对被观察对象的影响

实地观察有可能对被观察对象产生一定影响,使他们自觉或不自觉地产生某些反应性心理或行为,致使被观察对象出现非常态表现,从而导致种种反应性观察误差。为此,调查者要善于控制自己的观察活动,减少对被观察对象的影响。

(4) 观察紧密结合思考

在实地观察中,调查者要善于在观察中思考,在思考中观察,要善于发现问题、带着问题观察,要从容易忽视的细节中找到问题的关键所在,在被调查的纷繁现象中始终保持清晰的思路;同时,调查者还需要在观察中比较,在比较中观察，善于从不同侧面进行观察，尽可能完整地了解被调查对象的全貌，捕捉尽可能多的观察材料和信息线索。

例如，在研究同类型空间中人的行为时，对两个具有可比性的空间环境进行横向比较，往往能够突出主要的设计要素，并挑战"在任何环境中观察到的使用情况都具有代表性"[①]这一臆断，能够帮助观察者更敏锐和深入地思考所观察到的情况。

5.1.3　文献法

文献法（Literature Research）即历史文献法，是指通过收集整理已有的相关历史档案、文史研究、地方志以及相关课题已完成的研究性论文报告，对各种文献资料进行整理与综合分析，摘取有用信息并继续研究的方法。文献法可以帮助我们在前人研究的基础上，了解与研究课题有关的历史背景和科学考证，使科研工作能够超越时空条件的限制，在前人研究的基础上继续发展。这种工作应该贯穿于调查研究工作的始终，它自己也可以算是一种独立的调查研究方法。

相对于其他的调研方法，文献法最大的优势是可以用较少的人力、财力，在最短的时间内，获得尽可能多的资料。而且，随着研究工作的深入还可以反复地进行。

但是，由于文献是前人研究的成果，通过文献法所得到的调查结果往往落后于现实，缺乏原生性、具体性和生动性。随着时间的发展和人们认识的深化，许多结论都需要从现实出发，进行进一步的论证。此外，这种方法对调查者的文化水平，特别是阅读能力要求较高。

例如，梁思成先生为了解读中国古建的秘密，在实地测绘的同时也十分注重对古籍资料的研究，其中尤为推崇"对宋代建筑制度完整之记载"的《营造法式》一书，并在他的《中国建筑史》中开辟专门一节来概述该书的内容与价值，并与清工部《工程做法则例》作比较介绍。[②]

我国关于营造之术书极少，宋清两朝，各刊官书一部，为研究我国建筑技术方面极重要资料。以下本篇所有术语及比较研究之标准，胥以此两书为准绳焉。

《营造法式》，宋李诚著。诚，徽宗朝将作少监也。全书三十四卷，其中关于样式制度者，有壕寨制度，说基础城寨等作法；石作制度，说石作之结构与雕饰；

---

① (美)克莱尔·库珀·马库斯(Clair Cooper Marcus)，(美)卡罗琳·弗朗西斯(Carolyn Francis)编著. 人性场所：城市开放空间设计导则[M]．俞孔坚等译．北京：中国建筑工业出版社．2001：322.
② 梁思成．中国建筑史[M]．天津：百花文艺出版社，1998：26，29.

大木作制度，说木构架方法，柱、梁、枋、额、斗栱、椽、槫等；小木作制度，说门、窗、隔扇、藻井，乃至佛龛、道帐之形制；瓦作制度，说用瓦及瓦饰之法；彩画作制度，说各级各色彩画。此外尚有估工算料等方法。最后更附以壕寨、石作、大木、小木、彩画、雕作等图样焉。

书初刊于崇宁二年(公元1103年)，八百余年来，名词改变，样式演变，加之士大夫之蔑视匠术，故其书已几无法解读。民国十八年，中国营造学社成立，十余年来，从事于是书之研究，先自清代术书着手，加以实物之发展与研究，其书始渐可读。

……

清工部《工程做法则例》，雍正十二年(公元1734年)清工部所颁布关于建筑之术书也。全书七十四卷，前二十七卷为二十七种不同之建筑物：大殿、厅堂、箭楼、角楼、仓库、凉亭等每件之结构，依构材之实在尺寸叙述。就著书体裁论，虽以此二十七种实在尺寸，可以类推其余，然较之《营造法式》失说明原则与方式。则不免见拙矣。自卷二十八至卷四十为斗栱之做法；安装法及尺寸。其尺寸自斗口一寸起，每等加五分、至斗口六寸止，共计十一等，较之宋式乃多三等焉。自卷四十一至四十七为门窗隔扇，石作、瓦作、土作等做法。关于设计样式者止于此。以下二十四卷则为各作工料之估计。

5.1.4　问卷法

问卷法（Questionnaire Research）就是调查者使用统一设计的问卷，向被选择的调查对象了解特定问题意见的征询方法。通过发放问卷，调研者能够在较短的时间内，投入较少的人力物力，完成较大规模的意见征询工作。由于城市研究涉及广大市民行为活动与审美心理，问卷调查已经成为当前城市调查研究中应用最广泛的方法之一。

5.1.4.1　问卷法的特点与适用范围

问卷法是通过填写问卷（或调查表）来收集资料的一种方法。这种方法是将预先精心设计好的问卷或调查表作为媒介收取资料，使用这种方法不仅可以使调查得来的资料标准化，易于进行定量分析，而且可以节省大量人力、物力和时间，适用于大规模的社会调查。问卷法成功与否的关键在于是否有一个好的问卷或调查表。

问卷法能够以较小的成本，突破时空限制对数量众多的被调查者展开调查，其调查结果也便于定性与定量的标准化处理与分析，因此其使用率远远高于其他调查方法，如参与观察法、深度访谈法等，特别适用于较大规模的抽样调查。

问卷调查法的缺陷在于调查不生动，也很难对某些问题进行深入的探讨与深层次的了解；在调查过程中对问卷的回馈易使调查者处于被动状态，对调查结果控制力弱，问卷回收率也难以保证。由于调查问卷的回答受到被调查者文化水平的影响，问题回答的结果参差不齐，给问卷的整理带来一定困难。为了解决上述问题，调查者需要有较强的问卷设计技巧。（详见第四章第二节中的"问卷调查"部分）

5.1.4.2 问卷调查的分类及技能技巧

调查问卷形式可分为代填问卷和自填问卷两类。

代填问卷，指调查员依照统一问卷的问题向被调查者提问，并记录被调查者所回答问题的答案。

自填问卷，指调查员向被调查者发放统一问卷，并由被调查者本人填写问卷答案。

采用代填问卷的调查方式，一方面，有利于调研者选择调查对象并控制访谈过程；另一方面，由于有专业调查人员在旁解释说明，被调查者可以更准确地理解问卷所设定问题的内容与调研目的，有利于提高回答问题的准确性，以及问卷的回复率和有效率。然而这种调查方式需要大量调查员，人力与资金保证的要求很高。由于这些要求很难在一般性调研课题中得到保证，所以这种方式不适用于一般性课题较大范围的调查。代填问卷的发送方式包括直接询问式和电话询问式等。

与代填问卷的调查方式相比较，自填问卷的调查方式，其优势主要在于问卷便于广泛发放，没有特定时间与空间的限制，问题的地域局限性相对较小，被调查面宽，成本较低，有较好的匿名性，适用于一些敏感、尖锐和隐私的问题的调查。它的缺点在于回复率和有效率较低。自填问卷的发送方式包括向特定人群或单位直接发送问卷的方式、通过邮递发送问卷的方式、通过报刊公布问卷的方式和通过网络展开调查的方式等。

网络问卷调查方式作为新近发展起来的一种调查方式，其优势主要在于不受时间与地域空间的限制。调研者通过网站发布调查问卷，被调查者通过网络回答问题，由于网络调查的匿名性强，被调查者的心理障碍小，便于展开一些敏感问题的调查且其回传信息的周期短。此外，问卷的资料整理可由计算机程序自动完成，节省人力物力。由于其独特的优势，网络问卷调查方式将会得到迅速发展。

5.1.4.3 提高问卷调查成果可信度实施要领

为了提高问卷调查的科学性，调查者必须保证问卷的发放量和问卷的回收率。没有这两个前提的保证，所谓调查的分析结论就是不科学的。

（1）问卷发放量与科学抽样技巧

问卷发放应该有一定的基础调查量。调查的问卷发放量与被调研的社会现象的影响面有关：社会影响面大的社会问题，问卷发放量相应也应该大。在被调查对象基数很大，无法一一派发问卷的情况下，调查者可以采用抽样调查的方式。抽样的基本步骤是：确定研究总体和调查总体；进行抽样设计和实际抽取样本；评估样本和收集资料。

调查对象抽样的科学性与否决定了调查结果是否具有代表性。科学抽样要求在问卷发放量有保证的情况下，还要确保被调查人群有代表性，被调查对象的构成应涵盖调查内容的各个层面，问卷发放数量的比例构成与被调查人群的结构一致。常用的抽样方式有简单随机抽样、系统抽样、分层抽样、整群抽样和多阶段抽样。现就前三种抽样方式予以简要介绍。

1) 简单随机抽样

简单随机抽样是最基本的抽样方式，最直观地体现了抽样的基本原理。抛硬币、抽签等方式都是简单随机抽样。

简单随机抽样可以分为"重复抽样"和"不重复抽样"两类。两者之间的区别在于已经被选择的个体是否还放回总体，在"不重复抽样"的样本中，每个个体只可能出现一次；而在"重复抽样"中，同一个体可能出现多次。从理论上来说，重复抽样产生的样本更加具有代表性，因为不论何事，总体中每一个体都拥有被抽取的平等机会。当抽样数量足够大的时候，重复抽样和不重复抽样的结果差别不大。另外，在设计抽样调查问卷时应该提高样本的多样性，例如在上海近郊区生活服务设施调研[①]时，调查者对生活服务设施问题曾进行了两轮简单随机抽样调查。由于两次抽样调查问卷的设计和发放地段的不同，所反映的调研状况也不一样（图5-4）。

第一轮调查着重于莘庄基本人口构成，发放问卷500份，有效问卷495份。采用入区、入户调查方式，涉及江南苑、银都新村、开诚新村等11个不同类型的小区。通过第一轮调查发现：在对生活服务设施满意度调查中，为了追求良好居住环境而迁至莘庄的居民里，43.9%的人认为服务设施不完善；70%以上的人选择地铁、公交、出租车作为出入莘庄的主要交通工具。

第二轮调查发放问卷100份，有效问卷98份。主要针对居民对生活服务设施的满意度及其消费行为和消费心理，发放点以莘庄地铁站为主，也包括超市、餐饮、绿地等服务设施周边，并选择工作日进行户外调查，提高了样本多样性。

图5-4 调查范围及问卷发放点

保证抽样的随机性是样本能否具有代表性的关键。例如，在1936年，美国的《文学摘要》组织了一次大规模的抽样调查，邮寄了一千万份问卷，在对回收答卷

---

① 焦姣，沈丹凤，宋雯珺. "粮草"之于"兵马"——上海近郊区生活服务设施调研，以莘庄为例[R]. 高等学校城市规划专业指导委员会获奖案例.

进行统计后,预测罗斯福得票率是43%。而同时期的盖洛普民意测验所只是从《文学摘要》调查的名单中随机选择了3000人,以邮寄明信片的方式询问他们的投票意愿,然后预测出罗斯福得票率是56%。这与罗斯福实际的得票率62%相差仅6%。为什么盖洛普民意测验所的抽取样本数量较小,而准确率反而更高呢?这是因为《文学摘要》虽然随机邮寄了一千万份问卷,但是只有两百四十万人认真回答;这两百四十万份问卷甚至无法代表被调查的一千万人,更不用说是全体选民了。而盖洛普民意测验所虽然只调查了3000人,但通过邮寄明信片调查办法,被调查者几乎大都给与了回答,在保证抽样随机性的前提条件下,以1%左右的样本就相对准确地预测了罗斯福的当选。它的关键就是保证了抽样的随机性,所以获得了更为科学的结论。可见,数量巨大的样本并不能提高样本的代表性,只不过是在较大的规模重复基本的错误。

2)系统抽样

系统抽样又称等距抽样或机械抽样,即把总体的单位进行排序后,选定一个特定间隔,再根据这个特定间隔抽取号码,组成样本的方法。例如大学老师为了检查学生的课堂习题完成情况,可以随堂收集学号尾数为5的同学的作业,这就是采用了系统抽样的方法。

在随机编号的总体中,系统抽样的样本误差小于简单随机抽样。但是在有规律编号的总体中,这种方法常常导致较大误差。

3)分层抽样

分层抽样是将总体依照一定规律划定分类,并从各分类中随机抽样的方法。例如某大学的男、女比例是4:6,则可以在男、女生间分别抽样,并保证样本中男、女比例保持4:6。如此,分层抽样有利于提高样本的代表性。

(2)问卷回收率

因为在问卷发放后,大部分问卷都没有收回的情况下,问卷答案的统计分析是毫无意义的。因此,问卷调查完成后调查者还必须统计问卷回收率。在问卷调查中,问卷的分发形式与回复率是衡量调查结果是否具有代表性的重要指标,因此需要在调查报告中予以明确说明。

在对夫子庙地区历史与现代文化协调问题的调查中:问卷发放实行偶遇抽样。调查方式为结构访问法和自填问卷法相结合。发放问卷105份,回收问卷101份,其中有效问卷96份,有效率91.43%。[①]

在对苏州城市中心居民的居住意向调查中:实际发放问卷数300份,其中桃花坞调查问卷实际发放数100份,有效问卷84份;三元新村问卷实际发放数100

---

① 天下文枢苑,寻常百姓家——夫子庙地区历史与现代文化协调情况调查[R].高等学校城市规划专业指导委员会获奖案例.

份，有效问卷82份；今日家园问卷实际发放数100份，有效问卷90份。有效问卷统计问题的答案和数据具有真实性和代表性。[①]

5.1.5　访谈法

访谈法(Visit Research)是调查者有计划地组织座谈，通过口头交谈与讨论的方式，直接与被调查者讨论特定问题的调查方法。访谈的对象往往是具有专业背景以及熟悉访问内容的人，访问者与被访问者处于一种互动的状态，这种交流往往可以深化认识与研究。

5.1.5.1　访谈法的特点与适用范围

在进行访谈调查时，调查者要有效地控制调查场面与过程，通过反复询问、追问、反问等多种对话手段，与被调查者就特定问题展开深入探讨，适用于对比较复杂问题的调研。

访谈法的局限性是匿名性差，对于敏感性问题难以得到真实的回答，因此要求调查者有一定的话题控制水平与追问技巧；访谈法的调查结果受调查者和被调查者的主观影响也较大，对调查人员素质要求较高；研讨材料和信息在形成调查报告时，需要做查证与核实等后续研究工作。此外，访谈调查的被调查者往往是所调查问题的专家或有一定研究基础的人，调查者为选择被调查对象要做大量的准备工作。这些要求都使访谈调查的人力、财力、物力和时间等花费较大。

在城市与建筑的规划设计前期社会调研中，访谈法调查是对关心城市规划、建设与管理方面的公众中有经验或有见解的人员展开调查。调查者往往要在前期资料收集和问卷调查的基础上，制定大致的访谈提纲，依据提纲，在调查者与被调查者之间都做过充分准备的基础上，通过双向交流过程的讨论对具体问题进行深入研究。

在访谈时，访谈问题并不需要完全固定，有明确的目的以及大致的谈话方向即可，以便在访谈的过程中随着双方讨论有所扩展，在调查目的所确定的方向上不断深化。

5.1.5.2　访谈法的分类及技能技巧

（1）根据访谈结构来划分

按照访谈时调查者是否遵循一个既定的、较详细的提纲或调查表，访谈有结构性和非结构性之分。结构性访谈，事先制订了较详细的提纲或调查表，并循此发问，故发问比较规范，回答也限于一定的范围，因此获得的资料便于整理和分析。

---

① 苏州中心主城居民居住意向调查报告——以桃花坞、三元新村、今日家园为例[R]. 高等学校城市规划专业指导委员会推荐案例.

例如，凯文·林奇（Kevin Lynch）在对美国洛杉矶、波士顿以及泽西城城市现象的研究中，所采用的方式就是结构性访谈的方式。由于需要调查的内容比较繁杂，因此调查者制定了详细的调查提纲（见第四章第二节），令提问高效、全面；另一方面，结构性的提问方式也避免了访谈中的跑题、偏题现象，对访谈时间进行了有效控制，提高了资料收集的效率。①

非结构性访谈则没有一个详细的提纲或调查表可循，调查者只是围绕调查主题，提出一些笼统的问题，请被调查者回答。在非结构性访谈中被调查者所受的约束较少，能自然地、充分地表达自己的意见，收到的资料比较广泛和深入，但这种资料又不利于整理和分析。

例如，在《城记》中，作者记录了一段在北京粤东新馆被拆除的当天他与拆房工人的谈话。作者提问看似随性，但无不围绕着目前文物保护领域令人担忧的社会背景而展开。②

来自四川兴文的13个庄稼汉抡圆了铁锄，大块大块的木头从屋顶上滚落下来，瓦片被杂乱地堆在一旁，砖墙在咣咣震响声中呻吟着，化作一片废墟。一时尘埃弥漫……这一幕发生在1998年9月24日，这一天成为了北京粤东新馆的祭日。100年前戊戌变法前夕康有为在这里成立保国会的历史，从此化作无法触摸的记忆。

拆除这处古迹是要它给一条城市干道腾地方，拆的名义是"异地保护"这处文物。文物建筑的迁移要先选好迁建地址并予以腾空，测绘、摄像，建筑构件要编号，原材料、原规制复原，由文物专业技术人员着手进行……然而，在庄稼汉的铁锄之下，粤东新馆成了"破烂"。

"有没有文物人员指导？"笔者在现场目睹此景，对姓汪的包工头说。

老汪答道："他们来看了一下，指了指几件东西，说留下来，我们就动手了。"

在老汪的引导下，笔者看到，几块雕花的木头已被拆放在一处。"这就是他们要的。"老汪说，"还有几块石头，嵌在墙里，他们说里面可能有字，也让留下来。"

"那些砖、瓦和木头怎么处理呢？"

"我们拿去卖。"

"能卖多少钱？"

"赚不了钱。古砖没人要，木头也难找到买家，一块瓦也只能卖四分钱、五分钱。"

"老汪，你知道康有为、戊戌变法吗？"

老汪两眼茫然。

① 凯文·林奇. 城市意象[M]. 方益萍等译. 北京：华夏出版社，2001.
② 王军. 城记[M]. 北京：三联出版社，2003：1-2.

"知道孙中山吗？"

"当然喽，这个房子还跟他关系呀？"

老汪眼睛大大的，皮肤黝黑。笔者跟他是6天前认识的。那是9月18日，他受工程部门委托，带着乡里众兄弟来拆粤东新馆的房子，没想到刚把瓦片揭下来，就被叫停。原来有人告了状，建设部门表示，要跟文物部门签完协议后才能拆。

折腾了几天，眼下老汪终于做成了这笔生意。

"我在北京拆了8年了，这种房子拆得多了。两三个月前，国子监那边的一个庙就是我拆的，那个庙真大。我们管不了那么多，拆迁办给我们钱，我们就拆。给我们钱拆故宫，我们也拆。"

老汪说到这儿，电话响了。运输车就要开过来，买家要来登门了。

（2）个别访谈与集体访谈

根据每一次访谈的调查对象数量的多少，访谈法可以被划分为个别访谈和集体访谈。

个别访谈是通过与被调查者的单独交谈，通过对话获取调查资料的方法。在个别访谈时，调查者每次只面对一个调查对象，有利于双方建立互信关系，进而了解真实信息。

集体访谈是个别访谈的一种扩展形式，即根据需要邀请若干被调查对象，通过组织群体进行座谈式的调查会，获得所需调查资料的方法。集体访谈获得的资料往往更全面、更准确，这是由于集体访问法通过座谈的方式，加强了调查者与被调查者，以及被调查者之间的互动，通过讨论，加深了对被调查问题的认识。这种方法比个别访问的调查方式集体参与感强，更易于问题从不同侧面的深入讨论。

另一方面，集体访谈的组织难度也较大，对调查者的要求更高：不但需要具备更熟练的访谈技巧及调动座谈会场气氛的能力，还需要具备敏锐的观察能力，以及随机应变、积极组织会议的能力。与个别访谈相比，开展集体访谈要求调查者具备独特的驾驭技能与组织技巧。

1）前期准备

集体访谈前要充分做好调查提纲的准备工作，提纲除了与一般性访谈提纲相似的要求外，还要有其自身的特点。例如，应根据调研的目的科学地选择座谈人员：要选择知情者参加座谈会，并对所要调查的内容有较深入的了解，同时这些人还应具有代表性；此外，要根据主题确定合适的会议规模与形式，参会人数也并非多多益善。

访谈会前，组织者还需要与被调查对象取得联系，共同约定调查会的时间与地点，对会议主题也需要有初步的相互交流，最好是先把座谈会要解决的问题告诉与会者，使被调查者在会前作好充分的思想准备。

2）会议控制

如何组织集体访谈是一门艺术，主持人应该对会议进行有效控制。

首先，主持人应该把握会议气氛。一方面，要善于打破沉默，活跃气氛，激发大家从容地展开讨论。为了避免冷场，有时，组织者还需要预定几个重点发言者，以期用他们的发言抛砖引玉，调动其他与会人员参与的积极性。另一方面，也需要通过引导，创造和谐平静的、科学有效的研讨气氛。

其次，主持人应该控制会议话题的走向。由于集体访谈方式参与的人多，往往会出现七嘴八舌、各抒己见的现象，有时还会出现偏离主题的激烈争论。因此，会议主持人必须目标明确地把握会场走向，能够迅速有效地结束偏题的讨论，把参与者的关注点引回会议主题。只有尽量避免和消除与会议主题无关的争论，才能在有限的会议时间内，尽可能多的获取与调查目的有关的信息资料，提高调查效率。

此外，主持人还需要注意充分发挥集体访谈的互动优势，座谈会气氛要活跃，最好开成讨论式，而不是一问一答式；主持人要注意被访谈者的反应，应该始终保持虚心求教的态度。

3）会议记录与回顾检查

在集体访谈时，调查者必须充分利用摄像、照相、录音、记录本等必要的记录工具，详实地记录会议的整个过程；在会议之后，调查者也必须在最短的时间内，在保持记忆鲜活的状态下回顾会议场景，将其信息记录并利用各种可能的技术手段整理出来，完成会议纪要的整理工作。此外，调查者应该尽可能多地通过辅助手段，记录下被调查者的姓名、性别、年龄、职务、职称、联系方式等个人信息的基本状况，以备事后进一步查证之用。

5.1.5.3 访谈法的实施要领

用访谈法收集资料的过程实际上是调查者和被调查者相互交往的过程，访谈的成败取决于交往是否成功，为了顺利地进行交往以获得需要的资料，除了准备好访谈提纲、熟悉和掌握访谈问题之外，调查者还应该注意做到如下几点：

（1）了解被调查者心理

被调查者往往涉及社会各阶层，由于生活经历、职业职务、所处环境、知识水平、道德修养、性格习惯等的不同，心理状态也会有所区别。而访谈的成败，在很大程度上都取决于被调查者的支持和配合程度。为了取得被调查者较好的配合，首先，调查者应该对被访谈者的身份、与该问题的利害关系等有尽量深入的了解，然后根据被调查者心理特征和需求，主动了解并调节被调查者的心理状态；其次，调查者应该让被调查者有被需要的感觉，要与被调查者建立相互信任感等等。

在同一研究课题中，针对不同的被调查对象，访谈问题的侧重也需要相应调整。例如，在进行城市光环境的调研时，在对城市环境整治指挥部的访谈中，调查者比较关注全局把握、宏观控制方面的问题，关心城市光环境改造的政策背景、经济问题以及社会影响等。而在对具体城市照明工程项目的访谈中，调查者更关注场所感受、空间结构、工程技术、经营管理等较微观方面的问题。

南京市老城区亮化环境整治指挥部访谈问题

1. 南京是在什么样的情况下进行城市亮化的?
2. 城市亮化的建设、管理由谁负责?
3. 目前为止,南京市有无制定《亮化标准细则》之类的文件?
4. 南京市目前已建成哪些亮化项目? 还有些项目在筹备?
5. 有没有调查过市民的意见,如何界定光污染?
6. 南京亮化最大的特色是什么? 又有什么不足之处?
7. 选定湖南路进行亮化是出于什么考虑? 有何历史原因?

上海湖南路管理委员会访谈问题

1. 湖南路有没有制定类似《湖南路亮化标准细则》之类的文件?
2. 湖南路灯具的开关时间(节假日与平时)如何规定? 商家的开关时间如何规定?
3. 亮化的资金来源有哪些? 具体如何使用? 如何分配管理?
4. 灯光的维护管理有何措施? 有无专人管理? 每年的维护管理经费是多少?
5. 湖南路每年亮化耗电量是多少? 电费是多少? 这笔费用由谁支付?
6. 湖南路一个灯光项目的建设是一个怎样的过程?
7. 湖南路近期的建设有些什么项目? 具体实施情况如何?
8. 有没有居民对湖南路的亮化提过建议? 有没有居民反映亮化影响了他们的生活?
9. 政府有没有对周围居民有过某种方式的补偿措施,居民是否认可?
10. 实施亮化工程是否对湖南路经济发展有巨大的促进作用?
11. 设置灯光时有没有咨询过周边居民的意见?

(2) 把握访谈时间,控制话题

长时间交谈会产生疲倦,所以调查者应该控制每次访谈的时间,一般以不超过一个小时为宜。由于访谈时间有限,调查者应该注意围绕调查目的和内容,在尽量保持气氛活跃的前提下,不脱离所要了解的中心问题。

对于爱唠叨的人,应该抓住谈话间隙,坚决地把话题转回主题,避免离题万里;对不善讲话的人,则要有意识地停顿,耐心询问;对于有顾虑不愿意多说的人,应该注意灵活选择问题的询问方式,如通过设问、正反追问等方式,转换被访问者的心理状态。

(3) 减少调查者的主观影响

调查者应该对访谈问题持中立态度,不能作引导性提问。

此外,对不清楚的问题和关键问题,调查者应该抱着虚心求教的态度,尊敬被调查者,始终表示出对对方谈话的兴趣,这也是保证访谈取得成功的重要条件之一。

5.1.6　实验法

观察与实验是认识事物、获取直接经验的两种基本方法。与自然观察相比,实验更加主动;它们的根本区别在于能否对调查对象与环境进行人工控制。能否利用实验来研究社会问题,是社会学中实证主义学派与人文主义学派的根本分歧。

在城市与建筑的规划设计中,常常要涉及到物理环境等相关设计内容,这时必须利用实验手段才能进行研究。

5.1.6.1 高层住宅室内墙体发霉调查研究[①]

北京朝阳区某高层住宅楼第十三层的某户居民,在入住该房一冬一夏后,发现其外墙内表面出现大面积发霉、起鼓现象。技术人员对该住宅进行了现场实验,以分析判断其原因并提出改造方案和建议(图5-5~图5-9)。

1. 实验方法与仪器

技术人员首先对该住宅墙体的整体状况进行观察,发现大面积起鼓和发霉的区域主要分布在距楼地面800mm范围内的外墙内表面上,霉点密度由上至下逐渐加大;接着使用红外热像仪对该住宅进行普查;在此基础上对重点部位进行具体测试。

图5-5 西侧小卧室

实验中使用的主要仪器设备有:红外热像仪、红外测温仪、微风仪及温度表等。

2. 实验分析

由东侧卧室外墙角照片及热像图可知,外墙与楼板交接处内表面温度最低,仅仅4.0℃,与主体墙内表面温差达10℃以上,与室内空气温度差15.1℃。针扎法探测内保温材料厚度约40~50mm,掀开地板装饰材料,可见沿墙角处楼板处有明显水迹,这说明墙体热工缺陷的原因在外墙楼板处及其以下部位。

针扎法探测到该户楼下的设备层墙体无保温,但顶板有约30mm厚保温层。由于设备管线的遮挡,无法使用红外热像仪,改用红外测温仪对设备层相关部位进行了测试。该设备层未采暖,室内平均气温10℃,而从顶角至墙中心其外墙内表面温度为2.5~5.4℃。

3. 结论和建议

从以上分析,可知该户住宅墙面损坏的主要原因是建筑内保温处理方法不当

---

① 本案例由北京工业大学建筑与城市规划学院杨红提供。

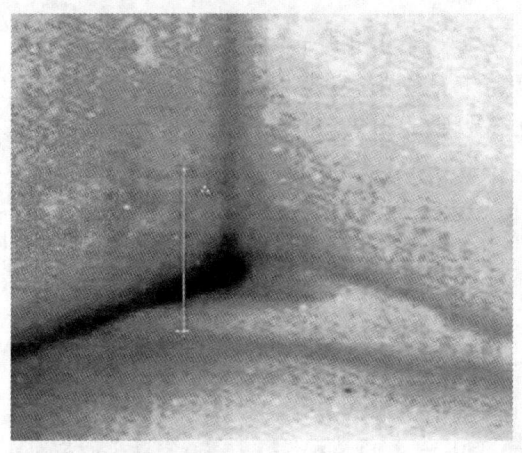

图5-6 东侧卧室外墙角照片

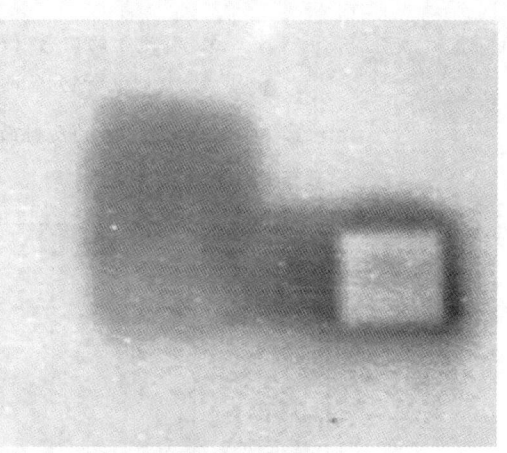

图5-7 东侧卧室外墙角热像图

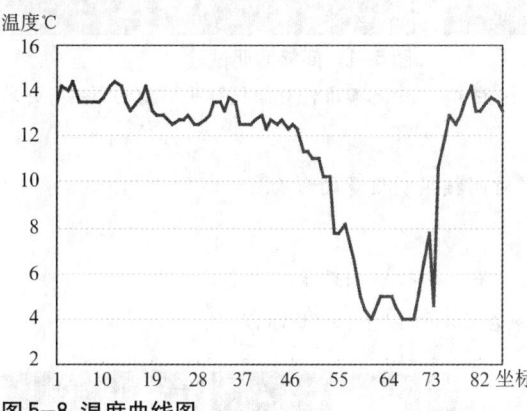

图5-8 温度曲线图

图5-9 设备层一角

导致该户楼板处外墙内表面温度过低而产生结露，以至损坏墙面。鉴于此，同时考虑减少改造难度和工作量，以及对住户的干扰，建议采取对设备层外墙进行有效内保温处理的措施。

5.1.6.2 人工照明研究

为了寻求间接照明灯具与反射面的最理想关系，就需要在物理环境实验室进行一系列照明实验（图5-10～图5-13）。

问题Ⅰ：受光面条件对间接照明质量的影响[①]

● 实验：

光源：　费司通光源（白炽灯）　　　两端无插头直管灯管（荧光灯）

材质：　1. 粗糙的质感　　　　　　　1. 粗糙的质感

　　　　2. 有光泽的质感（3分光泽）　2. 有光泽的质感（3分光泽）

---

① (日)NIPPO电机株式会社编. 间接照明[M]. 许东亮译. 北京：中国建筑工业出版社，2004. 78-79.

3. 有光泽的质感（7分光泽）　　3.有光泽的质感（7分光泽）

● 结论：从照片可以看出，除了粗糙的质感以外，光源都会从反射面映入而暴露，即使是3分光泽的反射面也会被映入。因此，为了将光线柔和地扩散，被照面有必要做成粗糙质感。

 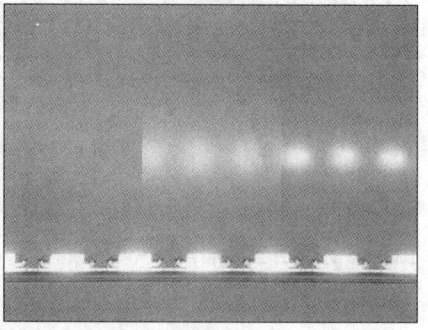

图5-10 间接照明试验
受光面条件对间接照明质量的影响：白炽灯。

图5-11 间接照明试验
受光面条件对间接照明质量的影响：荧光灯。

问题Ⅱ：光源与受光面距离对间接照明质量的影响[①]

● 实验：

　　左：光源位置示意图　　　右：间接照明效果

● 结论：光源与顶棚间距应在300mm以上，500mm以下。

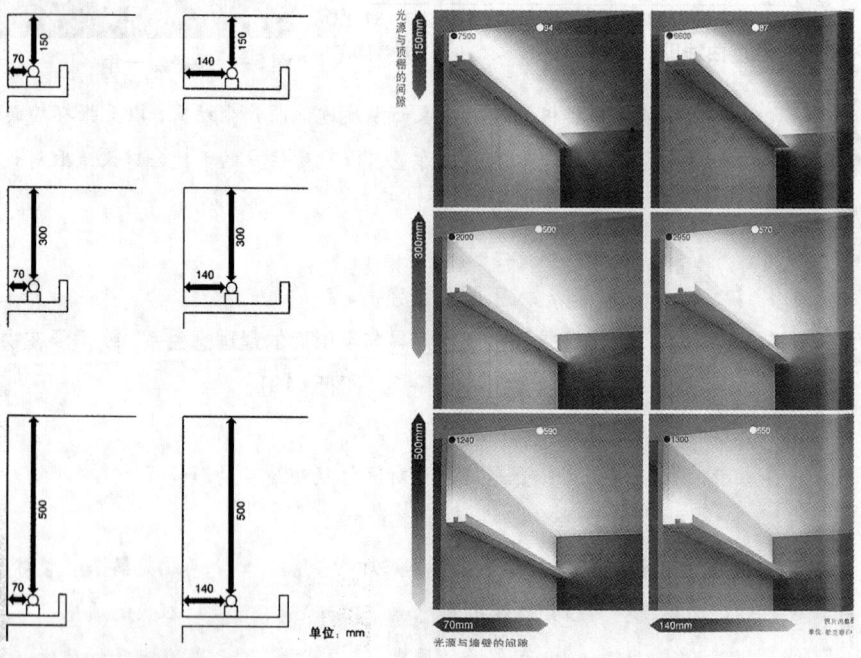

图5-12 光源位置示意图　　　　图5-13 间接照明效果照片

───────────────

① (日)NIPPO电机株式会社编. 间接照明[M]. 许东亮译. 北京：中国建筑工业出版社，2004：5-60.

小结

调查研究中的认识方法主要包括空间解读法、实地观察法、文献法、问卷法、访谈法和实验法。由于每种调查方法都存在它的优势与缺陷，为了保证调查结果的可靠性，在调查的过程中，这些方法往往是结合使用，互相补充的。

此外，对于调查者和被调查者而言，由于每个人对城市的经验和体验不同，所以只通过简单的感性认知和一般性的推理判断很难得到科学的、理性的、客观的调研成果，只有通过因地制宜地、实事求是地、有组织地、多层面地、全面地、深入科学地调查研究才可能获得科学可靠的调研成果。进而，调研成果才能够作为我们科学规划设计的基础，正确指导城市规划、城市建设和城市管理的工作。

5.2 调查研究的分析方法

在调研资料的分析中，一般有两种分析方法：定性分析和定量分析。定性分析的实质就是分析和确定研究对象的"质"。具体即是运用归纳与演绎、分析与综合、以及抽象与概括等方法，对获得的各种调查资料进行整理和加工，从而认识研究对象的本质特征，揭示其内在规律的过程。而定量分析可以使人们对研究对象的认识进一步精确化、数学化、形象化，以便更加"量"化地、科学地揭示规律，把握本质、理清关系、预测事物的发展趋势。

5.2.1 定性分析方法

在建筑与规划学科的调查研究中，常用的定性分析方法主要有分类分析法、比较分析法和系统分析法三种。

5.2.1.1 分类分析法

（1）分类分析法的特点

分类是一种系统化的过程，如何组织分类本身就是调查研究工作中的一种艺术和技巧。分类可将复杂的被调查现象简单化、条理化和系统化，这不仅有利于调研工作的深入展开和资料的归类存取，而且也利于对调查过程中收集到的大量第一手资料归纳整理。

调查成果可以分类，用图纸、图表、图片、文字说明等不同表达方式加以抽象、整理、表述。

（2）分类分析法的分类及技能技巧

1）前分类

前分类是指在调查工作开展之前就完成对调查资料的预分类，然后按照预先设定的类别收集资料的方法。在前分类式的调研中，调查提纲和问卷表格的设计需要根据前分类的结果来进行设计，确定调查项目、问题或提纲，然后再开始收集、整理资料。前分类方法的优点是可以保证被调查的重要内容不缺项，进而保证调研资料的完整性、系统性和整体性。

在建筑与规划学科的调研中，调查者可参考以前进行过的类似调研的分类标准进行前分类。目前，常用的前分类方式有两种，即"条"、"块"划分。"条"——纵向分类，即按各专业系统分类；"块"——横向分类，即按照空间层次或其他分类方式划分。

例如，在北京市怀柔区九渡河镇规划的调研①中，资料的分类分析就是按"条"——纵向分类来进行的。调查者按照不同专业系统的划分，分别分析了规划区域的周边交通环境、自然资源和环境、产业结构、历史文化环境等方面的内容（图5-14～图5-17）。

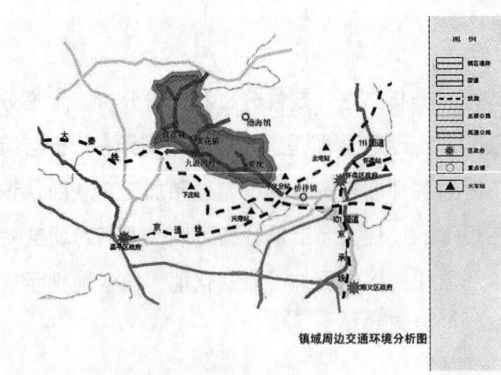

图 5-14 周边交通环境图

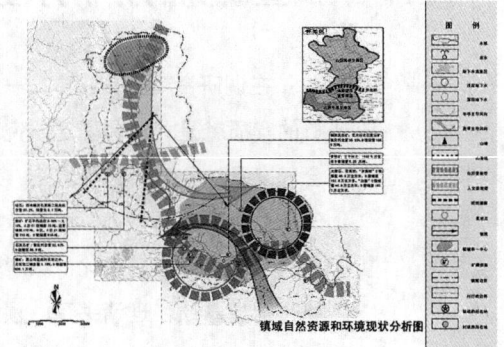

图5-15 自然资源和环境现状图

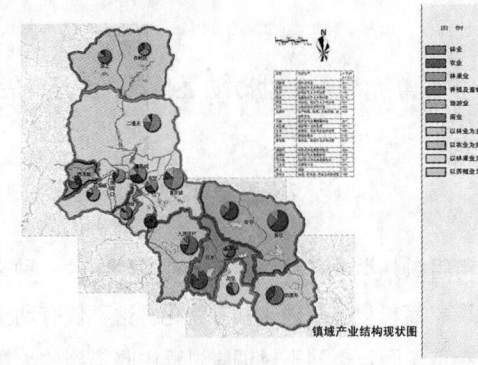

图 5-16 产业结构现状图

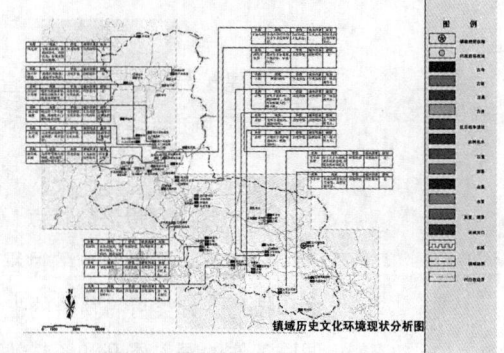

图5-17 历史文化环境现状图

而在研究北京市东城区新太仓地区城市肌理的时候②，对胡同结构与院落形态方面的资料的分类分析则是按"块"——横向分类来进行的，划分的类别包括：胡同体系结构、院落划分情况、院落风貌评价、保护院落分布、建筑风貌分布、建

---

① 戎安. 北京市怀柔区九渡河镇总体规划（2006～2020 年）. 2006.
② 戎安. 北京市东城区新太仓地区保护修缮规划设计方案. 2006.

筑质量分布、建筑高度分布等方面的情况（图5-18~图5-24）。

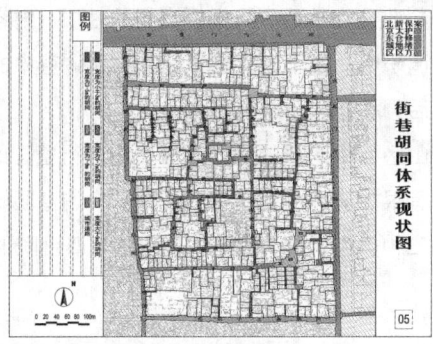

图5-18 街巷胡同体系现状图

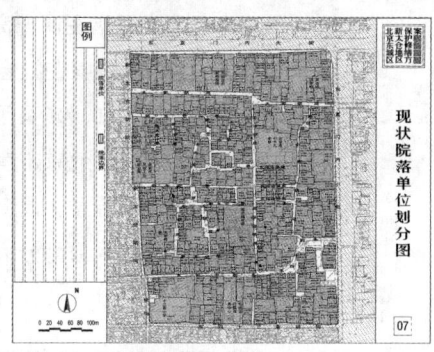

图5-19 现状院落单位划分图

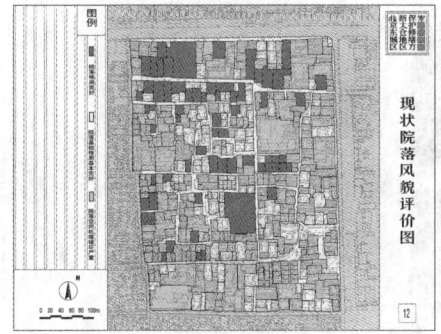

图5-20 现状院落风貌评价图

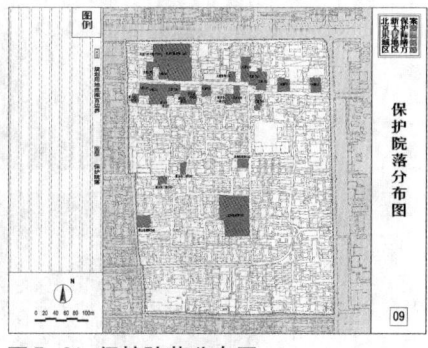

图5-21 保护院落分布图

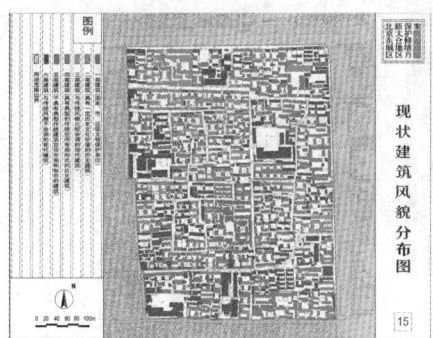

图5-22 现状建筑风貌分布图

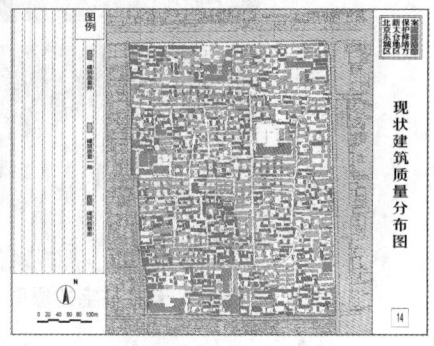

图5-23 现状建筑质量分布图

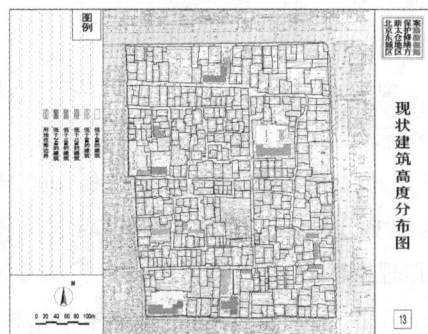

图5-24 现状建筑高度分布图

2）后分类

后分类是指在调查资料收集完毕后，再根据资料的性质、内容或特征等进行分类的方法。在某些社会调研中，由于对文献资料、访谈调查中的开放性问题等的答案无法预知，多采用后分类法。

例如，在对北京市房山区樱桃沟村的规划调研资料进行整理的时候，为了探索乡村住宅的原型，调查者根据房间围合院落的边数，将调查区域内纷繁复杂的村落聚居形态大致划分为三种类型，即一字形、C字形和四合院形（图5-25）。

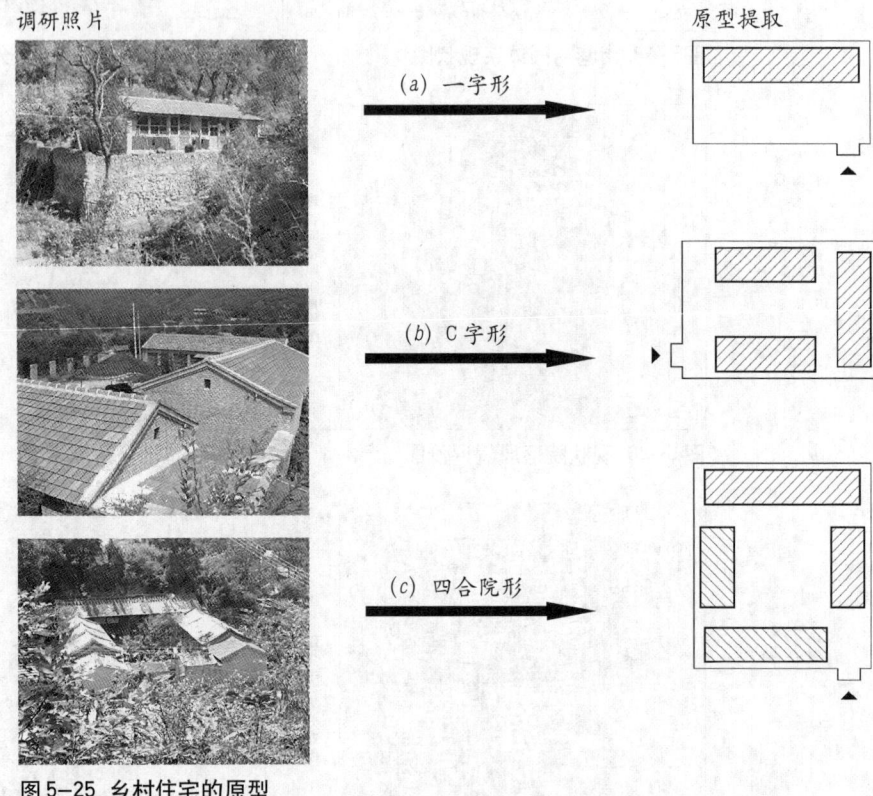

图5-25 乡村住宅的原型

（3）分类分析法的实施要领

1）有效性原则

分类标准必须服从于研究目的，能反映现象的本质特征。因此，对于相同的研究对象，如果研究目的不同，分类标准往往不同。另一方面，除了反映事物本质特征的标准以外，还有一些反映事物非本质特征的标准，也能够提供许多有价值的信息。因此，多角度地选择分类标准，能使我们更加全面、深刻地认识社会。

例如，调查研究城市肌理的时候，不但可以从"胡同"的空间结构、院落的空间布局、建筑形式等方面入手，还可以从历史文化背景、自然与人工景观、人口密度等多角度进行分组研究。这种广泛透视的结果往往会使得调查所得到的信息更加丰满，内容更加充实，分析更为全面，结论更有说服力。

2）系统性原则

系统性原则包括等级性原则、互斥性原则、穷尽性原则等不同原则。调查者在进行分类的时候首先要注意等级性原则，即注意避免出现越级划分的逻辑错误。在选择分组标准的时候，要注意互斥性和穷尽性原则，即注意避免分类过宽，令一条资料同时属于几个组分；或分类过窄，某些资料没有归属，系统性分类方式需将所有资料没有遗漏地包括进去。

5.2.1.2 比较分析法

（1）比较分析法的特点与适用范围

在开始认识、鉴别各种事物或现象之初，人们往往需要通过对事物的比较来加以辨析，并通过分层、分类等手段进一步对研究的事物进行深入地比较研究。常言道不怕不识货，就怕货比货。可见，人们对事物规律性的掌握往往是从对现实事物现象的类型比较与分析开始的。

比较分析法就是研究者通过对研究对象的观察辨析，逐步区别和划分出事物内在要素或相互关系之间的共性与差异性，根据差异性划分类别，继而按照一定规则分级别、分属性，再运用逻辑推理方法分析归纳，最后从繁杂的现象资料中寻找清晰可辨的规律性的过程。从这个角度来说，比较是分类的前提，分类是比较的结果。

（2）比较分析法的分类及技能技巧

1）横向比较分析

资料的横向比较分析是指从同一事物的不同侧面，同类事物的不同形态来比较分级的方法。这种分析法往往能够帮助人们透过现象发现本质。

例如，在对亚特兰大（Atlanta）的城市热岛效应进行研究的时候，研究者就是通过对城市的一个街区的白天和黑夜的红外色温横向对比，来分析和研究城市热岛效应的（图5-26）。

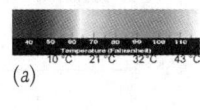  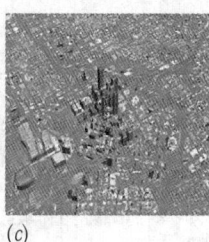 

图5-26 对亚特兰大的昼夜色温图比较分析
(a)色温卡；(b)城市的实际色彩图；(c)城市白天的色温图；(d)城市夜晚的色温图

又如，在北京市平谷新城规划设计中，城市规划设计者将新城土地利用现状、新城总体规划土地利用总平面图和新城城市设计图放在一起进行横向比较，来表明同一城市各个阶段的规划设计与发展状况（图5-27～图5-29）。

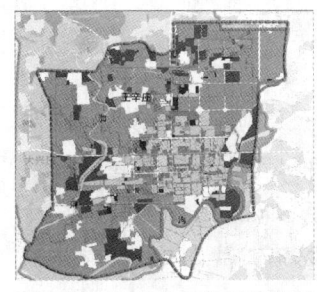
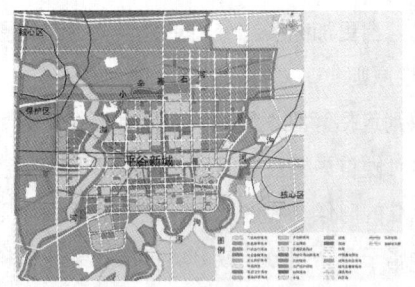
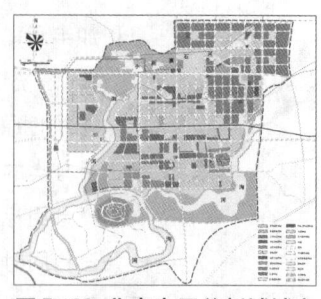

图5-27 北京市平谷新城土地利用现状总平面图　　图5-28 北京市平谷新城总体规划总平面图　　图5-29 北京市平谷新城城市设计总平面图①

2）纵向比较分析

资料的纵向比较分析往往是同一事物不同发展时间段的比较。这种分析方法往往能够帮助人们明确事物发展的阶段与变化，进一步揭示出隐含在表象中的客观规律。在研究时，为了明确事物的发展阶段，也常常以时间为轴将不同阶段的形态放在一起进行分析。

例如，在对伦敦和北京的城市形态变迁的研究中，研究者都采用了纵向比较分析的方法：通过对两个城市不同发展阶段城市形态的对比来寻找和研究城市发展变迁的内在规律。另一方面，对英国首都伦敦与中国首都北京的城市发展历程也可以进行横向比较，以进一步揭示出不同历史文化背景对城市发展的深层影响与作用（图5-30、图5-31）。

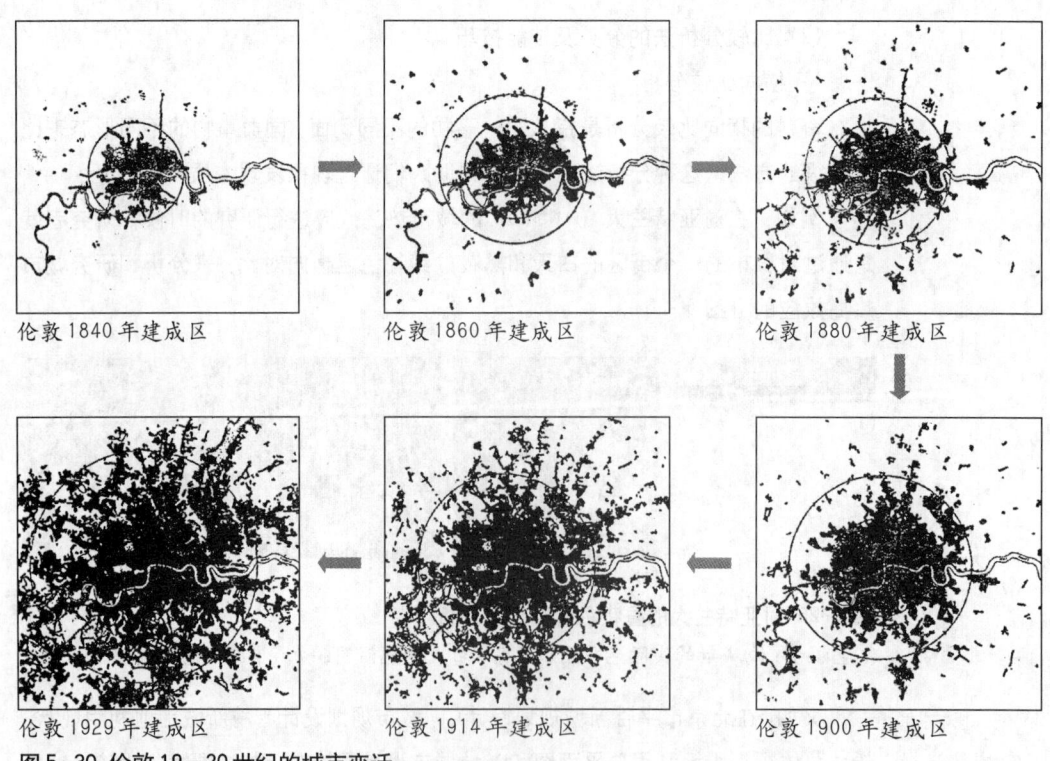

图5-30 伦敦19～20世纪的城市变迁

① 戎安. 北京平谷新城城市设计. 2006.12.

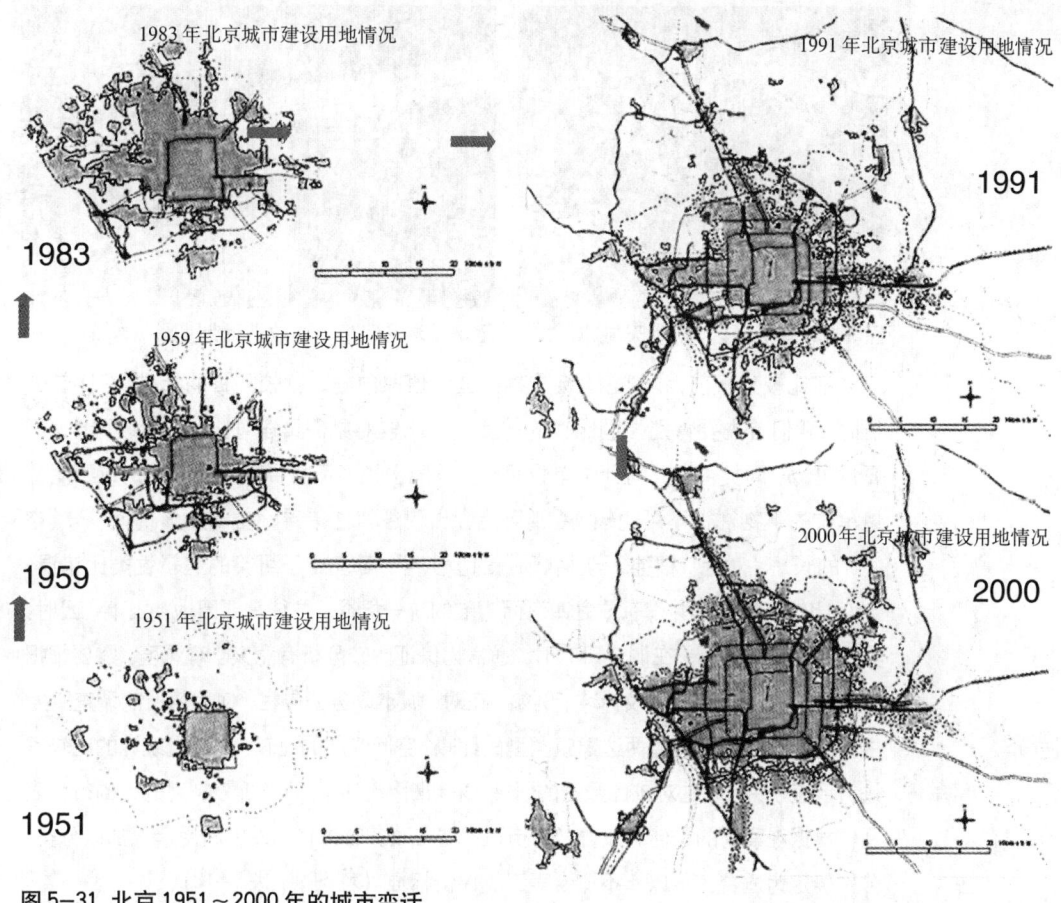

图 5-31 北京 1951~2000 年的城市变迁

又如，柯布西耶在描绘自己的理想城市的时候，也采用了比较分析的说明方法。通过比较当时建筑参差、令人神经紧张的曼哈顿区与井井有条、有张有弛的"明天城市"，他阐述了城市分区对改善城市环境的重要性（图5-32）；通过比较当时拥挤阴暗的巴黎与开敞明亮的"明天城市"，他阐述了建设摩天楼、增建开阔绿地的重要性（图5-33）。[①]

（3）比较分析法的实施要领

由于现实生活中许多事物都具有多样性与复杂性的特点，在比较分析时需要透过现象看本质，对事物的一般性表象要进行过滤、抽象与加工，才可能对事物现象进行某一方面或几个方面的理性分析比较。

① Le Corbusier. The City of Tomorrow. Translated from the 8th French Edition of Urbanisme by Frederick Etchells. Cambridge: The M.I.T. Press, 1971: 169, 289. 在《明天的城市》中，柯布西耶第一次明确阐述了自己的现代理想城市。他提出了城市分区、交通分级的规划思想，各区拥有与其功能及密度要求相应的交通疏导能力：城市中心（商业活动进行的地方）需要高效率，故城市中心人口密度最大；而郊区（或称花园城市）反之。

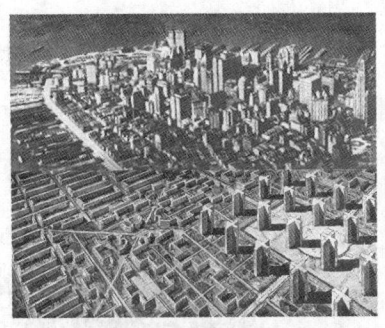
图5-32 曼哈顿区与"明天城市"

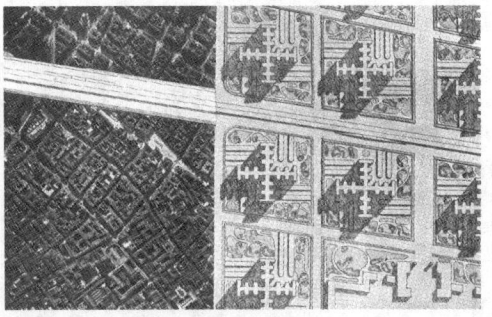
图5-33 巴黎市中心改造计划

在比较分析前,我们必然会依据某些价值取向确定比较分析的标准。在比较分析时,我们首先要特别强调比较的前提——比较对象需具有可比性,同级可比、同属性可比、同类可比、同计量单位可比;不同级别、不同属性、不同类别或不同计量单位的事物往往不可比较,否则可能会出现逻辑性错误。如:对比"时间"与"空间"的长短,对比"精神"与"物质"的多少等,都发生了可笑的逻辑性类比错误。

比较分析方法并没有放之四海而皆准的统一标准,往往需要因地、因事、因时,具体问题具体分析。在调查研究时,通常为保证比较分析有意义、有深度,需要根据研究目的和对象选定比较标准。例如,在对"城市政务公告栏"使用情况的调查①中,主要是通过对四条街道两边建筑类型的比较、空间性质的比较、人流量统计的比较等进行调查研究,通过对统计数据的研究,来判断街道空间环境所影响到的人的行为表现,根据观察到的最佳人流量,对街道"城市政务公告栏"设施利用情况加以分类,分别确定为适合、可以、不适合等三类评价标准(表5-9、表5-10)。

本区域以文教和居住为主要功能,公共活动集中于以下四条道路:

本区主要公共生活发生场所   表5-9

路名	位置	照片	特 点
控江路			城市次干道,区级商业街,拥有较多价位较高的商业服务设施,北侧有大量新建高档小区
鞍山路			沿街主要为长期自发形成的小型餐饮、菜市场,并有较多的流动摊贩
四平路			城市主干道,沿路南侧有一中等规模超市(物美超市,占地约41145m²),一商办楼(远洋广场,占地约5849m²,28层),北侧为某大学(正门)和某高级中学(正门)

---

① 曾悦. 知然后行——四平街道东部政务公告栏使用情况调查暨改进建议[R]// 高等学校城市规划专业指导委员会等编. 2005全国大学生城市规划社会调查获奖作品. 北京: 中国建筑工业出版社, 2006: 4~8.

路名	位置	照片	特　点
大连西路			城市主干道，街道西面为和平公园（不开口），东面有莱克大厦（28层）和国中会所（酒店式公寓，2幢，32层）

区内路段人流量观测（单位：人／分钟）　　　　　表5-10

观测断面／分类	四平A	四平B	四平C	大连西D	阜新E	阜新F	鞍山支G	彰武H	彰武I	铁岭J	铁岭K	抚顺L	抚顺M
工作日非高峰	3.5/4.6	2.1/2.5	1.0/0.3	2.0/3.4	7.1/3.2	10.3/5.9	4.5/4.3	10.2/2.3	1.5/3.4	4.7/4.5	3.3/3.0	2.1/2.0	3.0/2.8
工作日高峰	11.2/8.9	3.8/21.3	1.5/0.8	5.3/4.2	8.7/1.5	15.4/6.8	6.8/5.4	19.6/3.3	2.1/5.8	8.3/7.2	6.5/7.0	4.3/1.2	5.2/5.3
非工作日	13.4/15.9	6.2/18.9	2.0/1.5	3.2/4.0	8.0/3.1	9.0/7.2	4.8/5.0	13.4/2.6	1.2/1.8	5.0/4.0	4.2/6.0	3.2/3.8	3.0/3.2
观察	沿街商业，临四平电影院等设施，原因人流量不稳定	北侧除高中外无单位开口，南侧由于超市的原因人的性强	少有单位开口，基本没有人通过	少有单位开口，基本没有人通过	生活性街道，人流量较稳定，街道绿化良好，活动设施齐备，人行目的性不强	生活性街道，农贸市场的影响，北侧人流量较大，人行目的性较强	生活性街道，人流量较大，街道狭窄	四平路北侧大学学校常来此购物，人流量极大，目的性较强	仅一寄宿学校（上海航空工业学校）在该段有开口；少人行	生活性街道，人流量较稳定，放学时流量激增	生活性街道，配套较差，人流量较稳定，放学时流量激增	生活性街道，配套较差，人流量较稳定，也许由于"闲人"较多，几乎每次去都有很多人坐在树荫打牌	生活性街道，配套较差，人流量较稳定，放学时流量激增
评价	不适	不适	不适	不适	适	不适	可	不适	不适	可	可	可	可

观测断面／分类	抚顺N	鞍山O	鞍山R	锦西P	锦西Q	苏家屯S	打虎山T	本溪U	本溪V	本溪W	控江X	控江Y	控江Z
工作日非高峰	2.6/2.2	9.8/10.0	16.3/15.5	7.3/6.5	8.2/7.3	6.6/6.3	8.2/6.9	4.1/2.9	4.0/2.8	4.0/1.1	6.5/6.0	10.5/10.6	8.8/9.2
工作日高峰	4.9/4.2	10.3/11.2	18.5/20.5	18.0/17.9	13.0/10.5	9.2/7.1	6.0/5.2	8.2/6.9	8.9/7.2	10.9/1.8	8.8/8.6	18.2/8.6	11.0/6.9
非工作日	2.9/1.8	10.0/10.3	15.0/14.4	3.3/2.4	5.0/3.2	8.8/7.3	6.3/5.6	3.3/3.1	6.2/5.2	8.9/1.2	9.3/8.8	17.8/9.2	9.2/5.0
观察	生活性街道，配套较差，人流量较稳定，放学时流量激增		邮局、好美家（超市）的影响	北侧为本街道社会保障单位，但少有人来；放学时流量激增	生活性街道，放学时流量激增	生活性街道，人流量较稳定，街道绿化良好，活动设施齐备	生活性街道，人流量较稳定，沿街小店较多	少人行，放学下班时流量较大	少人行，放学下班时流量较大	北侧店多人多，人行目的性强；南侧建筑占地太大，少有人行处	该路段两侧以居住为主，仅1个开口，人不多	北侧店多，人也多，南面相对较少	北侧店多，人也多，南面相对较少
评价	可	适	适	可	适	适	可	不适	不适			北侧不适	可

5.2.1.3 系统分析法

(1) 系统分析法的特点

系统（System）是指自成体系的组织，相同或相类似的要素（Element）按一定的秩序和内部联系组合而成的具有特定功能的有机整体。系统的重要特征之一就是要素之间不是彼此孤立的，而是相互联系、相互依存、相互作用的。

"系统"一词由来已久，早在古希腊时代，系统是指复杂事物的总体，它是宇宙中普遍存在的客观事物的一种结构组成模式。在我国传统文化的思维体系中，也有许多关于系统性、整体性观念的精辟论述。例如，《易经》中蕴涵的"天人合一"的哲学理念；《黄帝内经》中把人和自然环境看成是一个有机统一整体的理念等。在实际应用方面，战国时代李冰父子主持修建的都江堰工程则是应用上述理念比较成功的实践。李冰父子在前人治水的基础上访查水脉，因地制宜、因势利导，形成了都江堰包括分水、分洪排沙、引水等三位一体的水利工程，以及与之配套的120个附属堰渠工程，构成一个互相联结的巨大的水利工程体系。自此，成都平原"沃野千里，号为陆海"历数千年，这个系统工程为成都平原人民造了福。

虽然人类早就有关于系统的思想，但近代比较完整地提出系统理论的，则是奥地利的L·V·贝塔朗菲（Ludwig Von Bertalanffy）[1]，1945年在他发表的《关于一般系统论》中把"系统"定义为"相互作用的诸要素的综合体"。贝塔朗菲认为系统有三项普遍的、本质的特征，其一是系统的整体性；其二是系统由相互作用和相互依存的要素所组成，具有层次性和多样性；其三是系统受环境影响和干扰，它和环境发生相互作用，具有动态性和相关性。

系统性是世界上一切事物所普遍具有的一种根本属性和存在方式，它应该包含三个方面的内容：若干要素以一定结构组成的总体，各要素内部或彼此之间的联系与作用，以及由此产生的整体功能。在宏观世界和微观世界，从基本粒子到宇宙，从细胞到人类社会，从动植物到社会组织，无一不是以系统的方式存在。

从不同的研究目的出发，可对系统作不同层次和不同范围的划分，例如一个细胞、一个器官、一个人、一个家庭、一定自然条件下的植物群落、一个组织、一条街道、一座城市、一个国家等都可视为一个系统，都可相对独立地划为一个系统来进行研究。一个系统可以包括若干子系统，但它本身又是另一个更高层次系统的子系统。

---

① 贝塔朗菲(Ludwig von Bertalanffy, 1901～1972)，生于奥地利首都维也纳附近的阿茨格斯多夫，1972卒于纽约州布法罗。1926年获维也纳大学哲学博士。1934年起任该校理论生物学教授。1937年起，先后在美国芝加哥大学、加拿大渥太华大学、阿尔贝塔大学、纽约州立大学等处任教。1949年移居加拿大。1937年，贝塔朗菲提出了《关于一般系统论》的初步框架，创立"生命组织机体论"并由此理论发展成为他的"一般系统论"；1945年在《德国哲学周刊》18期上发表，但由于二战未引起学界注意；1947年他在美国讲学时再次提出一般系统论思想，1950年他发表了《物理学和生物学中的开放系统理论》；1954年他与A·拉波波特等人一起创建"一般系统论研究会"，出版《行为科学》杂志和《一般系统年鉴》；1955年他完成了专著《一般系统论》，该书成为该领域的奠基性著作；1972年他发表的《一般系统论的历史和现状》，把一般系统论扩展到系统科学范畴。一般系统论是研究系统中整体和部分、结构和功能、系统和环境等等之间的相互联系、相互作用问题的学问。

（2）系统分析法的技能技巧

系统分析法是从事物的整体性出发，从系统内的要素与要素之间、系统结构与各要素之间、系统与环境之间的相互联系、相互作用关系出发来考察研究对象的科学方法。按照系统思维方法对调查对象进行比较分类将有利于将复杂问题简单化、条理化和系统化。

例如，美国的景观生态学者伊恩·伦诺克斯·麦克哈格（Lan Lennox McHarg）[①]在他的《设计结合自然》一书中介绍了一条公路的选址方案[②]，系统分析时将公路将要通过的基地的分析要素分解为坡度、地表排水路径、岩床基础、土壤基础等分别予以查明后，综合成基地分析；将基地的土地评估、历史评估、水文评估、景观评估、娱乐评估、居住评估、森林评估、野生动物评估、工业评估等分别予以查明后，综合成基地的社会价值分析。最后，综合考虑所有这些问题，推荐了一条社会代价最小的路线（图5-34～图5-38）。

由此可见，系统分析法既是将研究对象作为系统来考察分析，又是以期达到最佳效果地解决问题的研究方法。城市社会是一个包容多种构成要素和构成方式、彼此相互联系的特殊的复杂的巨系统。在城市与建筑的规划与设计调研中，通过运用分析、比较、归纳、综合等多种科学系统分析法研究问题，对被研究的问题或环境要素进行深入全面且彼此关联的调查研究。

5.2.2 定量分析方法

5.2.2.1 定量分析法的概念

定量分析法就是将研究对象加以定量化表述以及综合处理，以探索、揭示事物内在数量规律的过程和方法。它也被称为数学统计分析法。

由于数学的研究对象是从客观中抽取出来的量的关系，而不是具体的实物或

[①] 麦克哈格于1920年生于苏格兰，他的童年是在距格拉斯哥市（Glasgow）十英里远的乡村度过的。1946年麦克哈格来到美国并于1960年入美国国籍，1949年获哈佛大学风景建筑学士学位，1950年获风景建筑硕士学位，1951年获城市规划硕士学位，1970年及1978年获阿默斯特学院、贝茨学院、刘易斯和克拉克学院的人文学科博士学位。1950～1954年任苏格兰卫生部规划师，1954年以后任费城宾夕法尼亚大学风景建筑和区域规划系教授和系主任。1936～1946年间，麦克哈格在英国伞兵部队服役，任少校和指挥。1968～1976年间曾多次获奖，其中有：1968年及1976年美国风景建筑师学会颁发的布拉德福特·威廉斯奖章（Bradford Wiliams Medal）；1971年北美野生动物管理协会颁发的莫里森奖章（B.Y Morrison Medal）；1972年布兰代斯大学的艺术创作奖（Creative Arts Award）及美国建筑师学会的联合专业奖章（Allied Professions Medal）；1975年费城艺术联盟奖（Art Alliance Award）。1968～1972年，先后在布鲁克黑文国家实验室、伯克利的加州大学、斯凯特尔的华盛顿大学、皮吉特湾大学等处讲学。他是皇家艺术协会、美国风景建筑师协会、风景建筑师学会、英国皇家建筑师学会的名誉会员；美国建筑师学会、英国城市规划学会会员。作品除书中述及外，还有明尼阿波利斯——圣·保罗大城市地区的生态研究；新奥尔良庞恰特雷恩新城规划；德克萨斯州伍德兰新城规划；伊朗德黑兰的环境和公园规划等。

[②] （美）伊恩·伦诺克斯·麦克哈格. 设计结合自然. 天津：天津大学出版社，2006：39-51.

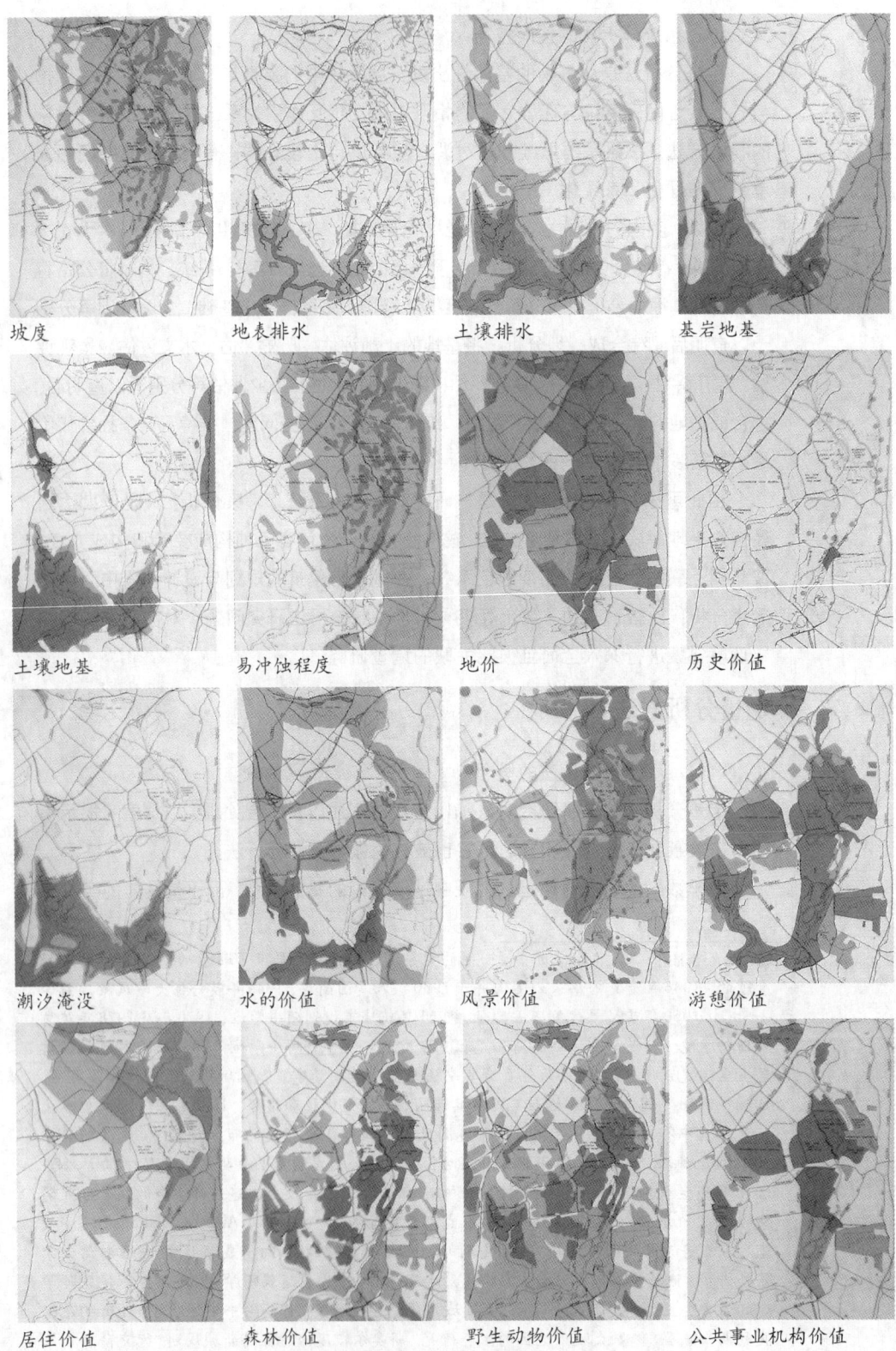

坡度　　　　地表排水　　　　土壤排水　　　　基岩地基

土壤地基　　　易冲蚀程度　　　地价　　　　　历史价值

潮汐淹没　　　水的价值　　　　风景价值　　　　游憩价值

居住价值　　　森林价值　　　　野生动物价值　　公共事业机构价值

图5-34 麦克哈格对公路基地的自然与人文地理的分层与价值分析

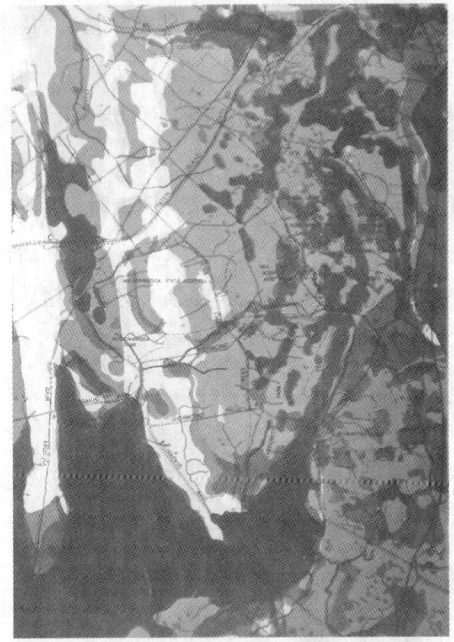
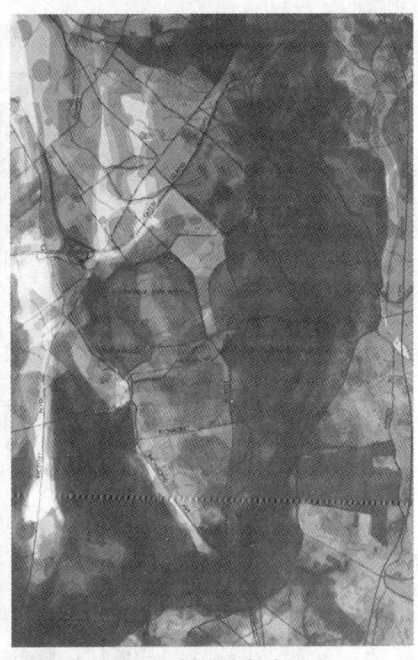

图5-35 各种自然地理障碍的复合图　　　图5-36 全部社会价值复合图

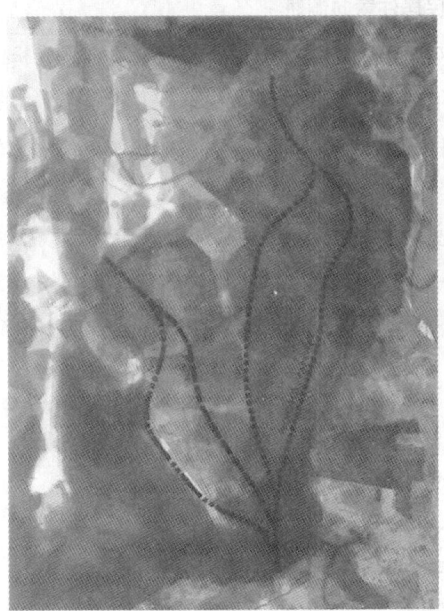
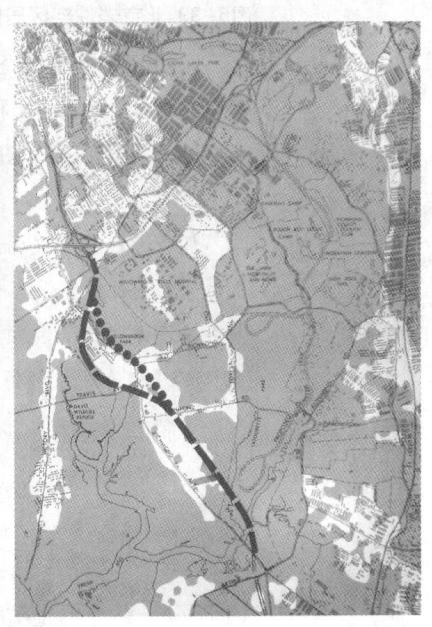

图5-37 路线的评估图　　　　　　图5-38 推荐的、社会损失最小的路线

运动状态，因此有利于把握事物的本质和本质的联系。而在历史上，资料研究从定性描述发展到定量分析，是科学认识重大进展的标志。

5.2.2.2 定量分析法的适用范围

建筑与规划学科的社会调查往往要考虑众多个案，涉及大量的第一手资料，且这些资料之间的关系重要而复杂。为了理解这些资料及其内在特征与规律性，定量分析提供了行之有效的帮助：通过统计学手段，数学化地将所获取的资料条理化、系统化，从而控制其中偶然性因素的影响，有助于揭示出隐藏在一系列现象后的矛盾的本质。

例如，在对北京老住宅区的居民进行居住意向调查时，通过对居民理想居住地点的区位的统计，调查者发现，虽然居住在老城区的居民对居住区环境有诸多不满，但是竟然没有一个人愿意离开北京，大部分人仍然希望居住在中心区或二环与三环之间，极少数人愿意住到郊区去（图5-39）。

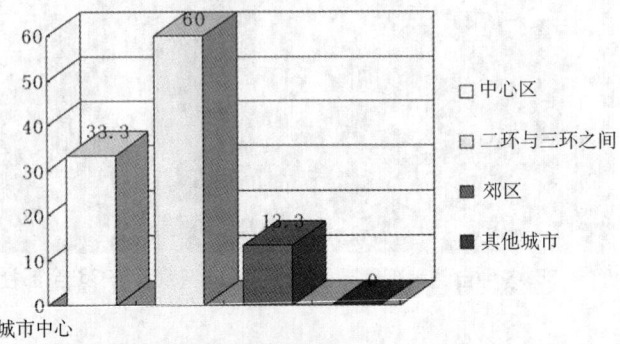

图5-39 北京老住宅区居民居住意向调研

又如，在对济南城区公厕的调查报告[①]中，调查者从定量分析的数据中发现了有趣的矛盾：最吸引出租车司机如厕的城区并不是卫生条件、服务设施最好的城市中心区（图5-40、图5-41）。

调查者在第一次调查中发现，历下区的公厕是最干净的，绝大多数是水厕，并且由于勤于打扫，没有一般公厕的恶臭。而制锦市小区不具备以上优点，无论卫生条件还是服务设施质量都比不上历下区。为什么制锦市小区能吸引最大比例(56%)的出租车司机师傅如厕呢？

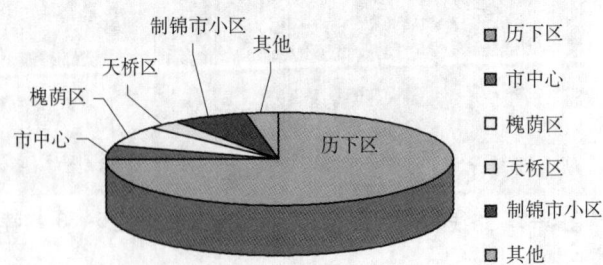

图5-40 卫生条件、服务设施最好区域的比较

---

① 张蕊，马学政，赵秋璐，黄放，孙霞. 如此规范，"急"坏"的哥""的姐"——关于济南城区公厕的调查报告[R]//高等学校城市规划专业指导委员会等编. 2004全国大学生城市规划社会调查获奖作品. 北京：中国建筑工业出版社，2006.

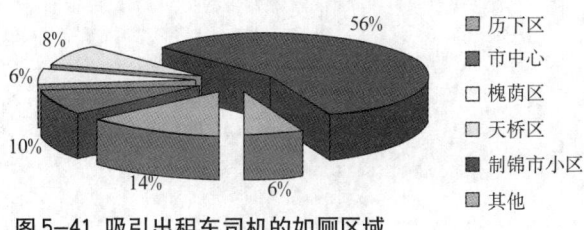

图 5-41 吸引出租车司机的如厕区域

典型调查：制锦市小区——关于制锦市小区吸引出租车司机如厕原因的调查：

(1) 主要路幅宽度为12～15米，允许4～5辆机动车并行而互不影响，这就提供了其中某一辆出租车在路边停靠的可能。

(2) 没有单行线的限制，过往行驶方便。

(3) 路边允许停车，在短时间内不会影响交通。

(4) 公厕不收费且24小时开放，卫生情况基本令人满意。

小结

调查研究的分析方法主要包括定性分析法和定量分析法两大类。定性分析法就是对研究对象进行抽象与概括地分析，主要包括分类分析法、比较分析法和系统分析法。而定量分析通过数学化的统计分析，可以更加科学地揭示规律、把握本质。

本章思考题

1. 城市调查中的认识方法主要有哪些？请分别说明它们的适用范围。

2. 完全参与观察、非参与观察与不完全参与观察在适用范围上有何区别？

3. 为了召开集体访谈会议，主持人应该预先做好哪些工作？

4. 城市调查中的分析方法主要有哪些？请分别说明它们的适用范围。

本章参考读物

1. (美) 凯文·林奇. 城市意象[M]. 方益萍等译. 北京 ：华夏出版社，2001.

2. (丹麦) 扬·盖尔. 交往与空间[M]. 何人可译. 北京：中国建筑工业出版社，2002.

3. 章俊华. 规划设计学中的调查分析法与实践[M]. 北京：中国建筑工业出版社，2005.

Chapter6 Preparation of Investigation Reports

第 6 章　调研报告的撰写

第6章 调研报告的撰写

6.1 调研报告的结构

调查研究报告（Investigation Report）是以文字、图片、图表等为主要技术手段，全面地记录和反映调研方法、过程与结果的书面报告。它能够使调研期间形成的朦胧意识明确化、系统化，是对调查与研究成果的总结，是为反映与交流调研成果而撰写的文本。同时，调研报告是调研工作成果表达和交流的重要方式，通过这种方式，调研成果才能超越时间和空间的局限，达到社会化、公开化。

20世纪以来，人类的知识结构越来越复杂，知识更新的速度也越来越快，城市与建筑的规划设计需要考虑的因素也越来越多。为了加强数据流通效率，减轻读者负担，在科技论文与报告的结构方面，逐渐形成了一些规定，即国际化的文本结构。本章将就调研报告的结构及每部分所包含的内容、格式等分别作出解释性说明。

6.1.1 标题

标题（Title）是一篇报告的名称，其基本要求是：准确、清晰地反映研究的主要内容。标题用词应该简短、规范，便于查询与索引。例如，"南京东路消费行为楼层分布与消费目的结构调查"，"哈尔滨中央大街与周边居住生活之影响"，"苏州古城中心区观前商圈机动车停车问题调查报告"等等。

其次，对于某些研究问题，在很难用简单明了的用词概括所要表达的概念时，往往需要用主标题表达其核心概念，而在其后以副标题的形式限定其研究范围，或加以概念说明。有时，为了使标题生动、有针对性、便于吸引读者，也采用主标题和副标题相结合的形式，例如："想念那白鹭相伴的日子——青龙山下土地利用情况调研报告"，"安得广厦千万间——南京经济适用住房调研报告"，"'粮草'之于'兵马'——上海近郊区生活服务设施调研，以莘庄为例"等等。

6.1.2 摘要与关键词

摘要（Abstract）是在调研报告基础上，高度概括研究信息所形成的学术性短文。其字数一般以百字左右为宜，涵盖的内容有研究对象、目的、方法和结论等，表达力求简明扼要，避免任何注释性与评论性语言，切忌罗嗦。

关键词（Key word）是调查研究报告中最关键的概念性词汇，所选择的关键词一般控制在3～5个。摘要和关键词通常都要求中、英文对照。

摘要：

济南市青龙山上的白鹭群（30多万只）是具有珍贵观赏价值的景观，但两个小区的建设，破坏了原有山体和植被，压缩了鹭鸟栖息、活动的空间。特别是小区的楼群和严格的保安措施，阻挡了居民的上山路径，侵犯了大众观赏鹭鸟群的权利，大大降低了附近土地的经济价值。同时，由于小区过分靠近鹭群，也给小区居民带来了诸多不便。针对调查结果，面对规划失效的无奈，提出只有立法确立自然保护和禁止建设区，才能有效地保护城市中珍稀地带不被蚕食，才能有效地建立起城市中心的楔形绿地系统。

关键词：

自然景观、环境、建设控制区

ABSTRACT：

On the Hill Qinglong, Jinan, the egrets birds (more than 300 000) have unique visual value. But the counstruction of two residential plots destroyed the original landform and vegetation, compressed the territory of measures; Especially, layout of the buildings and the strict security measures, blocked the paths to the hill, encroached the rights of general population to watch the birds, and as such greatly reduced the value of the district. At the same time, the residential plots excessively approach the birds, also bring much convenience to themselves. In view of the investigation's result, helpless which expires facing to the planning, proposed only has the legislation establishment "zero" the construction area, can effectively protect the rare and precious region not to nibble in the city, can effectively establish the urban center's wedge shaped green system.

KEY WORDS：

the nature landscape, environment, the region of control[①]

6.1.3　导言

导言（Foreword）也称引言、绪言，主要说明为什么要进行这一研究和研究问题的关键。它是调研报告的基调，起着总启全文的作用。导言必须包括三方面的

---

① 赵虎，宁辉，王祯，刘晓辉，寻宝花. 想念那白鹭相伴的日子——青龙山下土地利用情况[R]. 高等学校城市规划专业指导委员会获奖案例.

内容:

6.1.3.1 文献综述

文献综述包括对研究对象的历史文化背景与自然沿革的综合性介绍,对相关课题的研究背景与已获得的研究成果的综合性介绍。文献综述的根本目的是明确自己的课题在相关研究领域中的学术地位,即说明课题研究所依据的事实(或理论)基础;简明介绍前人在相同或类似问题的调查研究方面已经取得的研究成果,并加以研究者鲜明、简洁的评述,指出前人研究中所存在的事实或方法方面的缺陷。

在社会影响面较小的调查中,调研报告的文献综述部分可以比较简单。如在广州市居住小区架空层的调研报告[①]中,调查者仅仅介绍了研究对象的历史文化背景(即架空层传统的由来与发展过程)与自然沿革(对岭南地区气候的适应性)。

自古以来,地层架空的干栏式民居就与湿热气候息息相关,曾在中国南部地区、东南亚、美洲、非洲的湿热气候地区广泛运用。岭南地区由干栏式发展成为骑楼式,骑楼式往进深发展就成了架空层。随时代前进,架空形式也发生了变化,除了传统的地层架空模式外,还出现了中空的空中花园、屋顶花园等形式,在活跃气氛的同时改善了建筑的内环境。例如,英国建筑师福斯特设计的法兰克福卡默兹大厦在将生态概念引进架空空间设计方面进行了有益的尝试。

20世纪80年代在佛山、中山等地,政府资助建设住宅的设计将地下层设置为停车房,原因是地下层潮湿,不好出售;随着经济的发展,住宅地下层又改成了停车户,到20世纪90年代,住宅的档次提高了,地下停车库出现了,架空层就从香港传了过来。发展到现在,架空层已经成为房地产开发的卖点,其形式也在不断变化。在广州地区,架空层的发展是由于对开发商而言,楼层高度不超过2.2米不计算建筑面积,并且底层住宅的商业价值不高,所以居住小区开始建造架空层。

架空层对岭南地区气候的适应性体现在:架空层满足了建筑在通风、日照、防热等方面的物理功能,既保证了环境的舒适性,又提高了环境的健康性,并大大提高了建筑对岭南地区气候的适应性。

而在社会影响面较大的调查研究中,文献综述部分的内容则需要比较全面。例如在对南京江宁区江宁街道牌坊村的田野调查[②]中,文献综述的内容还涵盖了相关课题的研究背景与已获得的研究成果的综合性介绍,明确了自己的课题在相关研究领域中的

---

① 华南理工大学99级城市规划专业学生. 广州居住小区架空层调研报告[R]. 高等学校城市规划专业指导委员会获奖案例.

② 所谓田野调查,即指社会学中的一种实证型的调查。它既不是按照预先拟定的理论框架去搜集资料,也不是根据调查研究归纳出一般结论。它的重点是直接观察社会本身,力图通过记录一个个鲜活的人、事、物,来反映调查对象的本质。杨青松等. 南京乡村调查 [M] . 南京: 东南大学出版社, 2007: 1.

学术地位。在调查报告中，调查者首先介绍了田野调查这种调查方法在我国乡村社会调查方面的应用情况与辉煌成果；然后，概述了南京地区乡村田野调查的情况；最后，在文献综述的结论部分则向我们提出了问题——应该重新重视乡村田野调查。

田野调查具有悠久的历史并获得了丰硕的成果。在民主革命时期，中国共产党人为适用开展农民运动的需要，做了大量的农村社会调查，尤以毛泽东同志的《中国农民中各阶级的分析及其对土地革命的态度》、《湖南农民运动考察报告》和彭湃的《海丰农民运动报告》最为著名。社会学家费孝通于1936年在江苏省庙港乡开弦村开展了实地调查，并将整理出来的材料写成了博士论文，最后成书出版（《江村经济——中国农民的生活》），此书被他的导师马林诺夫斯基（英国伦敦大学著名的人类学家）称为"人类学实地调查和理论工作发展中的一个里程碑"。二十世纪二三十年代和八九十年代，我国产生了一大批通过田野调查方式形成的农村方面的学术专著，这些成果对经济社会发展都产生了重要影响。领袖的田野调查，推动了社会变革的进程；学者的田野调查，构建了学术的新理论与框架。而我们所诉求的，则是目前新农村建设中最广泛的农民的心愿，它实际上也是我们研究者的心愿。同时，它也应该是新农村建设的主要依据。

关于南京地区的乡村田野调查，我们分别在《金陵大学农林丛刊》以及《农村新报》上查到两篇文章。一篇是乔启明所作的《江宁县淳化镇乡村社会研究》，另一篇是姚佐元所作的《南京城内居家之分析研究》。发表时间都是1934年，距今已有72年。这个时间，似乎太长了。

6.1.3.2 研究问题的介绍

在对研究问题的介绍部分，研究者应该介绍课题内容、课题界定、研究背景、研究目的和意义等。例如，在苏州中心主城居民居住意向调研报告[①]中，调查者简要介绍了调查背景（全国房地产业飞速发展，苏州房价飞速上涨）、目的（理想住区的评价体系）、意义（为城市规划者和房地产开发商、居民提供辅助决策）和课题内容（苏州桃花坞街区、三元新村、今日家园的三个调查），受访居民合计300名。

1. 调查背景及意义

20世纪后半期是全国房地产业飞速发展的时期，全国各地进行了大批量的住区建设，从住宅数量上解决了人民"住"的问题。但是，随着城市经济的迅猛发展与人民生活水平的日益提高，人们对居住质量的要求也同步提升，寻找一个适合自己的理想住区成为很多居民最迫切的愿望。

---

① 苏州中心主城居民居住意向调查报告——以桃花坞、三元新村、今日家园为例[R]. 高等学校城市规划专业指导委员会获奖案例.

近几年，随着苏州旧城改造力度的加强、新区的快速发展以及住房需求的持续增加，苏州房价也飞速上涨。由此吸引了大批房地产开发商来苏州淘金，居住小区如雨后春笋般出现。很多小区提出了"以人为本"的设计理念，但是，由于目前苏州在居住研究方面具有滞后性，人究竟需要什么样的住宅？喜欢住什么样的住区？无论是房地产开发商还是普通居民，对此还都仅仅停留在感性的认识和模糊的概念上，并没有一个全面的评价体系。

因此，调查者此次的调查目的是通过了解苏州居民对住区的满意程度与居住意向，分析居民的居住需求并将其具体化和定量化。希望通过此次调查能为苏州城市规划工作者和房地产开发商提供一些辅助决策，建设更符合人们需求的理想住区；同时通过将居民理想住区这个感性的、模糊的概念演绎为理性的、具体的内容，为苏州居民选择住区提供依据；此外，还可为我们今后进行居住区规划设计打下坚实基础。

2．调查内容

1）调查目的　中心城区居民的居住意向调查

2）调查地区　苏州桃花坞街区、三元新村、今日家园

3）调查对象　调查区内居民（每个地区随机抽样男女共100名，合计300名）

6.1.3.3 对自己研究工作的介绍

在导言部分的最后，研究者应该简要介绍自己的研究工作，即介绍自己研究的起点和基本理论框架，对研究细节则不需要讨论。例如，在南京夫子庙地区历史与现代文化协调情况调研报告[①]中，调查者就介绍了自己研究的理论基础：《威尼斯宪章》对历史古迹全面保护的理论。

《威尼斯宪章》中指出，历史古迹的概念不仅包括单个建筑物，而且包括能从中找出一种独特的文明、一种意义的发展或一个历史事件见证的城市或乡村环境。城市中的历史古迹保护除了显性式样外，还包括其隐性式样，当中包括了事物遗存、传统空间格局和地方生活模式，这些不仅是城市发展的见证，更是地方文化特色的体现。

随着城市经济的发展，人们对于城市的历史文化保护与发掘也越来越受到重视，使一度被忽视的历史逐渐兴盛，成为城市建设的一大热点。一个城市必须发掘它的文脉，挖掘历史积淀，惟有如此才能体现出城市的特色，丰富城市的精神文化，增强人们的认同感及归属感，增加城市的底蕴。

夫子庙作为南京具有悠久历史的象征地，其历史意义的保护与发展怎样协调，历史与文化如何共存，都是我们需要通过这份问卷寻求的答案。只有了解夫子庙

---

① 天下文枢苑，寻常百姓家——夫子庙地区历史与现代文化协调情况调查[R]．高等学校城市规划专业指导委员会获奖案例．

地区历史与现代文化的协调发展现状，我们才能大胆地预测其发展前景，为夫子庙地区的文化建设，甚至整个南京地区文化特色的传承做出贡献。

6.1.4　方法和结果

调研报告还需要介绍开展课题研究的技术路线和方法，以及通过调查研究方法所取得的调查成果。在调研报告中，方法的说明非常重要。读者只有知道了调研所采用的操作步骤和各种具体方法，才能评价此项调研工作是否科学，调研成果是否有价值。它的内容大致包括：调查思路与方式（包括调查提纲设计、调查程序或流程设计等）、调研对象（包括调研对象界定、抽样方式、抽样样本的介绍等）、资料收集过程的说明（如问卷内容、发放率与回收率统计等）、资料分析方法说明，以及对调查结论的评价等。

例如，在南京夫子庙地区历史与现代文化协调情况调研报告①中，调查者首先简要介绍了调查的思路和方法：采取模块化的方法划分调研子课题，采用结构访问法和自填问卷法相结合的调查方式，并绘制了调查的操作流程图（图6-1）。随后，调查者说明了资料收集情况：问卷发放实行偶遇抽样，以及问卷发放、回收的统计情况。

调查采取模块化的方法，通过相关单位的资料收集和对当地居民的问卷调查获得有关信息。在分析所得信息的基础上，探讨夫子庙地区历史文化建设的具体建议和构想。

问卷发放实行偶遇抽样。调查方式为结构访问法和自填问卷法相结合。发放问卷105份，回收问卷101份，其中有效问卷96份，有效率91.43%。

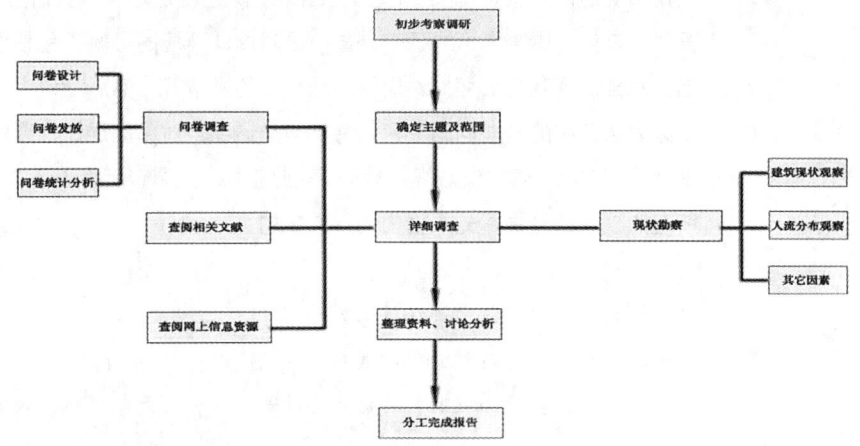

图6-1 调查操作流程图

---

① 天下文枢苑，寻常百姓家——夫子庙地区历史与现代文化协调情况调查[R]．高等学校城市规划专业指导委员会获奖案例．

而在对济南城区公厕的调查①中，调研还包括了两个阶段的逐步深化过程：首先，在市区范围内针对公厕现状以及如厕难问题展开了一系列调查，并从这个阶段的调研成果中发现了有趣的特例；然后，针对这个特例展开第二轮调查与研究——对此，调查者也在调研报告中进行了简要介绍。

于是，我们从城市规划专业角度出发，针对济南的公厕现状以及如厕难的问题展开了一系列调查（第一轮发放问卷120份，回收109份，回收率93.3%）。通过调查，我们不得不承认济南市的公厕确实存在着"如厕难"的问题，脏、乱、臭自不必说，数量少、分布不均、标志不明显等问题也是屡见不鲜。而且，我们在调查中惊奇地发现了一个奇怪的现象：尽管历下区公厕管理得最好，还是有五成多的出租车司机选择在天桥区的制锦市小区如厕，究竟是什么原因会使这么多的司机把如厕地点选择在制锦市小区，之中又存在什么奥秘呢？针对这一现象，我们专门就出租车司机及制锦市小区的现状展开了第二轮调查。

在调研报告中，结论部分需要说明通过调查研究发现了什么。结论的表达应该有一定的层次，往往是从主要的、概念性的、中心的结果开始慢慢展开到次要的、具体的、辅助性的结果。随着调研问题逐步地深入剖析，调研者还需要不断地小结，加强读者对研究与论证主线的把握，切忌给读者造成报告主线不明、不知所云的感觉。其次，尽量用数字、图表说话。但调研报告中的图表也并非越多越好，调研者应该注意避免大量堆砌数字、图表的做法，一定要把握住论述的主线进行取舍：对不能准确地说明调研问题，不能深刻揭示问题的意义和内涵，无法起到辅助论证作用的图表、数据，都应该果断"割爱"。例如，在青龙山下土地利用情况的调研报告②中，调查者对结果的陈述就是随着调查研究的进程，分层展开的：首先，调查者论述了被调查小区对周围环境的影响，包括小区对景观的遮挡、对自然景观的破坏、对周围土地价值的影响等；然后，调查者论述了被调查小区内部存在的一些问题，包括鸟鸣与交通噪声对小区居民的影响、公共活动场地利用率较低、停车位破坏绿地等。在此基础上，调查者得出了本次调研的结论：所有的缺点都是由"先天性内伤"造成的。

2.2 建成小区对周围环境的影响

2.2.1 小区建造对景观的遮挡

……在这美景山坡前，大众需要的是一块公共开敞区域，来欣赏景观、休闲

---

① 张蕊，马学政，赵秋璐，黄放，孙霞. 如此规范，"急"坏"的哥""的姐"——关于济南城区公厕的调查报告[R]. 高等学校城市规划专业指导委员会获奖案例.
② 赵虎等. 想念那白鹭相伴的日子——青龙山下土地利用情况[R]. 高等学校城市规划专业指导委员会获奖案例.

纳凉。

小区的建造将大众与美丽的景观分隔开来，只有小区内的人才能欣赏到，其余的人则被"剥夺"了这个权力，导致了公共景观"私有化"。事实上，只有让绝大多数人享受到大自然的美，大自然的美才能体现它的价值。垄断大自然，只被少数人享受，这与现代的"大众权力"理念是格格不入的。

2.2.2 建成小区对自然景观的破坏

……可见在此地段建造小区不仅对鹭鸟的栖息地造成了破坏，压缩了其活动空间，甚至危害到鹭鸟的生命。而且，挖山平地，破坏原有植被，不利于城市稀有物种的保护，不利于城市生物多样性的维护。

2.2.3 建成小区对周围土地价值的影响

……开发此地段虽然给两房地产公司带来了一定的经济利益，但因此对景观造成了遮挡，降低了周围土地的经济价值，使其本身的经济属性不能很好地发挥。

鹭鸣苑、鲁贤家苑土地的现行开发，是房地产商抓住城市居民渴望自然的心理，硬是在山坡上啃出两块平地，不仅破坏了景观，挡住了附近住户观赏白鹭的视线，还使得四周土地经济效益大大降低。开发商为了丁点眼前利益，造成城市土地资源的严重浪费，相对大众利益、长远利益来说，真是"捡了芝麻、丢了西瓜。"

2.3 关于小区内部的调研

2.3.1 山上鸟鸣、山下车流给小区居民带来的影响

在调查者走访小区时，惊奇地发现：两个小区由于处在近鸟区，环境显得很芜乱，住户的生活质量并非想象的那么理想！……

2.3.2 小区内公共活动场地

公共活动场地不仅不能发挥其应有的功能，在观赏景观方面也没做相应的考虑。使得白鹭景观虽然被包在了小区里面，但是实际上却未被真正利用起来。

2.3.3 停车位与绿地

在走访的过程中，调查者发现两小区内住户拥有私家车的很多，停车位却不足……究其原因，在于此种高层次小区住户（特别是鹭鸣苑）的私家车拥有量远远超过了现有城市居住区设计规范的最低停车位要求。并因鹭鸣苑本身啃山平地，如再开挖地下车库会大大提高成本，太不合算。而今开发商为了多划几个停车位，谋取经济利益，不惜破坏小区绿化率，甚至损害广大住户的切身利益。

其实不管是山上鸟鸣、山下车流对小区居民的影响，还是小区公共活动场所的诺言不兑现，以及小区停车位与绿地的矛盾，都是因为这两方土地，属于开挖山体所得。房地产商意在这地域内掘金，在公共设施的开发上处于能应付就应付的状态，哪里还会考虑景观、住户的感受，哪里还会顾及承诺、道义！

总之，小区的上述缺点是"先天性内伤"造成的！是由其本身所处特殊位置及房地产商为谋取极端利益的开发方式所决定的！

6.1.5　讨论

　　调研报告的讨论部分不仅仅是简单地重复调查结果，而应该是对自己调查中所遇到问题的关键所在进行剖析，以及对进一步深化研究提出建议。因此它常常不是具体的、细节的，而是一般性的、宽泛的陈述。讨论部分通常还包括一些对调研课题扩展性的思考：对于研究仍未能回答或新发现问题的讨论，以及对这些问题的研究建议等，可使报告激发读者的思考，从而成为关注同一个社会问题的建筑师或规划师开展相似社会问题调查研究的起点，提高调研报告的社会价值。例如，在南京夫子庙地区历史与现代文化协调情况调查的调研报告[①]最后，在对夫子庙地区今后的建设提出具体的建议之后，调查者还对现代城市中的文物整体保护与文化传承方面的问题进行了扩展性的讨论，如新老建筑如何协调，文物的保护与利用如何协调，城市文脉如何延续等等。

　　3.1 "老房子"与现代建筑之间的关系

　　"老房子"与现代建筑之间的冲突，其实也就是中国这所"老房子"在世界西式格局中的不舒服感。它无疑暴露出我们在文化继承和文化建设上的"双重错位"——对"老房子"没有创造性改造，对西式建筑也没有创造性改造；需要"老房子"时就要"老房子"，需要高楼大厦时就要高楼大厦。这样，我们对"老房子"的审美性怀旧和对西方文化的审美性向往，就都是拿来的、移植的，乃至抄袭的。对"老房子"煽情式的宣传和艺术包装后的打动人心，如果不是作为一种美的符号与西式建筑一起被我们同时欣赏，那么在"中国特色"问题上，就会让我们产生"唯此为大"的排他性。我们就会在这种煽情似的怀旧下一边抱着"老房子"敝帚自珍，一边鼓动起"排斥西式建筑"的冲动。

　　建筑风格是时代的反映，伴随社会经济的发展、思想观念的转变和物质技术的更新，在开放环境下不可避免地会有新建筑出现，这些新建筑将对旧有的建筑带来冲击。我们希望新老建筑风格能协调统一，比如可以借鉴传统建筑的风格、形制、手法乃至具体的材料、色彩和装饰母题，来塑造统一、和谐的视觉效果。

　　3.2 保护与利用的关系

　　保护与利用应该是相辅相成的，保护的目的就是为了利用。恢复早已消失的历史建筑，改变历史的本来面貌，完全偏离了保护的真谛。历史并非一成不变，今天对于明天同样是历史。对于一个开放性的历史文化街区，我们不需要孤立静止的保护。

　　夫子庙历来便是一个集文化、商业、餐饮、娱乐等多功能的服务中心，在它

---

① 天下文枢苑，寻常百姓家——夫子庙地区历史与现代文化协调情况调查[R]. 高等学校城市规划专业指导委员会获奖案例.

的背后，隐藏着的是通俗文化。我们不能仅仅从其表面出发，紧紧抓住"历史"不放，那样是通过"历史煽情主义"来体现一种"非创造性"的人文关怀，其文化含量自然只能是历史的循环甚至是历史的倒退而不是历史的创造。我们应该把握夫子庙的文脉，用现代的方式来体现这种文脉。当然，这并不意味着对历史的全盘否定，一些具有意义的历史建筑应充分予以保护，并在此基础上充分利用历史遗存的知名度。

3.3 城市建设应突出一个城市的文脉

城市特色作为人们对一个城市的内容和形式特点从褒义上进行的形象性、艺术性概括，是城市作为人们审美对象的一种审美特征，是能为人们感官所感受，并使之由感性认识上升到理性认识，获得对该城市的个性风貌特点认识的一种感性特征。

城市的保护不能切断自身的发展，而是要通过规划的引导与制度的调控让发展的脚步更为稳妥，实现保护与更新的辩证统一。在处理历史与现代的问题上，不能把两者割裂开，历史和现代不是对立的，而是可以和谐共存的。城市是历史的延续，现实的展台，并诠释着未来。在城市建设中，我们应体现文化连续的、逐渐的、复杂的和精致的变化，这是城市多样性的需要，也是城市文脉延续的需要。

在北京东城区新太仓地区保护修缮规划设计的调研报告[①]中，讨论部分则更加简洁明了：坚持保护，探索更新，体现可持续发展的诉求。

在新太仓历史街区保护修缮规划设计中，如何实质性地建立起一个有生命的，而又随着时代的变化生生不息的城市街区是我们努力争取的。

通过对历史街区应用灵活的、片断性的、循序渐进的保护策略，在尊重文物建筑历史真实性的基础上，以新老要素并置的手法展现街区的建筑在时间上的演变过程，使我们所关注的城市文化在历史中延续。

又如，在青龙山下土地利用情况的调研报告中，调查者在列出了小区周边与内部存在的一系列问题之后，开始探索这些问题产生的根源———一些"见不得阳光的东西"，随后提出了避免这类问题再度发生的建议——"零规划区"。[②]

调研之初，通过查找2003～2020年的济南市城市总体规划方案，我们仅仅认为现状是规划部门缺乏详细考虑，习惯于简单的划线所致。后来，随着调研的深

---

① 戎安. 北京市东城区新太仓地区保护修缮规划设计方案. 2006.
② 赵虎等. 想念那白鹭相伴的日子——青龙山下土地利用情况[R]. 高等学校城市规划专业指导委员会获奖案例.

入，开发商为谋求极端利益而不惜手段的做法，村民因不满土地出卖而贴出的布告，村委干部有关土地问题含含糊糊的回答，市规划局各处之间的相互推脱……，让我们也稍稍看出点端倪，原来里面有"见不得阳光的东西"，正是这些东西促成了这个结果，促成了现在的现实。

类似的事情虽不能说是举不胜举，但让人听来也早已不感新鲜。

今天，甚至城市中的公园绿地也出现了控制不了的尴尬局面。为什么在这些敏感地带总会有房子肆意建起来？为什么我们的城市规划就是控制不住呢？

究其本质，其实这都是中国封建余毒的展现，体现了家族利益、集团利益与社会共同利益的矛盾，这也是现实社会一个长期潜在的危机。而且，此矛盾的痼疾，一定时期内很难消除，所以，我们提出"划地为零"的建议。

6.1.6 　总结

总结（Summary）是在调研报告的最后，通过综合分析与概括，作出总的结论性意见。总结的主要内容包括：调研结果概述、经验的总结、结论与建议的说明等。总结的撰写对于整个调研报告的结构具有重要意义。它们可以概括出整篇调研报告的主要观点，有利于论述主线的明确和调研报告说服力的增强。它们在总结调研成果与经验的基础上，或剖析危害，引起重视；或形成结论，提出建议，深化主题，提升调研报告的社会价值。

总结都应注意措辞准确、态度谨慎、观点鲜明、语言肯定，切忌妄下结论或下一个模棱两可的结论。例如，在苏州中心主城居民居住意向调研报告[①]的最后，调查者总结了"以人为本"的理想居住环境的本质：居住需求。

"以人为本"住区才是真正的理想住区，但是人的需求具有多样性，不同地区和不同背景的人，其需求意向肯定是千差万别的。我们所做的就是在考虑共性的基础上，从这些差别中找出一些规律，通过将居民需求的定量化和具体化，以及从不同人关注项目满意程度的量化结果中找到其组别间最迫切的主导需求。能很好解决上述需求的住区即为此类居民居住意向的终结点。

过去，我们对居住意向只有一个感性的认识，概念很模糊。

如今，我们将居住意向这个概念赋予在居住需求这个载体上，通过调查，将其具体化和定量化，从而方便人们最直观的了解苏州中心城区不同居民对住区的实际需求。

---

① 苏州中心主城居民居住意向调查报告——以桃花坞、三元新村、今日家园为例[R]. 高等学校城市规划专业指导委员会获奖案例.

规划部门及房地产开发商在建设住区时，应针对不同居民的特殊性具体考虑此地区居民的居住意向，建设真正符合居民需求的住区。我们在进行小区规划设计时，也应该遵循和了解设计地区居民的居住意向，只有这样才能真正从居民的实际需求出发，符合他们的意向。

6.1.7　参考文献

参考文献（Bibliography），即调研报告中参考的主要书籍和文章目录。由于大多数研究工作都是在前人研究的基础上展开的，为了尊重前人研究成果的知识产权，文章中任何引用他人的观点、数据、材料等，都应该注明出处。

参考文献在调研报告的尾处，包括报告中所引用过的全部著作和文章目录。此外，根据中国学术期刊（光盘版）检索与评价数据规范要求，要求在参考文献的题名后面以单字母方式标识出各种参考文献的类型，建议采用单字母，如表6-1所示。

文献类型标识表　　　　　　　　　　　　　　　　　表6-1

文献类型	专著	论文集	报纸文章	期刊文章	学位论文	报告	标准	专刊	其他
类型表识	M	C	N	J	D	R	S	P	Z

综上所述，规定的标注索引项的顺序应该依次为：

1）著作的写法

作者名．书名．版本．其他责任者．出版地：出版者，出版年．

如：温克尔曼．希腊人的艺术[M]．邵大箴译．南宁：广西师范大学出版社，2001．

2）文章的写法

作者名．题名．其他责任者．刊名．年．卷（期）．

如：圣伊利亚．1914年宣言[J]．罗征启译．建筑历史与理论．中国建筑工业出版社，1984．

值得一提的是，在排列参考文献中的书目时，应以作者拼音首字的26个字母的顺序进行排列。

6.1.8　附录

附录（Addendum）是指调研报告的附加部分，通常是调查研究过程中所使用的问卷、量表、专业术语对照表及名词注释等。这些补充资料可以帮助读者更好地了解调查研究的过程，以及得出结论的基础，但是在正文中，出于篇幅或文脉的考虑，无法全部地涵盖这些内容。

有的调研报告还附有后记（Postscript），指在结束语之后，对与调研报告的形成、写作、出版等有关问题进行的介绍和说明。主要的写作内容包括：与调查课题的提出和实施有关的情况和问题、与调研报告的撰写有关的情况和问题、与调查课题参与者和调研报告撰写者有关的情况和问题、与调研报告发表或出版有关的情况和问题等等。

小结

报告的结构是形成报告的骨架，也反映了研究的逻辑发展过程，体现了事物的规律和研究者的思路。有了合理的框架后，在动手撰写的过程中就不会出现大修大改的弊端，撰写的过程便成为中心论点外化和显现的过程了。

调研报告一般的固有格式主要包括八部分的内容：标题、摘要、导言、方法、结果、讨论、总结和附录。曾经有人无不讽刺地称之为"洋八股"，并一度出现了精简的趋势。[①]如方法、结果、讨论可以合并为主体部分，摘要和小结合并放在结尾作为总结部分等等。

6.2　调研报告的表达方式

6.2.1　调研报告表达的要求

为了简明、有效地反应调研成果，调研报告在表达方面也有一些基本的要求，即科学性、明晰性、思想性、艺术性。

科学性包含两个层面的要求：一方面要求数据真实准确、实事求是。由于调研结果往往与调查者预先设想的答案不尽相同，在这个时候，调查者切记不要编造和修改原始数据，将结果人为地做成预期的结论，而要尊重调查的实际情况，客观地反映调查结果，不能弄虚作假，编造数据。另一方面要求成果表达的科学性，即文字、图表、图示等表示方式准确、合理、规范、科学。

明晰性也包含两个层面的要求：一方面是指文本行文思路清晰，论述逻辑，文字简练。即调查报告的写作方式应该采用政论文的写作方式，切忌浮华和铺张。明晰性的另一方面要求图表的组织等都应该具有代表性，通过图文并茂的表述方式，使阅读报告的人能够非常清晰地理解调查者所要表述的内容。

---

① 因为学术论文通常确实有八个部分：绪论、材料与方法、观察与结果、讨论、总结、图片与说明、参考文献、外文摘要。李汝祺. 同遗传科研小组谈科学研究与论文写作：怎样写学术论文[C]. 北京：北京大学出版社，1981：111—112.

思想性指报告编写者应该抱有正确的价值观，在报告中应该观点明确，旗帜鲜明，切忌晦涩或拐弯抹角，特别要注意报告的内容应该符合时代的发展趋势。

艺术性是指文本制作应该富于艺术表现力。调研报告是一个创作作品，任何作品能否为大众所喜闻乐见，它表达的艺术性起到了关键性的作用。因此，报告撰写者在编写调研报告中，除了要注意调研资料与研究成果是否科学合理、丰富充实，还要十分关注报告编写结果的形式美要求。

例如，在北京市昌平区南口镇龙潭村村庄规划调研报告的现状调研部分[1]，调查者按照专业划分，科学、明晰地表达了村庄调查的结果，包括行政区划、自然环境、历史文化环境、交通环境、社会发展现状、经济与产业现状、用地规划与建设方面的内容。

1. 地理位置及行政区划
2. 自然现状
   2.1 地质条件
   2.2 地貌条件
   2.3 水资源现状及水资源评价
   2.4 气候条件
   2.5 其他条件
3. 历史沿革及历史文化资源
4. 交通条件现状
   4.1 外部交通现状
   4.2 内部交通现状
      1) 村庄主路
      2) 村庄支路
      3) 公共交通
5. 社会发展现状
   5.1 人口现状
      1) 人口规模现状
      2) 城镇化统计
      3) 劳动力结构统计
      4) 流动人口统计
      5) 文化结构统计
      6) 民族与姓氏
      7) 人口增长与家庭结构

---

[1] 中央美术学院建筑学院. 北京市昌平区南口镇龙潭村村庄规划. 2007.

5.2 社会福利保险状况

6. 经济与产业现状

　6.1 产业发展现状

　　1）第一产业

　　2）第二产业

　　3）第三产业

　6.2 经济收入状况

　　1）集体经济

　　2）个人经济收入

7. 村庄用地现状

　7.1 非建设性用地

　7.2 建设性用地

8. 村庄建设现状

　8.1 村民住宅建设现状

　8.2 道路设施建设现状

　8.3 公共服务设施建设现状

　　1）集会空间

　　2）医疗设施

　　3）教育设施

　　4）文化、娱乐设施

　　5）商业设施

　　6）体育设施

　8.4 市政基础设施建设现状

　　1）给排水设施建设现状

　　2）电力电信基础设施建设现状

　　3）供热基础设施建设现状

　　4）环卫基础设施建设现状

　　5）防灾设施现状

　　在对北京四合院的蜕变与"大杂院"的形成的调研报告[①]中，调查者采用了图示化的方法，将四合院的蜕变过程划分为四个时期，即1949～1960年、1961～1976年、1977～1980年初、1980年初～1990年，并以不同的色彩分别标明了各个时期被调查区域内房屋加建的情况；此后，还以表格的形式比较了四合院与"大杂院"的土地利用强度。如此，"大杂院"的形成过程原因跃然纸上（图6-2，表6-2）。

---

① 刘幸. 北京四合院的蜕变与"大杂院"的形成研究[R]. 2004.

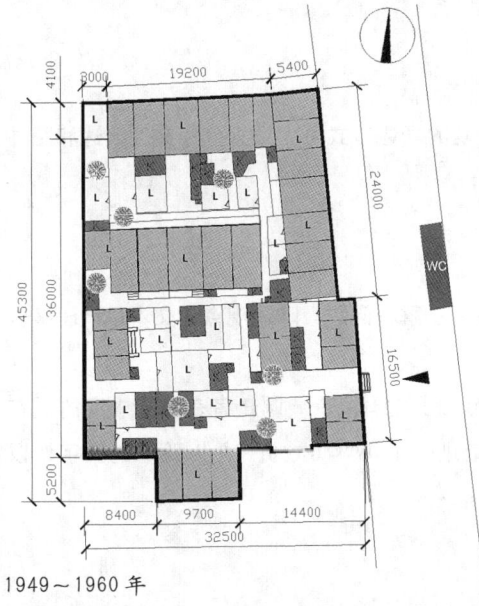

1949～1960 年   1961～1976 年

1977～1980 年初   1980 年初～1990 年

图6-2 四合院的蜕变与"大杂院"的形成过程

四合院与"大杂院"的土地利用强度对比   表6-2

	四合院时期	"大杂院"现状
人数（人）	15	73
人口密度（人／ha）	120	570
建筑总面积（m²）	611	1060
建筑密度（%）	50%	85%
容积率	0.48	0.83

6.2.2 调研报告表达的方式

根据形式，常见的分析、归纳问题的表达方式可大致划分为文件表达和图件表达两种。

6.2.2.1 文件表达法

(1) 文本表达

古人云："文者，贯道之器也。"为了解释问题，陈述观点，文本是调研报告最重要的部分之一。

例如，在北京市怀柔区九渡河镇规划文本[①]中，调查者在客观求实的调查研究基础上，严肃审慎地对研究区域进行了 SWOT 分析，并以简练的文字予以表述。

1．潜在优势 (Strengths)

九渡河镇地处怀柔、昌平、延庆交界处，独特的地理位置为其融入区域经济发展提供了前提和基础。另外，便捷的公路交通和紧邻镇域南部边界的铁路为城镇发展营建了良好的外部环境。

依托黄花城长城这一独特的景源，镇域范围内已经形成了一定规模的旅游业。区内现有的旅游业为地区旅游经济的发展奠定了基础。

水土保护工程、河流治理工程为九渡河镇的经济发展带来新的契机。

区内三产的自然资源良好，板栗、干果、冷水养殖等特色经济已经初步形成。

九渡河镇有能力依托自身环境优势发展地方特色经济，通过经济与生活结构转型、人口结构转化等方式推动本地区城镇化水平的提高。

2．不利因素 (Weaknesses)

现镇政府处于镇域东端，与区内中部及北部地区联系较弱，未能体现镇政府所在地的辐射和聚集效应，在一定程度上削弱了政府的领导和管理职能。

城镇整体职能尚不明确，城镇化水平比较低，地区经济处于起步阶段，且发展方向不明确。

各村布局比较分散，不利于城镇整体化协调发展，在一定范围内造成了资源和劳动力的浪费。

镇域范围内基础设施建设水平比较低，对区域经济发展将产生不利影响。

3．机遇因素 (Opportunities)

国家提出的科学发展观，城乡统筹发展的战略思想和以城乡一体化发展为前提的新农村建设运动为怀柔及九渡河镇的发展带来了千载难逢的机遇。

---

① 戎安．北京市怀柔区九渡河镇总体规划 (2006~2020 年)．2006．

北京市新一轮总体规划修编中提出了两轴、两带、多中心发展的战略纲要。在这一纲要中，怀柔区及九渡河镇正处于其生态保护带的上游地区，这为怀柔新城规划及九渡河镇以环境保护为前提建设生态型小城镇带来了新的发展机遇。

北京地区全方位的长城修缮和开发利用，也为九渡河镇旅游业的发展带来了新的契机。

4．风险因素（Threats）

九渡河镇的建设，如果不能够科学合理地统筹协调发展与保护的关系，在发展中过于强调经济发展速度，形成过度开发，将会影响九渡河及怀柔的生态环境，引起社会发展的失衡。由于怀柔区承担着北京市的生态屏障和水源保护的重要任务，过度开发必将影响到北京市的可持续发展。

所以本规划对于地区发展的科学预测、规划和控制起到至关重要的指令性和指导性作用。

（2）图表表达

图表表达包括两部分内容，即表格表达与统计图表达。它们都是研究者用来统计、反映、分析调查资料的常用方法和形式。与文本表达相比，图表表达的方式更加概括、简练。

1）表格表达

表格一般由标题、标目（横标目、纵标目）、数据、表注等要素构成。在制作表格的时候，为了保证其明晰性，表格的总标题、纵横标目和表注的文字必须清晰、简短，能确切说明表格的内容；其次，纵横标目的排列要有一定的逻辑顺序。

例如，在北京市昌平区南口镇龙潭村村庄规划调研报告[①]的附录部分，调查者附加了现状情况列表，表格中分项记录了村庄调查的成果，与之前的调研报告文本相比，这份表达了相同内容的表格明显更加简单、明了（表6-3）。

现状情况列表　　　　　　　　　　　　　　表6-3

村庄基本情况	村名	龙潭村		
	所属乡镇名称	南口镇		
	村庄类型：　2、浅山丘陵区✓		1 深山区 2 浅山丘陵区✓ 3 平原区	
	是否与国道、高速路、主要公路（县级以上）相邻，如果相邻，距离多远		1 是✓ 2 否	距离多少公里 1.5
	与最近新城中心的通车距离		1 2公里以内 2 2至5公里 3 5至10公里 4 10至20公里 5 20公里以上	13公里

---

① 中央美术学院建筑学院. 北京市昌平区南口镇龙潭村村庄规划(2006~2020年). 2007.

村庄基本情况	有无登记文物，如果有，有多少处	1 有✓ 2 无	有多少处文物
	是否有除文物外需要保护的历史文化资源	1 是 2 否✓	有多少处历史文化资源
	户籍人口	157 人	
	其中非农业人口	10 人	
	居住半年以上外来人口	60 人	
	劳动力个数	117 人	
	从事一产劳动力	67 人	
	从事二产劳动力	0 人	
	从事三产劳动力	50 人	
	户数	63 户	
	年人均纯收入	10 000 元	
	2005 年村集体收入	112.7 万元	
	村集体资产总额	403.9 万元	
	村集体债务总额	无	
	新型合作医疗参保人数	157 人	
	基本养老保险参保人数	0 人	
	享受最低生活保障人数	0 人	
	五保户人数	0 人	
	主导产业描述	旅游休闲	
土地使用情况	村域面积	900 公顷	
	耕地面积	14.3334 公顷	
	住宅用地面积	17.4 公顷	
	公共服务设施用地面积	0.6667 公顷	
	村域范围内道路面积	2 公顷	
	村庄建设用地范围内道路面积	2.5 公顷	
	二、三产业建设用地面积	0.6667 公顷	
	闲置土地	耕地无闲	
	其他	0 公顷	
供水情况	年农业用水量	31.62 万吨	
	年二、三产业用水量	3.267 万吨	
	年生活用水量	1.536 万吨	
	自备井	无眼	
	市政管网（水厂）供水户数	0 户	
	村内自来水供水户数	61 户	
	自家打井供水户数	2 户	
排污情况	有无独立污水集中处理设施	1 有✓ 2 无	如果有，处理规模多大？覆盖户数多少？
	有无污水集中处理接入市政管道	1 有 2 无✓	如果有，处理规模多大？覆盖户数多少？
	随意排放污水户数	40 户	
	村内企业随意排放污水量	0 吨	
	砌筑明沟长度	0 米	
	土质明沟长度	0 米	

排污情况	暗沟长度	0 米	
	污水管道长度	500 米	
	已改厕户数（指三格式等）	10 户	
	公厕	3 座	总计多少面积（m²）40
垃圾处理情况	平均每日村庄总垃圾量	0.25 吨	
	每日无害化处理垃圾量	0 吨	覆盖多少户？
	垃圾桶	15 个	
	垃圾箱	25 个	
	垃圾房	3 座	
	垃圾池	无	
道路情况	村庄建设用地范围内主要道路面积	2.73 公顷	
	村庄建设用地范围内主要道路长度	4550 米	
	村庄建设用地范围内主要道路硬化面积	17100 平方米	
	村庄建设用地范围内支路面积	55000 平方米	
	村庄建设用地范围内支路硬化面积	0 平方米	
	路灯	82 个	
	有路灯照明街道长度	3000 米	
能源使用情况	年一产用电量	71248 千瓦时	
	年二、三产用电量	千瓦时	
	年生活用电量	千瓦时	
	燃煤户数	0 户	
	使用液化气户数	0 户	
	使用太阳能户数	0 户	
	使用土暖气户数	0 户	
	使用电暖气户数	0 户	
	使用暖炕户数	0 户	
公共服务情况	是否有卫生（门诊）所	1 是√ 2 否	如果有，多少平方米？ 352
	使用互联网户数	5 户	
	接受电视节目情况	1 有线信号√ 2 无线信号 3 无信号	有线信号接受户数？ 304
	小学	1 有 2 无√	如果有多大规模？ （人，平方米）
	托幼	1 有 2 无√	如果有多大规模？ （人，平方米）
	公共浴室	1 有√ 2 无	如果有多大规模？ （个，平方米）
	图书室	1 有　在建 2 无	如果有多大规模？ （个，平方米）
	商店	1 有　私家4个 2 无	如果有多大规模？ （个，平方米）
	文化站	1 有√ 2 无	如果有多大规模？ （个，平方米）
	有室外健身器材的场地	200 平方米	

公共服务情况	集市	1 有 2 无✓	如果有多大规模? (周期，平方米)
	其他		

2）统计图表达

与表格相比，统计图表达的方式更加直观、形象，一目了然、通俗易懂。它特别适合于描述被调查事物的总体构成情况，展示、对比现象变化的分布情况与趋势等。

在绘制统计图时，为了达到调研报告表达的基本要求，首先，必须明确统计图的目的，突出重点。其次，图示的内容需简明扼要。此外，应保证数据科学、图示准确；最后，确保图形美观大方、生动鲜明。

例如，在北京市昌平区南口镇龙潭村村庄规划调研报告[①]的村民意愿调查部分，调查者以统计图的形式，简单明了地表达了被调查者的背景、住宅现状（图6-3～图6-6）。

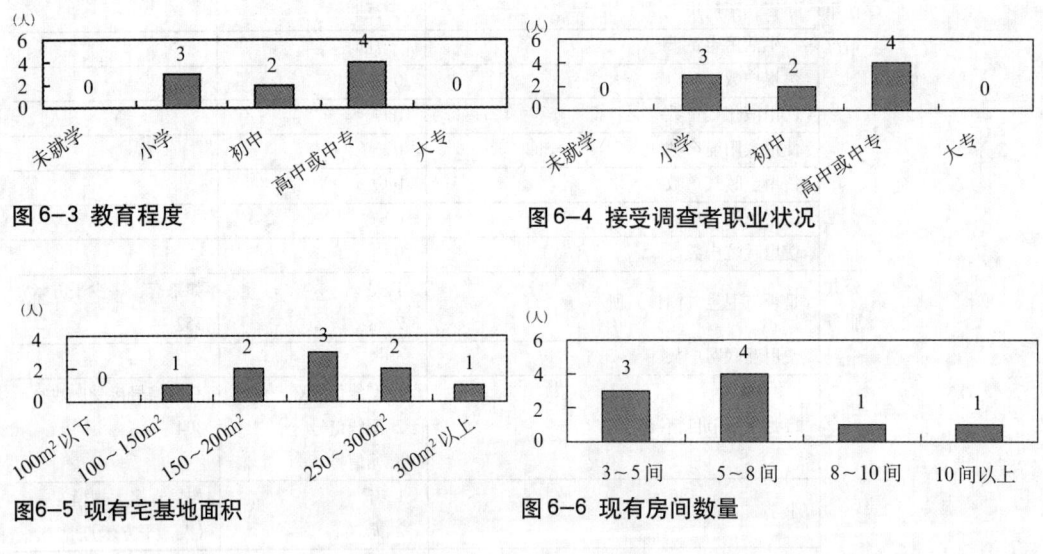

图6-3 教育程度

图6-4 接受调查者职业状况

图6-5 现有宅基地面积

图6-6 现有房间数量

6.2.2.2 图件表达法

图件是一种文字的替代性图示，用以表示难以用文字来描述的视觉信息，对书面语言的局限性来说是一个有益的补充。表达的目的也是将前一阶段调查与研究的工作成果等用空间语言具体化地予以表现的过程，因此对这种图解化语言的基本要求是明晰性，明晰性要求照片的选择或图纸绘制都应该目的明确，且具有代表性，使读者能够非常清晰地理解调查者所要表述的内容，有时还可以加少量文字来辅助图件表达。

---

① 中央美术学院建筑学院. 北京市昌平区南口镇龙潭村村庄规划(2006～2020年). 2007.

图件表达有两种基本形式，即具体写实的照片表达和抽象概括的图纸表达。

例如，在对圆明园遗址实地考察成果的表达中[①]，为了将错综复杂的历史、现状问题表述清楚，调查者采用了照片与图纸相结合的综合表达方式。首先，调查者在概括性的总平面图上标出了景区（后湖景区）与景点（天然图画）的位置，并辅以文字说明了景点的中、法文名称；然后，截取了清乾隆九年遗存下来的关于圆明园最原始的资料——"圆明园四十景"中关于该景点的描绘；接着截取了景点的复原平面图；之后则是景点的现状测绘平面图；最后，调查者给出了大量的实录性照片并分别编号，以便在现状测绘平面图上标明视点与视角（图6-7）。如此，读者很快就能够比较全面系统地把握该景点历史与现状的景观状况。

此外，在城市规划中常常会提到"六图一书"的概念，其中，"一书"是指规

图6-7 圆明园后海景区"天然图画"景点遗址调研

① 法国华夏建筑研究学会. 圆明园遗址的保护和利用 [M]. 北京：中国林业出版社，2002.

划说明书文本，属于文件表达的范畴；而其他"六图"则都属于图件表达的范畴。

小结

根据形式，调研报告的常见表达方式可大致划分为文件表达和图件表达两种，其中，文件表达可以划分为文本表达与图表表达两大类。为了简明、有效地反应调研成果，它们共同的表达要求是：科学性、明晰性、思想性、艺术性。

本章思考题

1. 调查报告的基本结构包括哪几个组成部分？它们各自的内容、格式要求是什么？

2. 在调查报告中，结果、讨论和总结三部分在内容上有什么区别？

3. 调查报告表达的基本要求是什么？

4. 在调查报告的文件撰写中，文本表达与图表的表达方式有什么区别？

本章参考读物

1. 王力，朱光潜等．怎样写论文：十二位名教授学术写作纵横谈[M]．沈阳：辽宁教育出版社，2006．

2. 梁思成．中国建筑史[M]．天津：百花文艺出版社，1998．

3. 谭纵波．城市规划[M]．北京：清华大学出版社，2005．

Chapter7 Examples of Investigation Reports

第 7 章　调研报告实例

第7章　调研报告实例

7.1 苏州中心主城居民居住意向调查报告——以桃花坞、三元新村、今日家园为例①

7.1.1 调查概要

7.1.1.1 调查背景及意义

20世纪后半期是全国房地产业飞速发展的时期，全国各地进行了大批量的住区建设，从住宅数量上解决了人民"住"的问题。但是，随着城市经济的迅猛发展与人民生活水平的日益提高，人们对居住质量的要求也同步提升，寻找一个适合自己的理想住区成为很多居民最迫切的愿望。

近几年，随着苏州旧城改造力度的加大、新区的快速发展以及住房需求的持续增加，苏州房价也飞速上涨。由此吸引了大批房地产开发商来苏州淘金，居住小区如雨后春笋般地出现。很多小区提出了"以人为本"的设计理念，但是，由于目前苏州在居住研究方面具有滞后性，人究竟需要的是什么样的住宅？喜欢住什么样的住区？无论是房地产开发商还是普通居民，对此还都仅仅停留在感性的认识和模糊的概念上，并没有一个全面的评价体系。

因此，我们此次调查目的是通过了解苏州居民对住区的满意程度与居住意向，分析居民的居住需求并将其具体化和定量化。希望通过此次调查能为苏州城市规划工作者和房地产开发商提供一些辅助决策，建设更符合人们需求的理想住区；同时通过将居民理想住区这个感性的、模糊的概念演绎为理性的、具体的内容，为苏州居民选择住区提供依据；此外，还可为我们今后进行居住区规划设计打下坚实基础。

7.1.1.2 调查内容

(1) 调查地区　苏州桃花坞街区、三元新村、今日家园

(2) 调查对象　调查区内居民（每个地区随机抽样男女共100名，合计300名）

(3) 调查方法　① 问卷法　② 访谈法　③ 观察法　④ 文献资料检索法

(4) 调查思路

在此次调查中，围绕调查目的，我们分别对苏州三个地区居民及住所的各项基本属性、居民对目前住区的满意度和居住意向进行调查，并通过对所得资料进行整理、比较、分析，将其定量化，以期分析结果有利于全面了解苏州居民的居住意向。

① 高等学校城市规划专业指导委员会获奖案例。

图 7-1 为这次调查研究的基本进程与思路。

(5) 实地调查时间　2003 年 4 月 9 日至 2003 年 4 月 23 日

7.1.1.3 调查区选择依据

此次我们在调查区的选择上以时间和空间为立足点，力求使选择区域在时间和空间上都有典型性、可比性和发展的连续性，从而保证整体样本的全面性；同时，利用所选区域的可比性，结合我们的调查目的，挖掘出各住区的特征和了解不同地区居民居住意向，为今后房地产开发、居民选择住区等提供依据。

桃花坞是苏州三大历史街区之一，有着浓郁的江南水乡特色，在苏州城市发展史上也曾经盛极一时；三元新村位于苏州古城区与新区之间，是我国在 20 世纪 80 年代兴建的示范性小区之一，其硬件设施在当时是首屈一指的，为改善当时苏州市居民的居住条件发挥了重要作用；今日家园则是在 2000 年，由房地产开发商开发，在苏州新区内依照现代居住模式和理念兴建起来的居住小区，同时也是国家建设行业智能化试点示范小区（图 7-2）。这三个区域在时间和空间上延续着"苏州古城区——古城区与新区之间——新区"这一发展过程，保证了这三个区域在时间和空间上的典型性、连续性与可比性，从而保证了调查的深度、广度和全面性，所得的结论适用性强，能为了解苏州居民的居住意向提供具体依据。

7.1.1.4 调查项目

(1) 调查区居民基本属性

(2) 调查区住所基本属性

(3) 调查区居民对住所满意度

(4) 调查区居民对居住小区满意度

(5) 调查区居民居住意向和理由

7.1.1.5 调查报告可行性

实际发放问卷数 300 份，其中桃花坞调查问卷实际发放数 100 份，有效问卷

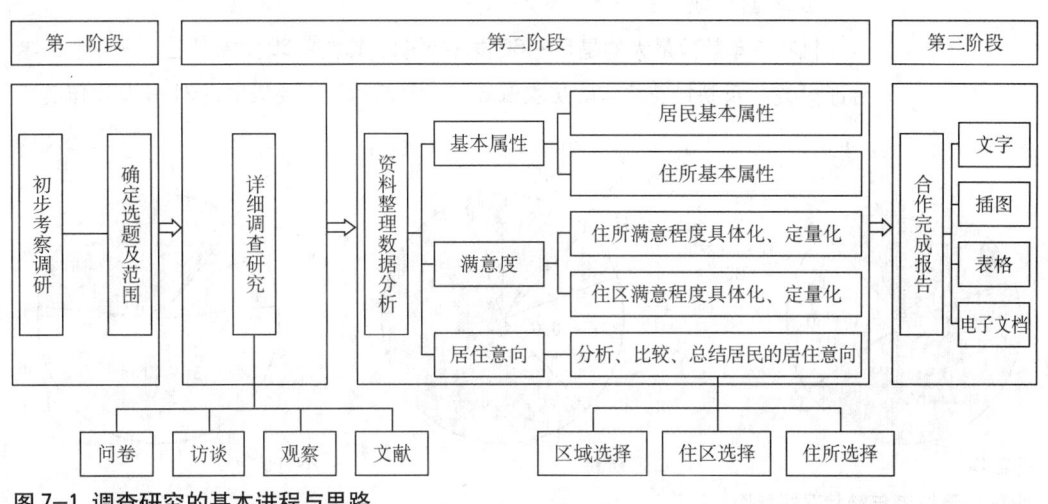

图 7-1 调查研究的基本进程与思路

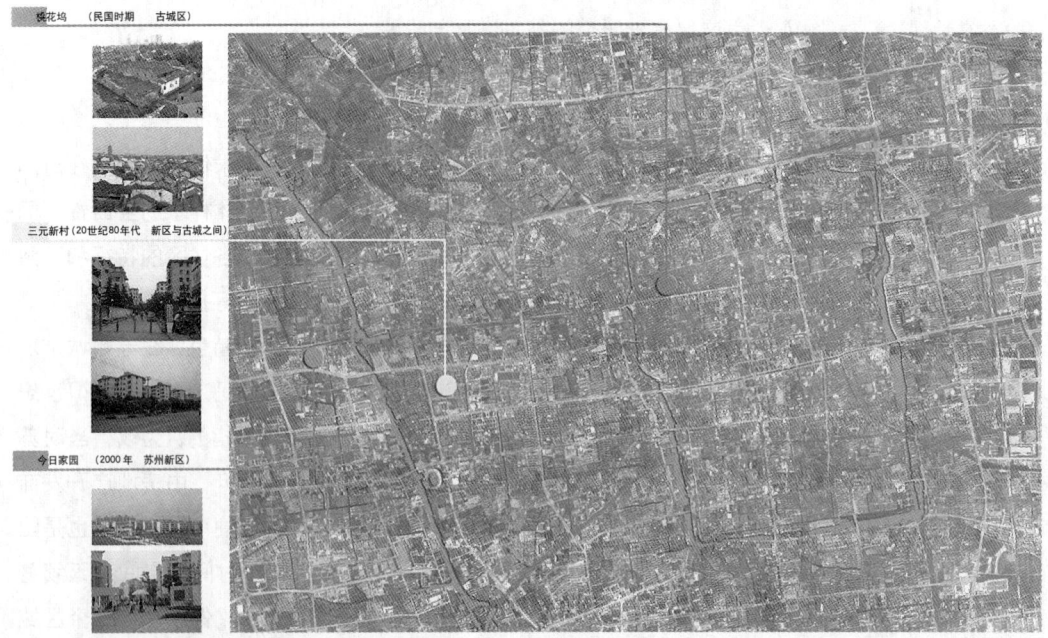

图7—2 调查区域区位示意图

84份；三元新村问卷实际发放数100份，有效问卷82份；今日家园问卷实际发放数100份，有效问卷90份。

有效问卷统计问题答案和数据具有真实性和代表性。

7.1.2 调查结果

7.1.2.1 调查区基本属性

问一：请问您目前的基本情况？

(1) 调查区居民基本属性

① 年龄构成（图7—3，表7—1）

桃花坞年龄段最大的是51~60岁（46%），其次是60岁或以上（19%），二者合计65%，反映桃花坞年龄层次偏高；三元新村则主要集中在21~30岁年龄段

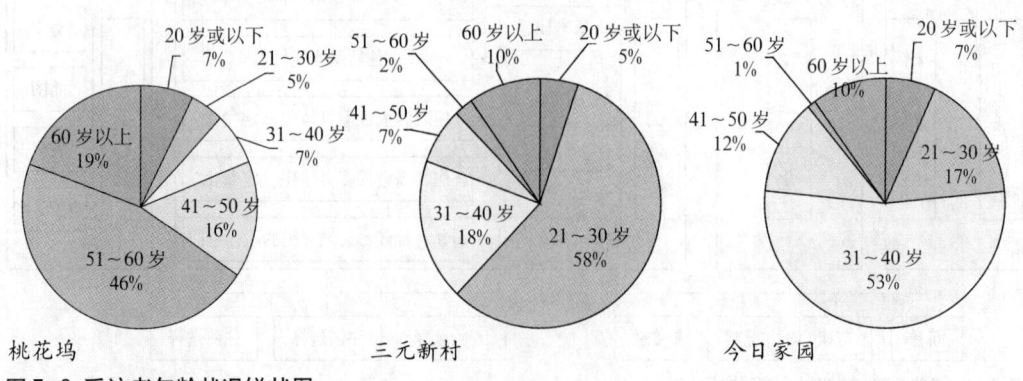

图7—3 受访者年龄状况饼状图

受访者年龄状况统计（人）　　　　　　　　　　　　　表 7-1

年龄段 地区	20 岁或以下	21～30 岁	31～40 岁	41～50 岁	51～60 岁	60 岁以上
桃花坞	6	4	6	13	39	16
三元新村	4	47	15	6	2	8
今日家园	6	15	48	11	1	9

（58%），以青年为主；而今日家园年龄段集中在 31～40 岁（53%），年龄构成主体
是中年。三个地区在年龄构成上有很明显的分异，分属老、中、青三代。

　　② 职业构成（图 7-4，表 7-2）

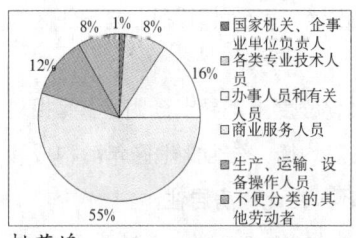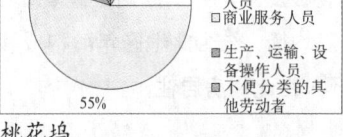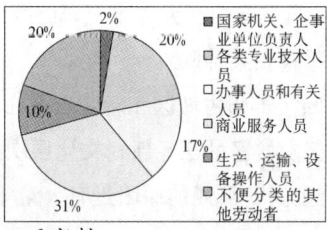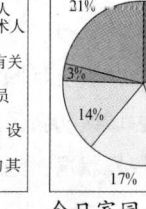

桃花坞　　　　　　　　三元新村　　　　　　　今日家园

图 7-4 受访者职业类型饼状图

受访者职业类型统计（人）　　　　　　　　表 7-2

职业 地区	国家机关、 企事业单位 负责人	各类专业技 术人员	办事人员和 有关人员	商业服务人 员	生产、运输、 设备操作人 员	不便分类的 其他劳动者
桃花坞	1	7	13	46	10	7
三元新村	2	16	14	26	8	16
今日家园	16	24	15	13	3	19

　　桃花坞以商业服务人员为主是一个明显特征，比例为 55%，国家机关、企事
业单位负责人（1%）和专业技术人员（8%）的比例非常低。三元新村职业分布基
本均衡，说明这是一个相对复杂的人群。今日家园国家机关、企事业单位负责人
（18%）和专业技术人员（27%）的比例明显高于前两个地区，表明此住区居民职
业层次较高，具体访谈发现其中尤其以由外地迁往新区的迁居户职业层次较高。

　　③ 文化程度（图 7-5，表 7-3）

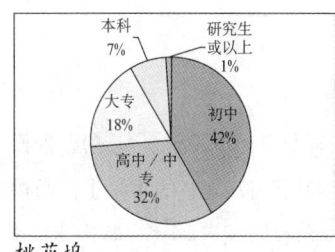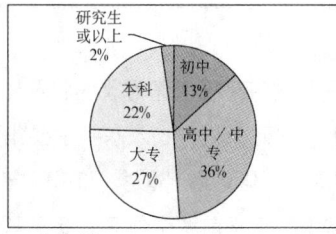

桃花坞　　　　　　　　三元新村　　　　　　　今日家园

图 7-5 受访者文化程度状况饼状图

受访者文化程度状况统计（人）   表 7-3

学历\地区	初中	高中／中专	大专	本科	研究生或以上
桃花坞	35	27	15	6	1
三元新村	11	29	22	18	2
今日家园	6	12	28	34	10

居民文化程度普遍较低是桃花坞的一个明显特征,具有高等学历的比重很低。今日家园与桃花坞的反差较大,具有大专及大专以上学历的居民高达80%。而在建造时间和地域上均位于桃花坞和今日家园之间的三元新村,文化程度并不是也介于这两者之间,具有高中和大专以上学历的仍占绝大多数（51%）,这与住区人口的年龄分布似乎存在某种联系。

上述情况反映了苏州古城区和新区居民在文化程度上差异十分明显,而相对处在古城区和新区交接区的三元新村文化层次相对均衡,结合此地区年龄构成和住房权属状况,经分析,可能的原因是有大量年轻人在此租房居住。

④ 收入状况（图7-6,表7-4）

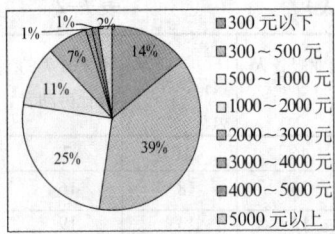

桃花坞

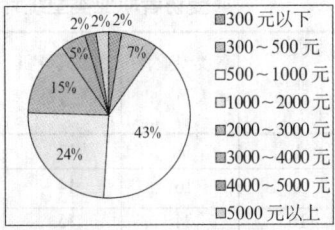

三元新村

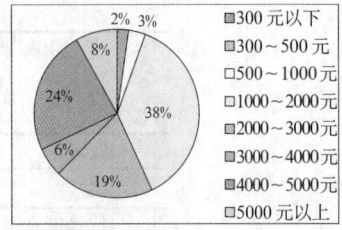

今日家园

图 7-6 受访者月收入状况饼状图

受访者月收入状况统计（人）   表 7-4

月收入\地区	300元以下	300～500元	500～1000元	1000～2000元	2000～3000元	3000～4000元	4000～5000元	5000元以上
桃花坞	12	32	21	9	6	1	1	2
三元新村	2	6	34	20	12	4	2	2
今日家园	2	0	3	33	17	5	21	7

以调查区居民平均每月收入作为收入状况依据。

图表数据表明,三元新村月收入水平主要集中在500～1000元（43%）,今日家园主要集中在1000～2000元（38%）和4000～5000元（24%）的水平上。而桃花坞的个人收入状况远低于前两个住区,低于1000元收入共占64%,其中300～500元比例占了39%。

（2）调查区住所基本属性（图7-7，表7-5）

① 住宅权属

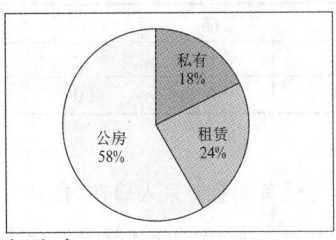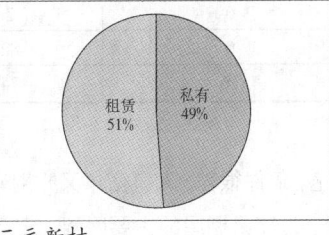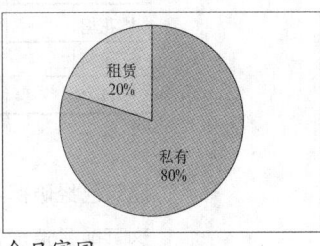

桃花坞　　　　　　　三元新村　　　　　　　今日家园

图7-7 受访者住宅权属状况饼状图

受访者住宅权属状况统计（人）　　　　　　　　　表7-5

地区 ＼ 住房权属	私有	租赁	公房
桃花坞	15	20	49
三元新村	40	42	0
今日家园	72	18	0

桃花坞住房的私有率仅为18%，其它租赁为24%，公房为58%，可见主要还是以公房为主。由于住房体制改革、住宅的商品化，公房这个概念在三元新村和今日家园已经消失。三元新村住宅外租率高达51%，表明此小区外来人员很多，这和它本身在时间和空间上所处的特殊位置有一定联系。在三种组别中，以今日家园的私有率最高为80%，但结果发现仍有20%的外租率，经访谈与分析，我们发现买房出租、以租还贷这种新式理财手段，近年来在苏州新区兴起，这可能与苏州新区房价急剧攀升有很大关系，很多人在今日家园购房只是用于投资，自身并不在此居住。

② 住宅类型（图7-8，表7-6）

桃花坞建筑类型以旧式里弄为主（78%），并存在数目不少的简易棚屋（20%），分析原因可能与桃花坞区域位置有关，其地处苏州市平江保护区，规划规定其建筑高度不得高于4层。另外，桃花坞还有大量风貌保护建筑，但实地调查时发现多数

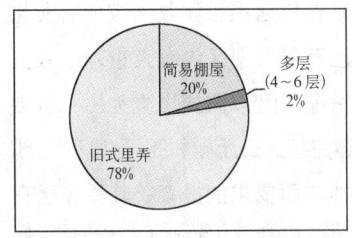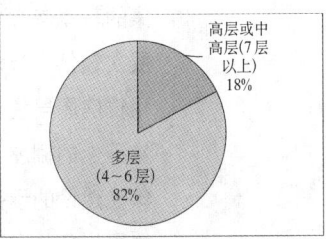

桃花坞　　　　　　　三元新村　　　　　　　今日家园

图7-8 受访者住宅类型状况饼状图

受访者住宅类型状况统计（人）　　　　　　　　表7-6

类型 / 地区	高层或中高层（7层以上）	多层（4~6层）	旧式里弄	简易棚屋
桃花坞	0	2	65	17
三元新村	0	82	0	0
今日家园	16	74	0	0

建筑已经破旧不堪，条件很差，人口密集又相对较大，还有大量外来人口在内租赁，这可能是造成20％为简易棚屋的主要因素。三元新村是20世纪80年代建设的示范住宅小区，由于当初建筑水平和居住意识的限制，故住宅类型均为多层。而今日家园是在新的生活观念下出现的新型小区，由于住宅形式多样化、技术的提高、新区楼层不限高、提高土地的利用率等因素出现了18％的高层和中高层住宅。事实上，由于这些高层和中高层住宅的存在，丰富了小区内部的空间形式，取得较好的天际线和景观效果，同时还提高了空间的可识别性。

③ 厨卫条件（表7-7）

受访者厨卫条件状况统计　　　　　　　　表7-7

使用设施 / 地区	煤气、液化气使用情况			厨房使用情况			卫生间使用情况		
	管道煤气	罐装液化气	无	个人	合用	无	个人	合用	无
桃花坞	0	94.0%	6.0%	45.2%	46.4%	8.4%	42.9%	48.7%	8.4%
三元新村	58.5%	34.2%	7.3%	63.4%	31.7%	4.9%	63.4%	31.7%	4.9%
今日家园	86.7%	13.3%	0	100%	0	0	100%	0	0

厨卫条件能在一定程度上直观地反映居民的居住条件，桃花坞目前未设置管道煤气，所以居民以使用罐装液化气为主，为94.0％，在厨卫使用情况上，与别人合用的比例基本达到半数，分别为厨房（46.4％）和卫生间（48.7％），从一个侧面反映出住房条件较差。三元新村虽设置了管道煤气，但由于经济原因，真正使用的人并不占主体，只有58.5％，厨卫使用情况上，与别人合用率也较高，均为31.7％。今日家园厨卫条件相对较好，使用管道煤气的人占86.7％，没有发现与别人合用厨卫的情况，居民满意度较高。

总体说来，掌握所选调查区基本属性是我们得出一切结论的基础。通过对收集的基本属性信息的整理分析，得出以下结论：桃花坞居民整体收入较低，文化层次较低。年龄构成以老年人为主，老龄化现象已有雏形，区内有大量外来人员租赁房屋居住，他们大多从事商业服务行业。其房屋类型以旧式里弄为主，有数量不少的棚屋，住房条件比较简陋，基础设施不够完善。三元新村是于20世纪80年代建设的示范小区，随着居民对住区物质和精神方面要求的提高，其原先优良的居住条件和配套设施已经不再能满足人们的需求。目前其人口构成以青年人为主，租房率较高，人员混杂，人口流动性大。总体趋于一种动态平衡。今日家园为新建小区，内部服务设施齐备，环境优美，管理科学，能很好的满足人们的物质需求，其居民年龄构成以中年为主，文化程度较高，并具有高等学历，收入状况不错。我们明显可以看到，不同住区由于特征不同，内部居民的基本情况也不同，那么不同的人对住区的评价是怎么样的呢？他们的理想住区是什么样的呢？我们对居民满意度进行了调查。

7.1.2.2 调查区居民满意度

本部分调查的目的是了解调查区居民对住所和居住小区的总体及各分项的满意程度。对满意度我们一共做了五个阶段的划分，并对其作出评分，评分标准如下：

5＝［很满意］、4＝［满意］、3＝［一般］、2＝［不满意］、1＝［很不满意］

根据标准，计算出调查区居民总体和各项目的满意度。

此外，各项目的平均分数，分数在各有效回答计算完之后，得出全体有效回答计算结果小数点第三位做四舍五入计算。

（1）对住所满意度

问二：关于您目前的住所，我想听听您的意见

① 住所总体满意度（表7-8）

居民对住所总体满意度统计　表7-8

地区	满意度
桃花坞	2.63
三元新村	3.34
今日家园	4.37

根据调查统计结果显示，在居民对住所的总体满意度上，今日家园远远高于平均点，而桃花坞却明显低于平均点，三元新村基本与平均点持平。因为今日家园居民各项满意度大多很高，而桃花坞较低，故选择今日家园居民对住所最满意的5个项目和桃花坞居民对住所最不满意的5个项目进行具体分析。

② 住所分项满意度（表7-9）

住所各分项满意度一览表　　　　　　　　　表7-9

项目	桃花坞	三元新村	今日家园
	满意度	满意度	满意度
1. 自然环境与人文环境（含价格因素）	3.44	2.67	4.28
2. 建筑质量	1.98	3.85	4.64
3. 室内装修	2.05	3.32	4.43
4. 物业管理	2.08	2.73	4.50
5. 配套设施	2.11	4.35	4.43
6. 开发商和销售商的信誉与诚信	—	3.26	4.42
7. 智能与信息化水平	—	2.27	4.96
8. 整体户型结构	2.12	3.46	4.90
9. 房间与厅的布局	2.37	3.13	4.18

项目	桃花坞	三元新村	今日家园
	满意度	满意度	满意度
10. 厨房与卫生间的设计	2.00	3.22	4.11
11. 室内管线布局	2.74	2.99	4.16
12. 居住面积	1.96	3.66	4.78
13. 日照时间	4.51	3.78	4.30
14. 噪声环境	3.77	2.13	4.13
15. 个性化	2.57	2.46	4.06

今日家园是国家建设行业智能化试点示范小区，据调查结果反映，智能与信息化水平此项满意度最高，为4.96，可见其智能信息化的管理模式深入民心。另外，由于是新建小区，采用了新材料、新技术及新的居住和设计理念，所以在整体户型结构（4.90）、居住面积（4.78）以及建筑质量（4.64）、物业管理（4.50）等项目上都有很高的满意度（表7-10）。

而桃花坞居民满意度最后5位的项目总的来说都集中在住宅的基本条件和硬件设施上，都属于最急切需要改善的项目（表7-11）。对新型的和精神层面上的项目关注考虑不多，这可能与前面调查得出的此地居民基本属性有关。桃花坞居民的居住面积满意度（1.96）、建筑质量满意度（1.98）恰恰在今日家园居民满意度前5项出现，说明今日家园还是较成功地解决了存在于桃花坞的主要住所问题。

今日家园居民满意度前5位项目　表7-10

项目	满意度
7. 智能与信息化水平	4.96
8. 整体户型结构	4.90
12. 居住面积	4.78
2. 建筑质量	4.64
4. 物业管理	4.50

桃花坞居民满意度后5位项目　表7-11

项目	满意度
12. 居住面积	1.96
2. 建筑质量	1.98
10. 厨房与卫生的设计	2.00
3. 室内装修	2.05
5. 配套设施	2.11

(2) 对居住小区满意度

问三：关于您目前的居住小区，我想听听您的意见

① 居住小区总体满意度（表7-12）

居民对居住小区总体满意度统计　表7-12

地区　　　　　程度	满意度
桃花坞	3.27
三元新村	2.83
今日家园	4.37

根据调查统计结果显示，在居民对居住小区的总体满意度上，今日家园仍大大超出平均点，可见今日家园整体满意度都不错。值得一提的是，三元新村而非

桃花坞总体满意度排名最末。故选择今日家园居民对居住小区最满意的5个项目和三元新村居民对居住小区最不满意的5个项目进行具体分析。

② 居住小区分项满意度（表7-13）

居住小区各分项满意度一览表　　　　　　　　　表7-13

项目	桃花坞 满意度	三元新村 满意度	今日家园 满意度
1. 交通	2.51	2.56	4.42
2. 服务配套设施	2.68	3.50	4.69
3. 便捷度	3.00	4.04	4.28
4. 无障碍设计	—	—	3.44
5. 防灾、消防体系	3.23	3.68	4.37
6. 安全防卫	3.76	1.93	4.82
7. 生活道路	3.21	3.41	4.00
8. 公园绿地	2.92	3.27	4.47
9. 内部景观设计	2.44	2.07	4.61
10. 环境整洁度	3.51	2.21	4.51
11. 邻里交往	4.62	3.89	2.83
12. 道路照明	2.37	2.37	4.12
13. 物业管理亲和力	—	2.27	4.03
14. 物业管理收费	—	2.83	4.00
15. 机动车停放	2.48	2.51	4.53

今日家园居民满意度评价前5位的项目中，安全防卫满意度最高（4.82），其他依次为服务配套设施（4.69）、内部景观设计（4.61）、机动车停放（4.53）和环境整洁度（4.51）（表7-14）。就访谈实况来看，除对小区设施条件的肯定外，居民对邻里交往也比较关注，但目前小区邻里交往满意度（2.83）不高（这个结论在《对住宅小区各项目一览表》可找到依据），这可能是新型住区特有的弊端，具有一定代表性。

三元新村居民满意度最后5位的项目中，安全防卫满意度（1.93）最低，这可能与此地区人口组成有关系（在居民基本属性内可找到依据）（表7-15）。因为三元新村位于古城区与新城区的连接处，人员相对比较混杂，房屋对外出租率较高，故对小区安全带来了极大隐患，另外道路照明也是造成安全防卫问题的原因之一，故其满意度（2.37）也在后5位之中。具体分析满意度最后5位项目互有联

今日家园居民满意度前5位项目　表7-14

项目	满意度
6. 安全防卫	4.82
2. 服务配套设施	4.69
9. 内部景观设计	4.61
15. 机动车停放	4.53
10. 环境整洁度	4.51

三元新村居民满意度后5位项目　表7-15

项目	满意度
6. 安全防卫	1.93
9. 内部景观设计	2.07
10. 环境整洁度	2.21
13. 物业管理亲和力	2.27
12. 道路照明	2.37

系，相互影响，且有三项是今日家园居民满意度前5位的项目，说明这些问题在今日家园也基本都得以解决，同时也说明这些是不同住区居民共同关注的项目，具有代表性。

我们采用评分法把居民原本模糊的满意度进行了定量化评价，以便于排序和比较；通过分项满意度的划分，结合部分居民的补充内容，将居民的总体满意程度具体化。就总体满意度来说，今日家园的居民对住宅和住区满意度评价很高，而桃花坞与三元新村多数居民分别对住宅和住区表示不满意。通过分项满意度排名，可充分了解居民对所列各项目需求的迫切程度，确定不同地区、不同类型的人对住所和住区的具体需求项目是什么。小区满意度排名前几位和后几位项目均是居民最关注的小区基本条件，这些项目其实反映了居民最主要的需求，满足这些需求的小区才是他们最渴望的理想住区。

7.1.2.3 调查区居民居住意向

（1）地域居住意向

问四：如果您再搬迁，在苏州您会选择何处居住？

总体居住意向：桃花坞有49%居民愿意搬往新区，有37%仍希望留在原地；三元新村62%的居民愿意去新区，而只有10%的人向往古城；今日家园愿意在古城居住的人达48%，原留在新区的只有39%（图7-9、表7-16）。

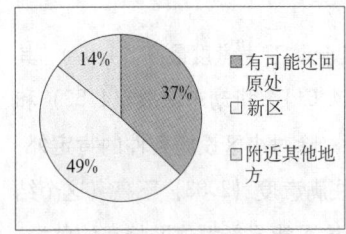

图7-9 受访者居住意向选择饼状图

受访者居住意向统计（人） 表7-16

地域＼搬迁意向	有可能还回原处	老城区	新区	附近其他地方
桃花坞	31	0	41	12
三元新村	16	8	51	7
今日家园	0	43	35	12

① 桃花坞居民搬迁意向选择【不同年龄段】

经过一系列比较分析，我们认为年龄是影响桃花坞居民居住意向的主要原因（图7-10，表7-17）。桃花坞40岁以下的人追求时尚、舒适的现代生活，所以都倾向于搬迁到居住条件优良、相关配套基础设施齐全的新区居住；50岁以上的人表现趋向于居住已久的古城区，原因是其不愿放弃稳定的社会网络与熟悉的物质网络（图7-11、图7-12）。可见，对于这部分群体，邻里交往对其居住意向有着

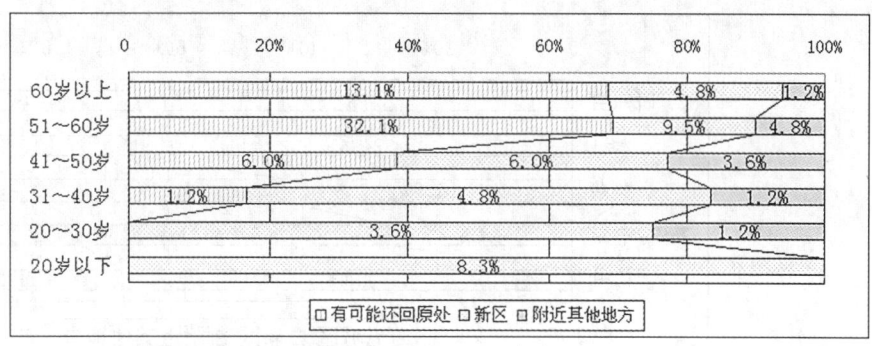

图7-10 桃花坞居民搬迁意向选择

桃花坞居民搬迁意向统计（人）　　　　　　　　　　表7-17

年龄段 搬迁意向	20岁以下	20～30岁	31～40岁	41～50岁	51～60岁	60岁以上
有可能还回原处	0	0	1	5	27	11
新区	7	3	4	5	8	4
附近其他地方	0	1	1	3	4	1

图7-11 桃花坞现状图片1

图7-12 桃花坞现状图片2

重要的影响，物质方面的因素并非是决定他们居住意向的根本因素。

② 今日家园居民搬迁意向选择【不同文化程度段】

经过一系列比较分析，我们认为今日家园居民的文化程度是影响居民居住意向选择的主要原因（图7-13，表7-18）。随文化程度的提高，其居住意向有明显的变化，体现为愿意搬到古城区的意向随文化程度同步提高。原因是文化程度高的居民不仅仅满足完善的物质条件，同时对邻里交往等精神方面的条件也提出了较高的要求。据了解，今日家园的居民多数是由旧城区迁过来的，目前存在的失落感以及对原有住区精神网络的回忆和向往，是他们想搬回古城区的重要原因。

(2) 住区居住意向

由于居民最满意的和最不满意的项目基本反映了居民在住区方面最关注的需求，故选择其满意度与平均值的绝对差值最大的前五个项目（至少保证一个满意

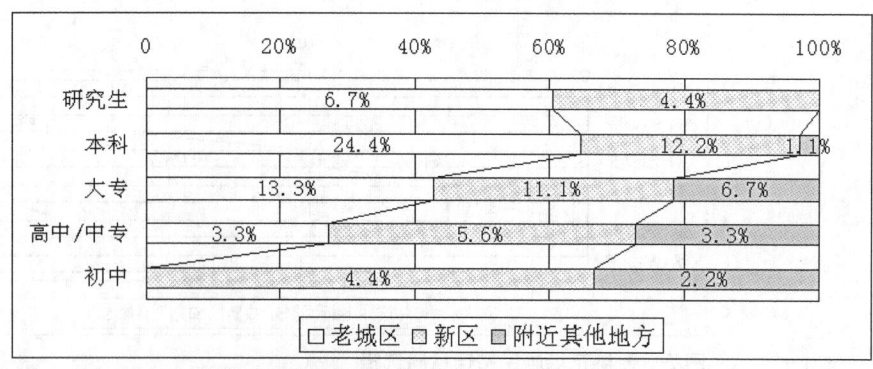

图7-13 今日家园居民搬迁意向选择

今日家园居民搬迁意向选择统计（人）　　　　　表7-18

地区 \ 学历	初中	高中／中专	大专	本科	研究生
老城区	0	3	12	22	6
新区	4	5	10	11	4
附近其他地方	2	3	6	1	0

度最高和最低的选项）进行分析总结。

　　通过图7-14～图7-16和表7-19～表7-21可以得出结论，桃花坞居民目前的理想住区包括的条件是：邻里关系亲近，安全防卫好，有完善的道路照明系统和机动车停放场，内部景观优美等。三元新村居民的理想住区必须具备以下条件：

桃花坞受访者意向　　表7-19

项目	满意度
11. 邻里交往	4.62
6. 安全防卫	3.76
12. 道路照明	2.37
9. 内部景观设计	2.44
15. 机动车停放	2.48

图7-14 桃花坞居民休憩场所

三元新村受访者意向　　表7-20

项目	满意度
6. 安全防卫	1.93
3. 便捷度	4.04
9. 内部景观设计	2.07
11. 邻里交往	3.89
10. 环境整洁度	2.21

图7-15 三元新村居民休憩场所

今日家园受访者意向	表 7-21
项目	满意度
6. 安全防卫	4.82
2. 服务配套设施	4.69
9. 内部景观设计	4.61
15. 机动车停放	4.53
11. 邻里交往	2.83

图 7-16 今日家园执勤保安

安全、便捷、环境整洁优美、邻里交往好等。今日家园居民目前心中的理想住区就是今日家园，需要完善的是在小区设计中应该考虑邻里交往的需要。

（3）住所居住意向

此项目选择标准与前面住区居住意向选择标准一致。

桃花坞居民对住所的主要要求是具有充足的日照时间，有宽敞的居住空间，同时住宅本身要体现区域特色，具有一定的文化传统和自然要素，另外，希望住所能有室内装修和配套的物业管理服务设施；三元新村居民目前倾向于有完善的小区配套服务设施，环境良好，无噪声污染，同时又能拥有充足日照时间，并配备智能与信息化设施的住所；今日家园基本上完善地考虑了居民对住所的各项需求，目前已经成为居民的理想住所（表 7-22～表 7-24）。

桃花坞受访者意向	表 7-22	三元新村受访者意向	表 7-23	今日家园受访者意向	表 7-24
项目	满意度	项目	满意度	项目	满意度
13. 日照时间	4.51	5. 配套设施	4.35	7. 智能与信息化水平	4.96
12. 居住面积	1.96	14. 噪声环境	2.13	8. 整体户型结构	4.90
1. 自然环境与人文环境	3.44	2. 建筑质量	3.85	12. 居住面积	4.78
3. 室内装修	2.05	13. 日照时间	3.78	2. 建筑质量	4.64
4. 物业管理	2.08	7. 智能与信息化水平	2.27	4. 物业管理	4.50

总体说来，桃花坞、三元新村和今日家园居民依据其不同的基本属性，有着不同的居住需求，从而可以从很多方面总结和归纳苏州居民不同的居住意向。以年龄构成举例来说，桃花坞年纪大一点的人的居住需求是邻里交往好、安全防卫有保障、道路照明系统完善及能体现区域特色，并具有充足日照、居住面积和配套的物业管理服务设施的住所。故可以推测苏州年纪大一些的人，它的居住意向是去这样的小区。

7.1.3 结语

"以人为本"的住区才是真正的理想住区，但是人的需求具有多样性，不同地区和不同背景的人，其需求意向肯定是千差万别的。我们所做的就是在考虑共性的基础上，从这些差别中找出一些规律，通过将居民需求的定量化和具体化，以及从不同人关注项目满意程度的量化结果上找到其组别间最迫切的主导需求。能很好解决上述需求的住区即为此类居民居住意向的终结点。

过去，我们对居住意向只有一个感性的认识，概念很模糊。

如今，我们将居住意向这个概念赋予在居住需求这个载体上，通过调查，将其具体化和定量化，从而方便人们最直观地了解苏州中心城区不同居民对住区的实际需求。

规划部门及房地产开发商在建设住区时，应针对不同居民的特殊性具体考虑此地区居民的居住意向，建设真正符合居民需求的住区。我们在进行小区规划设计时，也应该遵循和了解设计地区居民的居住意向，只有这样才能真正从居民的实际需求出发，符合他们的意向。

主要参考文献

[1] 顾朝林编著. 城市社会学[M]. 南京：东南大学出版社，2001.

[2] 邹德慈编著. 城市规划导论[M]. 北京：中国建筑工业出版社，2002.

[3] 阮仪三主编. 城市建设与规划基础理论[M]. 天津 天津科学技术出版社,1992.

7.2　天下文枢苑，寻常百姓家——夫子庙地区历史与现代文化协调情况调查①

7.2.1　前言

夫子庙地区是南京市的发祥地。据史料记载，公元前472年，秦淮河沿岸就形成了人口稠密的市场，自修建"越城"起。秦、汉两代皆有所建树，魏晋南北朝时期由于政治、经济中心的南移，尤其是东晋建都之后，夫子庙地区成为中国政治、文化的中心。两千余年的历史沉积，这其间有多少踪迹有待追寻，有多少缺失有待弥补?"历代多少兴亡，尽人渔樵闲话"，丰富的历史得天独厚（图7-17）。

图7-17 至圣先师

7.2.2　调查概述

7.2.2.1 调研背景、目的、意义

《威尼斯宪章》中指出，历史古迹的概念不仅包括单个建筑物，而且包括能从

---

① 高等学校城市规划专业指导委员会获奖案例。

中找出一种独特的文明、一种意义的发展或一个历史事件见证的城市或乡村环境。城市中的历史古迹保护除了显性式样外，还包括其隐性式样，当中包括了事物遗存、传统空间格局和地方生活模式，这些不仅是城市发展的见证，更是一个地方文化特色的反映。

随着城市经济的发展，人们对于城市的历史文化保护与发掘也越来越重视，使一度曾经被忽视的历史逐渐兴盛，成为城市建设的一大热点。一个城市必须发掘它的文脉和历史积淀，只有如此才能体现出一个城市的特色，丰富城市的精神文化，增强人们的认同感及归属感，增加城市的底蕴。

夫子庙作为南京一个具有悠久历史的象征地，其历史意义的保护与发展怎样协调，历史与文化如何共存，都是我们需要通过这份问卷寻求的答案。只有这样，意识到夫子庙地区历史与现代文化的协调现状，我们才能大胆地预测其发展前景，为夫子庙地区的文化建设，甚至整个南京地区文化特色的形成作出贡献。

7.2.2.2 基本情况

夫子庙位于南京市建康路以南，主要指的是孔庙、学宫、贡院三大建筑群，但习惯上将围绕这三大建筑群一带的街道都称作夫子庙（图7-18、图7-19）。

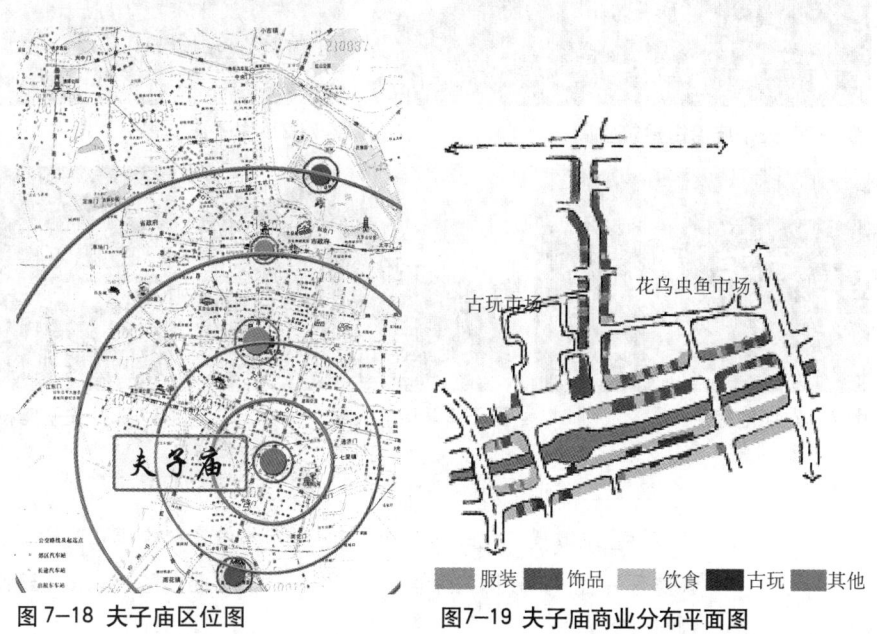

图7-18 夫子庙区位图   图7-19 夫子庙商业分布平面图

东晋咸康三年（337年），丞相王导在秦淮河北岸建学宫，这是夫子庙的最早建筑。宋明道元年（1032年）宋仁宗在学宫前建孔庙，称夫子庙。现在的夫子庙是于1983年重新修建的，包括孔庙、学宫和贡院三部分。明清时期，数以万计的学子每年来此求取功名，于是书肆、茶馆、客栈应运而生，夫子庙遂成为明清两代中国的繁华之地。各处考生带来的具有地方特色的饮食、手工技艺、戏曲等，使秦淮两岸的文化习俗南北兼具、各色杂陈，并一直延续下来。

1985年，南京市政府复建了东、西市场、学宫、贡院等古建筑，吸收了我国传统商业街道的空间形式和尺度，采用明清时代的街市风格，以石板铺地，店铺采用"青砖黛瓦马头墙，回廊挂落花格窗"，店、庙、市、街合一，富有浓郁的地方特色（图7—20）。在东起平江府路，西至瞻园路的约0.5平方公里的范围内有商场、商店300多家和诸多宾馆及游乐场等，地下还有一个约10000平方米的地下商业街（图7—21）。可以说夫子庙是一个集旅游、文化、商业、餐饮、娱乐等多功能为一体的服务中心（图7—22、图7—23）。节假日的人流量达15万人次以上，逢金陵灯会期间更是盛况空前（图7—24）。

图7—20 夫子庙沿街建筑立面

图7—21 夫子庙街景

图7—22 泮池掠影

图7—23 秦淮人家

图7—24 夫子庙夜景

7.2.2.3 调查思路、方法

调查采取模块化的方法，通过相关单位的资料收集和对当地居民的问卷调查获得有关信息。分析这些信息，从而探讨夫子庙地区历史文化建设的具体建议和构想（图7—25）。

问卷发放实行偶遇抽样。调查方式为结构访问法和自填问卷法相结合。发放问卷105份，回收问卷101份，其中有效问卷96份，有效率91.43%。

7.2.3　现状调研分析

我们针对夫子庙现存的总体情况和小商品市场、古玩市场、餐饮娱乐设施、建

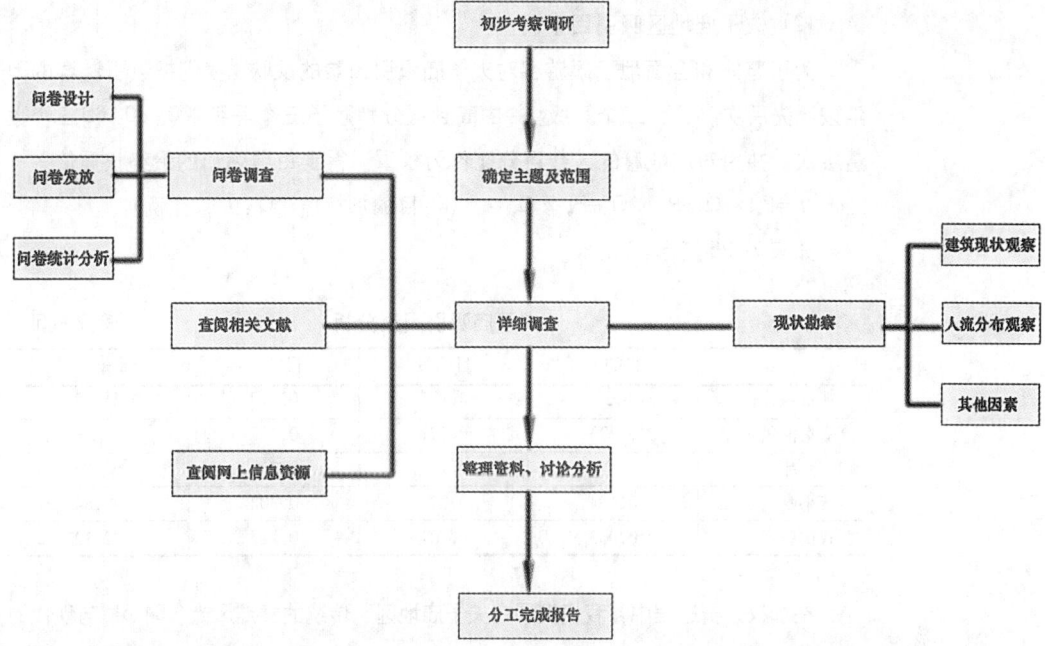

图 7-25 调查思路框架结构图

筑风格等方面的情况对夫子庙地区的游客与居民进行了调查。在调查过程中，我们发现夫子庙地区的商业开发与历史保护并没有被认为是不可调和的矛盾。

7.2.3.1 夫子庙总体形象调查

（1）对夫子庙的总体印象

在对夫子庙总体印象的调查中，有48.9%的人认为夫子庙能够较好体现历史文化风貌，有18.8%的人认为夫子庙具有现代气息，这些说明夫子庙地区在对历史的保护方面比较成功，在商业渐发达的今天仍能使人们感受到历史文化延续的气氛。但同时有21.9%的人指出夫子庙地区较拥挤的现实，在夫子庙今后的发展中应该更加注意商业发展与公共空间的有效搭配（图7-26）。

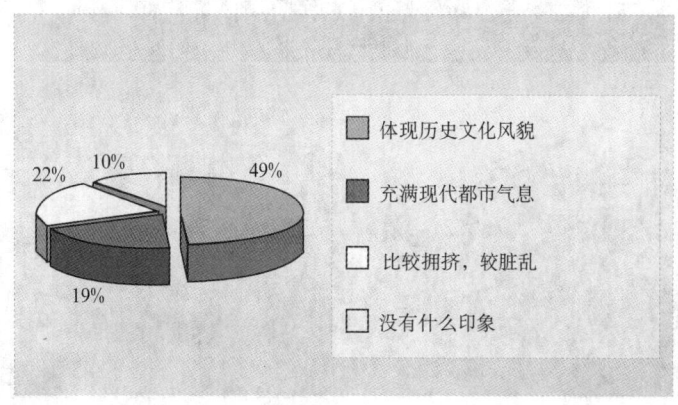

图 7-26 人们对夫子庙的看法

(2) 夫子庙地区吸引因素调查

为了整体和全面地了解游客对夫子庙吸引因素的反映，我们把吸引游客的因素按照先后次序分为三个等级，并由高到低分别赋予三个等级100、80、60三个数量层次，并用对应数量的人数百分比作为权重，得到每项活动的最终权重值。

$$K=P_1 \times Q_1+P_2 \times Q_2+P_3 \times Q_3 \qquad (P_i：目的加权值；Q_i：人数比例)$$

如表7-25所示：

夫子庙吸引因素分析　　　　　　　　　　表7-25

	目的一	目的二	目的三	向往偏好度
参观景点	0.25	0.125	0.177	45.62
享受秦淮风光	0.323	0.271	0.177	64.6
购买商品	0.26	0.271	0.219	60.82
传统小吃	0.104	0.229	0.302	46.84
西式快餐	0.063	0.104	0.125	22.12

在加权分析过程中，我们发现在夫子庙地区，传统的秦淮风光（64.6）与现代的商业市场（60.82）已经成为夫子庙游客最向往的去处。传统的饮食文化（46.84）和参观景点（45.62）已经不再是人们的首要目的，而西式快餐厅（22.12）的进入几乎没有影响到夫子庙的传统文化形象，只是人们偶尔的去处和休息时的落脚点（图7-27）。

综合思考：在夫子庙总体印象上，历史文化得到较多认同，但在吸引因素方面上，历史文化和商品市场都表现出相当的重要性。也就是说商品市场在夫子庙

图7-27　夫子庙地区游客活动现状

地区扮演了重要的角色，但没有得到相应的认同。所以我们提出在发展夫子庙时要注重商品市场建设，提升夫子庙商品市场的档次，低档次经营的状况已不能满足各种消费层次的需要，应力争创建金字招牌。

夫子庙作为一个旅游景点，其管理还不是很完善，存在着一些问题。有21.9%的人在问卷中提到了夫子庙比较拥挤、脏乱，景点和市场的开发建设较分散，景点选址拘泥于历史传说，建设不太集中，市场布局不尽合理，分区规划的板块效应不突出。规划部门需要对现状格局进行调整和整合，使景点与市场关系更趋向于合理。

7.2.3.2 夫子庙印象

(1) 夫子庙的建筑和景观设计

在调查中，我们发现人们对"洋建筑"的态度更倾向于认同，有42.7%的人对夫子庙中出现的"洋建筑"表示欢迎，有26.0%的人不希望"洋建筑"进军夫子庙（图7-28）。由此看来，人们对西式建筑的态度还存在一定的争议。

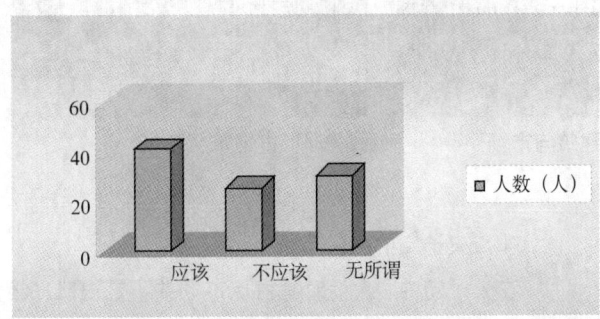

图7-28 人们对"洋建筑"进军夫子庙的看法

人们对夫子庙建筑的印象还是比较好的，超过半数的人认为夫子庙的建筑和夫子庙协调比较好，体现了夫子庙的人文风格，只有很少一部分人认为夫子庙的建筑与夫子庙格格不入，由此可见，夫子庙地区的建筑管理和控制还是卓有成效的，得到了人们的认可。

为了营造夫子庙的氛围，南京市政府设计了沿秦淮河的仿古景观。59.4%的人对夫子庙的沿河仿古景观表示认可，认为这一景观能很好地代表地方特色，但是也有32.3%的人提出了他们的见解和看法，认为该景观设计应该加入更多的现代都市色彩，新老相结合，这样效果可能更好（图7-29）。

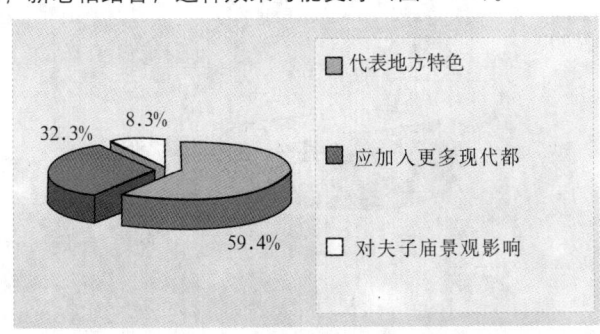

图7-29 人们对夫子庙沿秦淮河仿古景观的看法

思考：夫子庙的现状得到了普遍认同，这就引出了一个值得思考的问题——保护需要发展的保护。那种划定一个保护区，封闭的保护起来的做法似乎并不适合这种历史文化街区。多数人对夫子庙有着更高、更深层次的要求，那就是在保护的同时继续发展。这是因为夫子庙代表的文化是一种"市井文化"，是与人民群众最密切相关，也是由人民群众自主表达的文化（图7-30、图7-31）。任何时代的变迁，观念的更新都会在这里留下一笔色彩，而这些色彩就构成了夫子庙这美丽的风景。所以，我们认为，夫子庙建筑和景观不能单单是仿古，而更要创新（图7-32）。在创新中体现时代的特色，这样夫子庙的文化才能得到延续，才能具有活力。

图7-30 仿古建筑与市场

图7-31 古建筑与市场

图7-32 夫子庙建筑模式构想

(2) 夫子庙的各色市场

在夫子庙中，人们对其古玩市场并不是很感兴趣，51.0％的被调查者认为夫子庙的古玩市场没有什么特色，和其他地方的古玩市场差不多，看来夫子庙的古玩市场并没有给人们留下深刻的印象（图7-33）。

夫子庙的小商品市场最有代表性的是夫子庙大市场、金陵路小商品市场和夫子庙灯光夜市，总营业面积达1.2万平方米。在被调查的人群中，虽然有44.8％的人认为夫子庙地区的小商品市场体现了夫子庙地区的特色，对之表示赞同，但还是有34.4％的人认为夫子庙地区的小商品市场其实和别的地方的差不多，没有什么特色，还有20.8％的人认为夫子庙地区的小商品市场影响了整个夫子庙地区的古文化氛围，破坏了夫子庙地区的风格。

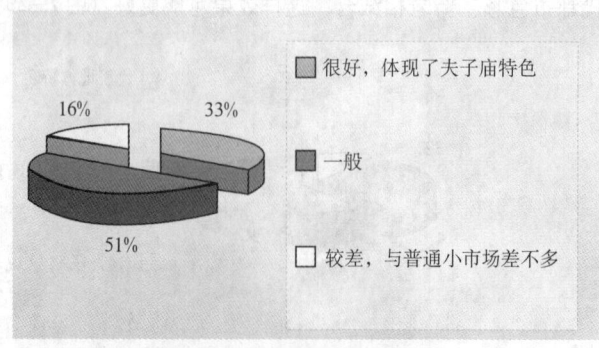

图7-33 人们对夫子庙古玩市场的看法

在调查中我们还发现各类市场相互混杂，如在花鸟鱼虫市场中出现了服装商店等，这对于市场整体形象的建设是非常不利的（图7-34、图7-35）。

图7-34 花鸟鱼虫市场中的服装店　　　　图7-35 市场较乱，不规范

思考：从历史上看，夫子庙一带历来是富贾云集之地，商业自古发达；而今夫子庙的各色市场更成为夫子庙地区的产业支柱。可以说夫子庙的各色市场是夫子庙最重要的组成部分之一。对于夫子庙市场，我们认为应在空间上进行重新规划，使夫子庙各个市场特色分明，市场内部井然有序。在市场经营上力争提升档次，形成特色。同时，要处理好市场与古建筑群的关系，保护古文化氛围。

（3）夫子庙的小吃文化

夫子庙饮食文化源远流长，可以远溯到六朝时期，明清两朝尤盛，各派菜系和小吃汇聚于此，风味独具。风味小吃多达200多个品种，成为夫子庙旅游经济的重要支柱和这一地区的特色文化。在调查中我们发现45.8%的人对夫子庙的风味小吃比较认可，47.9%的人认为夫子庙地区的风味小吃其实很一般，和别的地方的小吃其实差不多。另外，还有6.3%的人认为夫子庙地区的风味小吃不卫生，这是一个值得重视的问题（图7-36）。

思考：夫子庙的小吃一直是夫子庙最有特色的标志之一，但是在夫子庙发展的过程中，夫子庙地区没有更好的保留自己的特色，使小吃渐渐失去了标志的地位，在小吃市场继续生存的过程中，必须对小吃文化进行调整和整合，并及时发掘特色产品，这样才能保住特色，保持夫子庙小吃市场的领先地位。

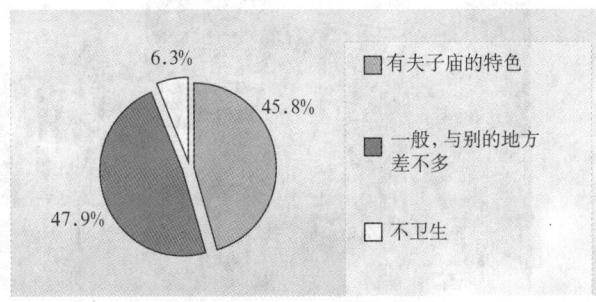

图7-36 人们对夫子庙小吃的看法

(4) 夫子庙的传统活动

夫子庙地区在每年农历正月初一至十八都会举行夫子庙灯会，热闹非常，并一直是南京人过年的必去之处（图7-37）。如何把传统活动和现代文化联系起来，是我们本次调查的一个要点。在调查过程中，我们发现72.9％的被调查者支持在夫子庙的传统文化活动中加入现代文化的元素，和现代文化相结合的观点，认为在夫子庙的传统活动中，应该紧密结合现代文化，在更好发扬传统文化的同时，积极与现代社会相融合（图7-38、图7-39）。

思考：夫子庙传统的活动还是很受青睐的，但许多活动形式过于陈旧。在现代娱乐的广博范围里，如果只把娱乐限于观景、小吃、购物的话，这样的想象力恐怕让人怜悯。应将传统活动能够与现代文化结合，将一些现代娱乐方式引入夫子庙，通过改善娱乐环境重和拓展娱乐方式重建夫子庙"娱乐胜地"的形象。

图7-37 正月灯会活动

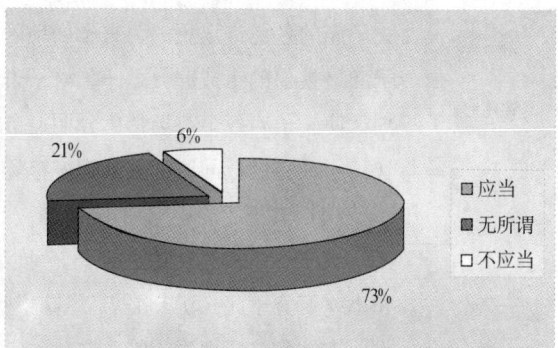

图7-38 人们对夫子庙传统活动的看法

21%　6%　73%

应当
无所谓
不应当

图7-39 夫子庙游人游乐活动

7.2.4 调研的结论与建议、构想

7.2.4.1 结论

在城市建设中，应该更好的抓住城市文脉，注意建筑之间的协调、对话，避免不同时期建筑之间的冲突。

在处理历史与现代的问题上，不能把两者割裂开，历史和现代不是对立的，而是应当和谐共存的。城市是历史的延续，现实的展台，并诠释着未来，我们应体现文化连续的、逐渐的、复杂的和精致的变化，这是城市多样性的需要，也是城市文脉延续的需要。

7.2.4.2 建议

历史风貌地段的新陈代谢，还决定了其保护更新要采取小规模整治与逐步改造的方式。历史性的地段是长期不断更新发展而形成的，其中的建筑及环境基本上是历史文化积淀的成果。拉波波特在其《住屋形式与文化》一书中将这种建筑环境的设计过程定义为"模型加调整的过程"，它的发展特点是：它具有可加性，既不专门又没有终点，表现为一种自然生长的随机的城市环境美学。

综上，我们对夫子庙今后的建设提出以下几点建议：

（1）加强夫子庙多目标综合服务功能

旅游胜地——重点是要全方位地体现民俗文化这个主题，不仅在建筑风格上有所体现，而且在吃、住、娱、购等各个方面都要反映这一特色，形成整体氛围（图7-40）。

文化长廊——充分展示夫子庙的历史、文化渊源，并加以发展和完善。主要是充实提高古文化景观，丰富内涵，形成系列；丰富夫子庙段内秦淮河水上风情游览项目，重现"桨声灯影"、"夜泊秦淮"等人文景观；发展四时八节以民俗文化为主题的文化活动。

美食王国——进一步开发风味小吃品种，提高质量，推出名点、名菜，引进天南海北"名、特、优"食品，广招天下美食落户夫子庙。

购物天堂——在提高发展五大特色市场的基础上，形成门类齐全的小商品集聚地，大力引进国内外名特优新商品，开发具有夫子庙地方特色的标志性系列旅游产品，满足中外游客各种层次的购物需求。

（2）强化板块功能，形成规模效益

夫子庙的景点建设要相对集中，形成板块。新景点的建设要形成聚集规模效应，与原景点连成一体，形成系列景观（图7-41）。各个景点要有标志说明，同时，应当开发最具夫子庙特色的

图7-40 春节民俗活动

标志性旅游产品，扩大夫子庙的影响，增强夫子庙地区的民俗文化氛围。

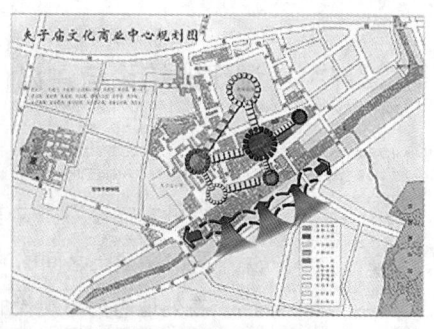

图7-41 夫子庙功能板块示意图

市场建设也要分门别类，进行集中、划区经营。在商品经营上，应适当扩大中、高档商品的经营，满足不同层次顾客的需要；小商品经营要使顾客在夫子庙能买到具有特色的商品。

在餐饮业经营上，要提高质量，尤其是秦淮风味小吃，要学习肯德基、麦当劳的经营方法，统一制定生产标准和质量要求，使风味小吃在现有的基础上得到进一步的提高。

(3) 加强公众参与力度

对于夫子庙这种历史文化街区，我们想，生活在那里一辈子，受到本地文化熏陶一辈子的居民应当具有相当的发言权。起码他们对他们生活的小空间有着更深的感情和认知。同时，他们也是夫子庙文化的传承者，他们的参与可以使规划师更好地汲取"市井文化"的养分，使规划能够更好地与当地文化相结合。

7.2.4.3 构想

(1) "老房子"与现代建筑之间的关系

"老房子"与现代建筑之间的冲突，其实也就是中国这所"老房子"在世界西式格局中的不舒服感。它无疑暴露出我们在文化继承和文化建设上的"双重错位"——对"老房子"没有创造性改造，对西式建筑也没有创造性改造；需要"老房子"时就要"老房子"，需要高楼大厦时就高楼大厦。这样，我们对"老房子"的审美性怀旧，和对西方文化的审美性向往，就都是拿来的、移植的、乃至抄袭的。对"老房子"的煽情式宣传和艺术包装后的打动人心，如果不是作为一种美的符号与西式建筑一起被我们同时欣赏，那么在"中国特色"问题上，就会让我们产生"唯此为大"的排他性效果。我们就会在这种煽情式的怀旧下一边抱着"老房子"敝帚自珍，一边鼓动起排斥"西式建筑"的冲动。

建筑风格是时代的反映，是社会经济的发展、思想观念的转变和物质技术的更新，因此开放环境下不可避免地会有新建筑出现，这些新建筑将对旧有的建筑带来冲击。我们希望新老建筑风格能协调统一，比如可以借鉴传统建筑的风格、形制、手法乃至具体的材料、色彩和装饰母题，来塑造统一和谐的视觉效果。

(2) 保护与利用的关系

保护与利用应该是相辅相成的，保护的目的就是为了利用。恢复早已消失的历史建筑，改变历史的本来面貌，完全偏离了保护的真谛。历史并非一成不变，今天对于明天同样是历史。对于一个开放性的历史文化街区，我们不需要孤立静止地保护。

夫子庙历来便是一个汇集文化、商业、餐饮、娱乐等多功能的服务中心，在它的背后，隐藏着的是通俗文化。我们不能仅仅从其表面出发，紧紧抓住"历史"不放，那样是通过"历史煽情主义"来体现一种"非创造性"的人文关怀，其文化含量自然只能是历史的循环甚至是历史的倒退而不是历史的创造。我们应该把握夫子庙的文脉，用现代的方式来体现这种文脉。当然，这并不意味着对历史的全盘否定，一些具有意义的历史建筑应充分予以保护，并在此基础上充分利用历史遗存的知名度。

（3）城市建设应突出一个城市的文脉

城市特色作为人们对一个城市内容和形式特点从褒义上进行的形象性、艺术性概括，是城市作为人们审美对象的一种审美特征，是能为人们感官所感受，并对之由感性认识上升到理性认识，获得对该城市的个性风貌特点认识的一种感性特征。

城市的保护不能切断自身的发展，而是要通过规划的引导与制度的调控让发展的脚步更为稳妥，实现保护与更新的辩证统一。在处理历史与现代的问题上，不能把两者割裂开，历史和现代不是对立的，而是应当和谐共存的。城市是历史的延续，现实的展台，并诠释着未来。在城市建设中，我们应体现连续的、逐渐的、复杂的和精致的文化变化，这是城市多样性的需要，也是城市文脉延续的需要。

7.2.5　后记

夫子庙地区不仅以物化的古建筑遗留或仿古建筑营造出具备民族性、独创性、艺术性并兼顾传统与时代的特征，而且从历史的脉络出发，其发展力求反映出时代的脉搏，将历史传统与时代氛围，古民间风俗与现代生活情趣结合起来，为人们创造一个优美的游览、观赏、娱乐、购物的文化环境。而这些特征和环境正是一个好的人文景点所必备的。

目前，在许多历史文化街区规划中，似乎都过多地注重了古建筑的保护，而忽视了对当地文脉的研究和历史保护的根本目的，不考虑或很少考虑本地居民的规划要求。我们认为这种做法是舍本逐末的，建设者更应该将"形"与"神"结合起来，最重要的是了解一个地区的"人"，把握一个地区的"魂"（图7-42）。我们是普通的大学生，只想通过本次调查，用自己的眼睛、用自己的心去解读夫子庙的一些问题，提出自己的一些观点

图7-42　历史的厚重感

及建议，也许有些地方还不成熟，但只要对繁荣夫子庙有一定的帮助，我们想，这次调查也就达到目的了。

主要参考文献

[1] 张松. 城市特色维持与历史保护[J]. 城市规划汇刊. 1992,5.

[2] 张杰. 探求城市历史文化保护区的小规模改造与整治——走"有机更新"之路[J]. 城市规划. 1996,4.

[3] 赵志荣. "拼贴"与"有机更新"——浅论历史风貌地段的保护与更新[J]. 新建筑. 1998,2.

[4] 伍乐朗. 南京夫子庙地区旅游资源考查[J]. 现代城市研究. 2001,1.

[5] 韦立平，朱炳禧. 秦淮旅游区建设初期效益与长远发展价值[J]. 江苏经济探讨. 1991,4.

[6] 阮仪三. 谈城市历史保护规划的误区[J]. 规划师. 2001,3.

参考文献

中文参考文献

译著

[1] （英）配第(W.Petty)．政治算术 [M]．陈冬野译．北京：商务印书馆，1978.

[2] （美）伊恩·伦诺克斯·麦克哈格．设计结合自然[M]．芮经纬译．天津：天津大学出版社，2006.

[3] （美）《华盛顿宪章》[C]1987.10，ICOMOS 第八届会议通过的保护历史城镇与城区宪章.

[4] （美）帕克(Park,R.E.)等．城市社会学：芝加哥学派城市研究文集[M]．宋俊岭等译．北京：华夏出版社，1987.

[5] （美）凯文·林奇．城市意象[M]．方益萍等译．北京：华夏出版社，2001.

[6] （美）克莱尔·库珀·马库斯(Clair Cooper Marcus)，卡罗琳·弗朗西斯(Carolyn Francis)编著．人性场所：城市开放空间设计导则[M]．俞孔坚等译．北京：中国建筑工业出版社，2001.

[7] （丹麦）扬·盖尔．交往与空间[M]．何人可译．北京：中国建筑工业出版社，2002.

[8] （法）法国华夏建筑研究学会．圆明园遗址的保护和利用 [M]．北京：中国林业出版社，2002.

[9] （英）杰拉尔德·迪克斯.建筑·保护和文脉：建筑和城市设计中的传统和演变[C]．陈寒凝译．国际建协20届大会论文，1999.

[10] 程代熙等译．歌德的格言和感想集[C]．北京：中国社会科学出版社．1982.

[11] （苏）И.С.科恩．十九世纪至二十世纪初资产阶级社会学史[M]．梁逸译．上海：上海译文出版社，1982.

[12] （日）NIPPO 电机株式会社．间接照明[M]．许东亮译．北京：中国建筑工业出版社，2004.

专著

[1] 王康．社会学史[M]．北京：人民出版社，1992.

[2] 谭纵波. 城市规划[M]. 北京：清华大学出版社，2005.

[3] 周晓虹. 西方社会学历史与体系[M]. 上海：上海人民出版社，2002.

[4] 中国人民大学，北京经济学院《管子》经济思想研究组.《管子》经济篇文注译 [M]. 南昌：江西人民出版社，1980.

[5] 商鞅. 商君书[M]. 章诗同注. 上海：上海人民出版社，1974.

[6] 韩明谟. 中国社会学调查研究方法和方法论发展的三个里程碑[J]. 北京：北京大学学报哲学社会科学版，1997，(4).

[7] 袁方. 社会学百年[M]. 北京：北京出版社，1999.

[8] 韩明汉. 中国社会学史[M]. 天津：天津人民出版社，1987.

[9] 费孝通. 江村经济：中国农民的生活[M]. 北京：商务印书馆，2001.

[10] 梁思成. 蓟县独乐寺观音阁山门寺[C]. 载《凝动的音乐》. 天津：百花文艺出版社，2006.

[11] 梁思成. 中国建筑史[M]. 天津：百花文艺出版社，1998.

[12] 王军. 城记[M]. 北京：三联书店，2003.

[13] 杨青松等. 南京乡村调查 [M]. 南京：东南大学出版社，2007.

[14] 王力，朱光潜等. 怎样写论文：十二位名教授学术写作纵横谈[C]. 沈阳：辽宁教育出版社，2006.

[15] 李汝祺. 同遗传科研小组谈科学研究与论文写作：怎样写学术论文[C]. 北京：北京大学出版社，1981.

[16] 章俊华. 规划设计学中的调查分析法与实践[M]. 北京：中国建筑工业出版社，2005.

案例汇编

[1] 高等学校城市规划专业指导委员会，天津大学建筑学院城市规划系编. 全国大学生城市规划社会调查获奖作品：2005 [M]. 北京：中国建筑工业出版社，2006.

[2] 高等学校城市规划专业指导委员会，北京大学城市与区域规划系编. 全国大学生城市规划社会调查获奖作品：2004 [M]. 北京：中国建筑工业出版社，2006.

[3] 戎安. 北京市怀柔区九渡河镇总体规划. 2006.

[4] 戎安. 北京市东城区新太仓地区保护修缮规划设计方案. 2006.

[5] 戎安. 中央美术学院建筑学院. 北京市昌平区十三陵镇果庄村村庄规划. 2006.

[6] 戎安. 长安街整治环境行为规划调查研究. 2002.

[7] 戎安. 周口店猿人遗址公园环境整治规划. 2005.

[8] 戎安. 周口店遗址公园与古人类博物馆方案设计. 2004.

[9] 刘幸. 北京四合院的蜕变与"大杂院"的形成研究. 2004.

[10] 中央美术学院建筑学院. 北京市昌平区南口镇龙潭村村庄规划. 2007.

[11] 中央美术学院建筑学院. 北京市昌平区阳坊镇西马坊村村庄规划. 2007.

[12] 中央美术学院建筑学院. 北京市昌平区北七家镇东沙各庄村村庄规划. 2007.

[13] 中央美术学院建筑学院. 北京市昌平区百善镇上东廓村村庄规划. 2007.

外文参考文献

[1] Patrick Geddes. Cities in Evolution: an Introduction to the Town Planning Movement and to the Study of Civics [M]. London: Routledge/Thoemmes Pr., 1997.

[2] Le Corbusier. The City of Tomorrow. Translated from the 8th French Edition of Urbanisme by Frederick Etchells. Cambridge: The M.I.T. Press, 1971.

[3] Energy in Europe: Major Themes in Energy. DG for Energy, Sept. 1989. (litver383o, S.16)